Kirche im Übergang

Festschrift für Nikolaus Becker

Kirche im Übergang

Festschrift für Nikolaus Becker zum sechzigsten Geburtstag

herausgegeben
im Auftrag der Leitung
der Evangelischen Kirche im Rheinland
von

Oberkirchenrat Erhard Krause, Düsseldorf
Landeskirchenrat Dietrich Dehnen, Duisburg

1989
Luchterhand

CIP-Titelaufnahme der Deutschen Bibliothek
Kirche im Übergang : Festschrift für Nikolaus Becker zum sechzigsten Geburtstag / hrsg. im Auftr. d. Leitung d. Evang. Kirche im Rheinland von Erhard Krause ; Dietrich Dehnen.
Neuwied und Frankfurt/M. : Luchterhand, 1989
ISBN 3-472-00008-2 kart.
ISBN 3-472-00073-2 Gewebe
NE: Krause, Erhard [Hrsg.]; Becker, Nikolaus: Festschrift

Quellenhinweis: Titel-Foto, Presseverband/Nanninga

Satz: Fotosatz Froitzheim, Bonn.
Druck: Druck- und Verlags-Gesellschaft mbH, Darmstadt.
Printed in Germany, Oktober 1989.

Inhaltsverzeichnis

Nikolaus Becker zum sechzigsten Geburtstag

Eine Festschrift zum sechzigsten Geburtstag von Nikolaus Becker.

Sie hat ihr Recht und ihren Platz.

Sie sollte nicht einfach zur Kenntnis genommen und unter dem Titel begründeter und notwendiger Ehrungen rubriziert werden.

Denn weil es auch und nicht zuletzt um Ehrerbietung und Signale der Freundschaft gegenüber einem verdienten Mann geht, gerade darum muß zur Sache geredet werden. Die Probleme, mit denen ein Kirchenjurist hantiert, sind schwierig genug. Jeder, der in diesem Dienst hauptverantwortlich handelt, setzt sich Verdächtigungen aus, die heute kirchliche Realität kennzeichnen.

Es ist sicher mißlich und dem Anlaß wenig angemessen, bekannte Verdienste aufzuzählen. Die in diesem Band versammelten Aufsätze sollen für sich sprechen. Ich erinnere hier nur daran, daß sich Dr. Becker durch eine Reihe wichtiger wissenschaftlicher Beiträge und Arbeiten – beispielsweise durch die Kommentierung der Kirchenordnung der Evangelischen Kirche im Rheinland – ausgewiesen und ausgezeichnet hat, ganz abgesehen von seinem Bemühen, den Grundlinien unserer Kirchenordnung Respekt und Geltung zu verschaffen. Als zuständiger Finanzdezernent hat er, was häufig übersehen wird, das Prinzip der Ortskirchensteuer sowie die Verantwortung der Gemeinden und Kirchenkreise für ihre eigenen Angelegenheiten gegen alle Angriffe verteidigt.

Angesichts wahrscheinlicher Veränderungen, denen wir uns in Zukunft zu stellen haben, bedürfen wir dringend der verläßlichen Sachkunde der Kirchenjuristen.

Es ist vor allem perspektivische Arbeit zu leisten.

Zwar können wir mit den Bestimmungen der geltenden Kirchenordnung recht gut leben. Es zeigt sich aber seit geraumer Zeit, daß an wesentlichen Punkten die Wirklichkeit der Gemeinden nicht mehr mit der Ordnungsvorgabe übereinstimmt. Prozesse der Anpassung werden unvermeidlich. Wie das geschehen kann, ohne die Grundlagen der presbyterial-synodalen Ordnung empfindlich zu stören, ist eine offene Frage, die theologisch und juristisch qualifizierte Antworten erfordert.

Dem unaufhebbaren Widerspruch von kirchlicher Ordnung und geistlicher Freiheit werden wir nie entkommen.

Dem Geehrten wünsche ich im Namen der Leitung der Evangelischen Kirche im Rheinland Gottes Segen.

Diesem Buch wünsche ich aufmerksame Leser.

Düsseldorf, den 29. Juni 1989

Peter Beier
Präses der Evangelischen Kirche
im Rheinland

Vorwort

Der sechzigste Geburtstag des juristischen Dirigenten des Düsseldorfer Landeskirchenamtes gibt über ein ehrendes Gedenken hinaus auch Anlaß, in einigen thematischen Beiträgen zu bedenken, welchen Weg die rheinische Kirche in den Jahren seines Dienstes gegangen ist und welchen neuen Herausforderungen sie sich gegenüber sieht. Die nachfolgenden Beiträge befassen sich besonders mit ausgewählten Sachfragen aus den Hauptarbeitsgebieten von Nikolaus Becker; sie sind dementsprechend thematisch gruppiert.

An vielen Stellen dieser Schrift wird aber auch spurenhaft deutlich, wie sehr sich verschiedene kirchliche Aufgaben und die Rahmenbedingungen des Dienstes der Kirche in den letzten Jahrzehnten verändert haben. Es ist das Verdienst von Nikolaus Becker, an dieser Entwicklung vorausschauend mitgewirkt und sie in einem nicht unerheblichen Ausmaß beeinflußt zu haben. Er hat die heutige Übergangszeit einer volkskirchlichen Existenz der rheinischen Kirche, die sich neuen Problemen und Herausforderungen auch in Zukunft stellen möchte – vielleicht mit anderen als den gewohnten Methoden –, zu seinem Teil mit geprägt.

Alle Mitwirkenden an diesem Band widmen ihre Beiträge Nikolaus Becker als Zeichen der persönlichen Verbundenheit, in der sie mit ihm gemeinsam in dem vielfältigen Dienst der Kirche arbeiten. Ihnen allen gebührt herzlicher Dank. Dank schulden wir darüber hinaus allen, die bei dem Zustandekommen dieses Bandes tatkräftig mitgewirkt haben, vor allem Frau Kirchenoberrechtsrätin Susanna Stapelfeldt und Frau Assessorin Elke Wieja – insbesondere auch für die Zusammenstellung der Verzeichnisse und die gesamte redaktionelle Betreuung. Zu danken ist schließlich dem Luchterhand Verlag für eine über das übliche Maß hinausgehende Förderung dieser Veröffentlichung.

Der Herausgeber

1. Kirchenrecht

Ein kleines Grundsatzproblem

Axel v. Campenhausen

Die Zeiten, in denen die Existenzberechtigung Theologischer Fakultäten an staatlichen Universitäten in Frage gestellt wurde, scheinen vorbei zu sein[1]. Einen Hinweis dafür bieten Klauseln in jüngeren Kirchenverträgen, in denen der Staat sein eigenes Interesse an der Theologie als integralem Teil der Wissenschaft unterstreicht[2]. Umstritten ist dagegen, wie weit der Staat in eigener Verantwortung gehen kann. Bekanntlich nehmen die Theologischen Fakultäten seit altersher einen Doppelstatus ein. Sie sind Teil der staatlichen Universität, dienen der staatlichen Wissenschaftspflege und unterliegen den staatlichen Gesetzen. Zugleich nehmen die Theologischen Fakultäten aber auch kirchliche Aufgaben wahr. Schon der Begriff der Theologie schließt den Bezug zur Kirche ein. Hierin unterscheidet sich die Theologie von der im übrigen weithin dasselbe Terrain beackernden Religionswissenschaft. Insbesondere ist aber die Ausbildung des kirchlichen Nachwuchses eine primär kirchliche Aufgabe, die von den staatlichen Fakultäten wahrgenommen wird. Insofern sind die Fakultäten auch Kirche[3].

Dies ist in der Theorie heute wenig bestritten. Gleichzeitig sind aber praktische Probleme aufgetreten, die zum Teil unscheinbar sind, tatsächlich aber das Prinzip in Frage stellen, so z. B. die Probleme der Zulassung von Konfessionsfremden zur Promotion, als ob es sich bei theologischen Abschlüssen um weltliche Examina handele, die dienstleistungsartig vom Staat an jedermann vergeben werden[4]. In vollem Gang ist auch die Auseinandersetzung über die Befugnis des Staates, gegen den Willen der begünstigten Kirche einen theologischen Studiengang an einer staatlichen Universität einzurichten, trotz eines obsiegenden Urteils vor dem Verwaltungsgericht in Wiesbaden als auch am Bundesverwaltungsgericht in Berlin – eine prozessuale Kuriosität, die aber ahnen läßt, daß Grundsatzfragen von großer Bedeutung auf dem Spiel stehen[5].

1 Grundlegend zum Recht der Theologischen Fakultäten nach wie vor Solte, Theologie an der Universität. Staats- und kirchenrechtliche Probleme der Theologischen Fakultäten, Jus Ecclesiasticum, Bd. 13, München 1971. Für die prinzipiellen Fragen M. Heckel, Die theologischen Fakultäten im weltlichen Verfassungsstaat, Jus Ecclesiasticum, Bd. 31, Tübingen 1986. Gedrängter Überblick bei A. v. Campenhausen, Theologische Fakultäten/Fachbereiche, in: Flämig u. a. (Hrsg.), Handbuch des Wissenschaftsrechts, Bd. 2, Berlin u. a. 1982, S. 1018 ff.; Hollerbach, Die Theologischen Fakultäten und ihr Lehrpersonal im Beziehungsgefüge von Staat und Kirche, Essener Gespräche, Bd. 16, 1982, S. 69 ff.

2 Art. I Kirchenvertrag des Landes Nordrhein-Westfalen mit dem Heiligen Stuhl vom 26. März 1984, und Art. I Abs. 2 Kirchenvertrag des Saarlandes mit dem Heiligen Stuhl vom 26. Juni 1985 sowie Regierungsbegründung dazu. Alle Texte bei Listl (Hrsg.), Konkordate und Kirchenverträge in der Bundesrepublik Deutschland, Bd. 2, Berlin 1987, S. 297, 620, 629.

3 Im einzelnen zu diesem Doppelstatus Solte, a.a.O., S. 121 ff.; M. Heckel, a.a.O., S. 220. – Unberührt hiervon haben die Kirchen im Rahmen ihres Selbstbestimmungsrechts, Art. 140 GG i. V. m. Art. 137 III WRV, die Möglichkeit, eigene kirchliche Hochschulen zu errichten und zu betreiben. Darauf kann in diesem Zusammenhang nicht näher eingegangen werden.

4 VGH Mannheim, Urteil vom 19. Juli 1984 – 9 S 2239/82 –, ZevKR 30 (1985) S. 103 ff.; dazu A. v. Campenhausen, Das kirchliche Selbstbestimmungsrecht in staatlichen Theologischen Fakultäten, ZevKR 30 (1985) S. 71 ff.

5 Hess. VGH, Urteil vom 31. Juli 1987 – 6 UE 1344/85–, ZevKR 33 (1988) S. 79 ff. Zu diesem Themenkreis M. Heckel, Zur Errichtung theologischer Fakultäten und Studiengänge im Spannungsfeld von Kulturverfassungsrecht und Staatskirchenrecht, in: FS Obermayer, München 1986, S. 181 ff.;

Grundsatzfragen haben es bisweilen in sich, daß sie an scheinbar lächerlichen Quisquilien aufgespießt werden. Es wäre ein Trugschluß, aus der Winzigkeit eines Problems den Schluß zu ziehen, daß es den Prinzipienkampf an dieser Stelle dann nicht lohne. Im Gegenteil: Gerade an vergleichsweise unbedeutenden Punkten, in denen Unkenntnis, Ahnungslosigkeit, Unfreundlichkeit und Verwaltungsstumpfsinn sich treffen, können weitreichende Entscheidungen getroffen werden, z. B. indem man dissimulierend über Kleinigkeiten hinwegsieht. Die Folgen sind dann unübersehbar, das Problem aber nurmehr schwer zu beheben. Die Leistung eines leitenden Juristen besteht nicht selten darin, solche Gefahrenpunkte zu erkennen und zu verhindern, daß sie zu den Akten gelegt werden. Dem Jubilar, dem diese Zeilen gewidmet sind, unterbreite ich einen solchen Fall, taktvollerweise einen, der sich außerhalb der Verantwortung der Rheinischen Kirche abspielt.

I.

Die Universität Hamburg ist vor kurzem dazu übergegangen, in Immatrikulations- und Semesterbescheinigungen für das Studienfach »Evangelische Theologie« als angestrebte Abschlußprüfung nur noch »Diplom« zu bescheinigen. Bis dahin war auch dort im Einklang mit der unveränderten Bescheinigungspraxis der anderen Universitäten mit Theologischen Fakultäten in Deutschland die angestrebte Abschlußprüfung als »Theol. Examen« angegeben worden. Handelt es sich um ein Versehen? Kann man wie so oft die angeblichen Zwänge des Schreibcomputers verantwortlich machen? Jedenfalls hat die Immatrikulationsbehörde, auf diese kleine Änderung hingewiesen, es abgelehnt, sie als eine selbstverständlich zu behebende Panne zu korrigieren. Das mußte schon hellhörig machen und gibt Anlaß zu prüfen, ob diese geänderte Bescheinigungspraxis der Universität Hamburg überhaupt mit dem Hochschulrahmengesetz und mit viel weiter reichenden staatskirchenrechtlichen Grundsätzen der Verfassung vereinbar ist.

II.

Die Theologischen Fakultäten an staatlichen Universitäten gehören zu den gemeinsamen Angelegenheiten[6] von Staat und Kirche. Hierunter werden heute nach überwiegender Ansicht diejenigen Angelegenheiten verstanden, die eine selbständige primäre Zweckbeziehung sowohl zum Staat als auch zur Kirche in sich tragen[7]. Dazu zählen neben den Kirchensteuern, die in Art. 140 GG i. V. m. Art. 137 VI WRV eine eigene verfassungsrechtliche Gewährleistung gefunden haben, insbesondere der Religionsunterricht an staatlichen Schulen (vgl. Art. 7 III GG), die Anstaltsseelsorge (Art. 140 GG i. V. m. Art. 141 WRV) und die genannten Theologischen Fakultäten. Aus der im Gegensatz zu Art. 149 III WRV im

Kirste, Der Diplomstudiengang Katholische Theologie an der Universität in Frankfurt. Eine staatskirchenrechtliche Kontroverse, Münster/New York 1988.

6 Zu diesem Begriff A. v. Campenhausen, Staatskirchenrecht, München 1983², S. 113 ff.; v. Busse, Gemeinsame Angelegenheiten von Staat und Kirche, München 1978, S. 9 ff.; Ehlers, Die gemeinsamen Angelegenheiten von Staat und Kirche, ZevKR 32 (1987) S. 158 (171 ff.).

7 So im Anschluß an Ebers, Staat und Kirche im neuen Deutschland, München 1930, S. 261, statt anderer A. v. Campenhausen, Staatskirchenrecht, S. 113.

Grundgesetz fehlenden bundesverfassungsrechtlichen Garantie der Theologischen Fakultäten kann nicht auf einen minderen Rang dieser gemeinsamen Angelegenheit geschlossen werden. Angesichts der 1949 nicht vorgesehenen Bundeszuständigkeit für das Hochschulwesen wurde damals auf eine Inkorporation der genannten Weimarer Verfassungsbestimmung in das Grundgesetz verzichtet[8]. Auf Grund der Länderkompetenz hat die Garantie aber in mehrere Landesverfassungen Eingang gefunden[9].

Wie bereits erwähnt[10], besitzen die Theologischen Fakultäten eine Doppelfunktion. Der neben der staatlichen Funktion bestehende kirchliche Status kommt u. a. darin zum Ausdruck, daß die Theologischen Fakultäten nur im Einvernehmen von Staat und Kirche geführt werden können[11]. Das gilt auch für die Theologische Fakultät in Hamburg, wo – Tübingen vergleichbar – zwar kein förmlicher Vertrag zwischen dem Senat der Freien und Hansestadt Hamburg und der zuständigen evangelischen Landeskirche vorliegt, dieses Einverständnis aber immer gegeben war und ist[12].

Angesichts der Doppelfunktion der Theologischen Fakultäten hat das staatliche Recht die kirchlichen Belange bei der Aufstellung der universitären Studien- und Prüfungsordnungen immer berücksichtigt. Dabei hat sich eine hier nicht darzustellende gestufte Rangfolge von staatlichen Rücksichtnahmepflichten bis hin zu bestimmten kirchlichen Zustimmungs- und Aufsichtsrechten entwickelt[13]. Diese haben teilweise Eingang in die Hochschulgesetzgebung des Bundes und der Länder gefunden, teilweise lassen sich einzelne Verbürgungen auch im Vertragsstaatskirchenrecht, also in Kirchenverträgen und Konkordaten, nachweisen[14]. Fehlen einschlägige Positivierungen der gestuften staatlichen Berücksichtigungspflichten und Mitwirkungs- und Aufsichtsrechte der Kirchen im Hochschulrecht eines Bundeslandes, so folgen diese in analoger Anwendung vergleichbarer Bestimmungen aus dem Charakter der Theologischen Fakultäten als gemeinsame Angelegenheiten von Staat und Kirche.

III.

Das für die Länder verbindliche Hochschulrahmengesetz des Bundes[15] geht in § 15 I S. 1 HRG davon aus, daß das Studium in der Regel durch eine Hochschulprüfung, eine staatliche oder eine kirchliche Prüfung abgeschlossen wird. Damit

8 Dazu A. v. Campenhausen, Staatskirchenrecht, S. 123; ders., Theologische Fakultäten, S. 1022 m. Anm. 19.

9 Art. 60 II hess. Verf., Art. 150 bay. Verf., Art. 39 III rheinl.-pfälz. Verf. und Art. 10 bad.-württ. Verf.

10 Oben S. 3.

11 So W. Weber, Theologische Fakultäten, staatliche Pädagogische und Philosophisch-Theologische Hochschulen, in: HdbStKirchR, Bd. II, Berlin 1975, S. 569 (571).

12 Dazu wiederum W. Weber, a.a.O., s. auch Wasse, Die Werke und Einrichtungen der evangelischen Kirche, Göttingen 1954, S. 21 und 32f., zur Kirchlichen Hochschule Hamburg, der Vorläuferin der staatlichen Theologischen Fakultät, die durch das hamb. Gesetz über die Errichtung einer Ev.-Theol. Fakultät an der Universität Hamburg vom 24. Oktober 1952, hamb. GVBl. S. 231, errichtet worden ist.

13 M. Heckel, Theologische Fakultäten, S. 227ff.

14 Einzelheiten bei M. Heckel, Theologische Fakultäten, S. 220ff.

15 Hochschulrahmengesetz (HRG) i. d. F. d. Bkm. vom 9. April 1987, BGBl. I S. 1170.

beschreibt diese Bestimmung einmal den gegenwärtigen Rechtszustand eines Nebeneinanders von staatlichen, kirchlichen und Hochschulabschlußprüfungen. Zum anderen setzt diese Norm mit der Aussage, daß ein wissenschaftliches Studium durch eine Prüfung vor unterschiedlichen Institutionen abgeschlossen werden kann, eine Gleichwertigkeit vergleichbarer Abschlußprüfungen voraus. Während in den meisten Studiengängen keine Wahlmöglichkeit zwischen vergleichbaren Abschlußprüfungen vor unterschiedlichen Prüfungsämtern besteht, ist dieses im Rahmen des Theologiestudiums jedoch herkömmlich. Während die Mehrzahl der Theologiestudenten nach dem wissenschaftlichen Studium an Universität oder Kirchlicher Hochschule und einer erfolgreich abgelegten Ersten theologischen Dienstprüfung in einen kirchlich geordneten Vorbereitungsdienst als Vikar geht, hat es immer schon Studierende der Theologie gegeben, die – aus welchen Gründen auch immer – nicht in einen landeskirchlichen Dienst treten wollen[16].

Infolgedessen hat seit langem die Möglichkeit bestanden, durch ein von der Universität abgenommenes sog. »Fakultätsexamen« einen akademischen Abschluß des Theologiestudiums zu erlangen. Seit der Einführung der Allgemeinen Bestimmungen für Diplomprüfungsordnungen[17] für die wissenschaftlichen und künstlerisch-wissenschaftlichen Hochschulen (ohne Fachhochschulstudiengänge) bildet die Diplomprüfung den **ersten berufsqualifizierenden** Abschluß des Studiums. In Anpassung an die neue Rechtslage ist deshalb an einigen Ev.-Theol. Fakultäten, so z. B. auch in Hamburg, an die Stelle des alten »Fakultätsexamens« die Diplomprüfung mit dem Hochschulgrad »Diplom-Theologe« (»Dipl.-Theol.«) getreten. Die Diplomprüfung stellt somit **nur einen** von zwei möglichen ersten berufsqualifizierenden Abschlüssen des Theologiestudiums dar.

§ 30 VI des Hamburgischen Hochschulgesetzes[18] sieht vor, daß die Hochschulen in ihren Immatrikulationsordnungen das Verfahren der Immatrikulation, Rückmeldung, Beurlaubung und Exmatrikulation einschließlich der Fristen regeln. Da es an der Universität Hamburg eine Immatrikulationsordnung gem. § 30 VI HmbHG nicht gibt, werden in der Praxis alle wichtigen Regelungen direkt aus dem Hamburgischen Hochschulgesetz entnommen, wobei die §§ 34–37 die wichtigsten Regelungen enthalten[19]. Auf Grund dieser Bestimmungen erteilte Studienbescheinigungen müssen die Wahlmöglichkeit der Studenten bei der ersten berufsqualifizierenden Abschlußprüfung berücksichtigten. Wie dieses in den Bescheinigungen gekennzeichnet wird, ist in das Ermessen der Universität Hamburg gestellt. Denkbar ist es, als gemeinsamen Oberbegriff »Theologisches Examen« oder nach Wahl des Studenten »Diplom« bzw. »Erste Theologische Dienstprüfung« zu bescheinigen. Eine einseitige Kennzeichnung mit »Diplom« als angestrebtem ersten berufsqualifizierenden Studienabschluß jedes Theologiestudenten verstößt demgegenüber gegen den im Einvernehmen von Staat und Kirche getragenen

16 Einzelheiten bei A. v. Campenhausen/Christoph, Ausbildungsrechte und -pflichten der Kirchen für Absolventen des Theologiestudiums, DVBl. 1986, 711 ff.

17 Beschluß der Kultusministerkonferenz vom 15. November 1979 i. d. F. vom 30. Mai 1980, z. B. Nds. MBl. 1980, 1233.

18 Hamburgisches Hochschulgesetz (HmbHG) vom 22. Mai 1978, Hamb. GVBl. S. 109, zuletzt geändert durch Gesetz vom 6. Mai 1985, Hamb. GVBl. S. 117.

19 Mitteilung der Universität Hamburg an die Nordelbische Ev.-Luth. Kirche vom 3. April 1989, die dem Verf. von Herrn Oberkirchenrat Dr. Ziehbold zur Kenntnis gebracht wurde.

Doppelcharakter der Theologischen Fakultät als gemeinsame staatliche und kirchliche Angelegenheit. Die dem Staat gebotene Rücksichtnahme auf die kirchlichen Ausbildungsziele im Rahmen einer Theologischen Fakultät wird mit einer einseitigen Bescheinigungspraxis nicht eingehalten. Schließlich wird die von § 15 I S. 1 HRG vorausgesetzte Gleichwertigkeit von universitären und kirchlichen Abschlußprüfungen beim Theologiestudium langfristig ausgehöhlt, wenn in Studienbescheinigungen nur noch das Diplom als vermeintlich einziger Studienabschluß dokumentiert wird. Es ist deshalb darauf hinzuwirken, daß eine dem Doppelcharakter der Theologischen Fakultät entsprechende Bescheinigungswahrheit und -klarheit in den Studienbescheinigungen für Theologiestudenten in Hamburg wieder hergestellt wird.

IV.

Angesichts der Wahlmöglichkeit eines jeden Theologiestudenten, alternativ eine universitäre oder eine kirchliche erste berufsqualifizierende Abschlußprüfung abzulegen, dürfen Studienbescheinigungen keine einseitige Festlegung einer bestimmten theologischen Abschlußprüfung enthalten. Eine solche Praxis würde gegen den von Staat und Kirche einvernehmlich getragenen Doppelcharakter der Theologischen Fakultäten verstoßen und letztlich die religiös-weltanschauliche Neutralität des weltlichen Gemeinwesens in Frage stellen.

Grundrechte in der Kirche*

Herbert Ehnes

Im Jahre 1985 erschien die sogenannte Demokratie-Denkschrift der Evangelischen Kirche in Deutschland[1]. In seinem Vorwort weist der damalige Ratsvorsitzende darauf hin, daß die evangelische Kirche nach Erkenntnis der Mitschuld an dem Leid, das durch das nationalsozialistische Deutschland über viele Völker und Länder gebracht worden sei, ihre öffentliche Verantwortung im demokratischen Rechtsstaat des Grundgesetzes bewußt wahrgenommen habe. Diese Denkschrift enthält eine klare Zustimmung zur freiheitlichen Demokratie, benennt neue Herausforderungen und Gefahren und weist auf verbesserungsfähige und verbesserungsbedürftige Bereiche in der politischen Ordnung hin.

Wenn mir auch Epplers[2] Kritik, die Denkschrift sei zu spät nach Gründung der BRD erschienen, sie wäre 1955 oder auch noch 1970 hilfreicher gewesen als 1985, berechtigt erscheint, wenn auch theologische, rechts- und sozialstaatliche Defizite in dieser Schrift unübersehbar sind[3], erfährt das Grundgesetz eine so positive Würdigung durch die Kirche, daß sich die Mühe lohnt, auf diesem Hintergrund erneut nach der Bedeutung der Grundrechte für die Kirche zu fragen.

Es wird die insbesondere in den 70er Jahren geführte Diskussion über die Geltung von staatlichen Grundrechten in der Kirche wieder aufgenommen und der Stand der Überlegungen zu der Normierung kircheneigener Grundrechte gewürdigt.

1. Die Grundrechtsbindung der Kirche

Die Geltung der staatlichen Grundrechte **in** der Kirche, also die Bindung der Kirche an die Grundrechte, ist zu unterscheiden von der inzwischen im positiven Sinne entschiedenen Frage nach der Geltung der Grundrechte **für** die Kirche[4].

Hier geht es um das Spannungsverhältnis zwischen dem in Art. 140 GG i.V.m. Art. 137 Abs. 3 WRV normierten Autonomiegrundsatz der Kirche (»Jede Reli-

* Diesem Manuskript liegt ein Vortrag zugrunde, der im Kirchenrechtlichen Seminar von Prof. Ehlers in der Juristischen Fakultät der Universität Münster von mir am 31. 1. 1989 gehalten wurde.
Dieser Beitrag erscheint demnächst auch in der ZevKR, allerdings unter der erweiterten Themenstellung: »Die Bedeutung des Grundgesetzes für die Kirche, insbesondere Grundrechte in der Kirche«. In dieser ausführlicheren Abhandlung wird auch anhand von Fallstudien die Bedeutung weiterer Grundsätze des Grundgesetzes (Demokratiegebot, öffentlich-rechtliche Dienstverhältnisse) für innerkirchliches Handeln aufgezeigt.

1 EKD (Hrsg.), Evangelische Kirche und freiheitliche Demokratie. Der Staat des Grundgesetzes als Angebot und Aufgabe, Gütersloh 1985.

2 E. Eppler, in: Ev. Komm. 4, 1986, S. 217.

3 B. Klappert, Bekennende Kirche in ökumenischer Verantwortung: Die gesellschaftliche und ökumenische Bedeutung des Darmstädter Worts, München: Kaiser, 1988 (Ökumenische Existenz heute, Bd. 4), S. 69 ff. m.w.N.

4 Maunz-Dürig, Grundgesetz, Kommentar, München 1987, Art. 19 Abs. 3 Rdnr. 41 m.w.N.; Hermann Weber, Die Grundrechtsbindung der Kirchen, in: ZevKR 17 (1972), S. 386 ff. (387) m.w.N.

gionsgesellschaft ordnet und verwaltet ihre Angelegenheiten selbständig innerhalb der Schranken des für alle geltenden Gesetzes«[5]) und der eminenten Bedeutung des Grundrechtskatalogs des Grundgesetzes. Friesenhahn[6] neigt recht pauschal zur Verneinung der Frage, ob und inwieweit Grundrechte die Selbstbestimmung der Kirchen im Verhältnis zu den einzelnen Gläubigen beeinflussen können. Zur Begründung verweist er darauf, daß die Grundrechte »primär nur die staatliche öffentliche Gewalt binden können«.

Diesen Gedanken greift Friedrich[7] mit der Frage auf: »Kann der Bürger als Kirchenglied diese Grundrechte auch gegen die Kirche geltend machen?« Er kommt zu dem differenzierenden Ergebnis, daß dies nur insoweit möglich sei, »als durch die Geltendmachung der Grundrechte der Auftrag der Kirche nicht eingeschränkt oder in Frage gestellt wird«. Die in der staatlichen Gesetzgebung positivierten Grundrechte hätten also »für die Kirche keine oder, soweit diese Kirche in ihren Ordnungen nicht für den Rechtsschutz ihrer Mitglieder Vorsorge getroffen hat, im äußersten Fall hilfsweise Geltung«[8]. Mit dieser Einschätzung weist er auf die Pflicht der Landeskirche hin, »gesetzlich Vorsorge dafür zu treffen, daß jedes Kirchenglied vor Willkür, Rechthaberei, Anmaßung und Ungerechtigkeit geschützt bleibt«[9]. Seine Auffassung begründet er mit den unterschiedlichen Menschenbildern des Grundgesetzes und des Evangeliums, das nach evangelischem Kirchenrechtsverständnis die wesentliche Rechtsquelle ist: einerseits die autonome Persönlichkeit, andererseits das Eingefügtsein des Gläubigen in den Leib Jesu Christi. Deshalb kann es für den Pfarrer keine Glaubensfreiheit geben[10]. Durch seine Ordination ist er in der öffentlichen Wortverkündigung und der Sakramentsverwaltung an die Heilige Schrift und die reformatorischen Bekenntnisse gebunden.

Durch den Übertritt eines evangelischen Pfarrers zur katholischen Kirche macht er von seinem Grundrecht auf Glaubensfreiheit Gebrauch, freilich mit den rechtlichen Folgen des Ausscheidens aus dem Dienst unter Verlust der Ordinationsrechte, des Rechtes zur Führung der Amtsbezeichnung und zum Tragen der Amtstracht, aber auch des Verlustes der besoldungs- und versorgungsrechtlichen Ansprüche (§ 81 PfDG LLK). Die Ordnung einer kirchlichen Privatschule ist grundsätzlich rechtlich nicht zu beanstanden, wenn sie die Verpflichtung auch für den nach staatlichem Recht religionsmündigen Schüler zur Teilnahme am Religionsunterricht fordert und die entsprechende Weigerung als Entlassungstatbestand normiert[11]. Eingehender, wenn auch erklärtermaßen nur durch das Aufzeigen einiger Leitlinien, befaßt sich Weber mit diesem »weißen Flecken auf der Landkarte des Staatskirchenrechtes«[12]. Wie Friesenhahn kommt er zwar zu dem Ergebnis, daß die Grundrechte grundsätzlich keine Geltung in der Kirche bean-

5 Zur Auseinandersetzung mit der Schrankenformel besonders Konrad Hesse, Grundrechtsbildung der Kirchen?, in: Festschrift für W. Weber, Berlin 1974, S. 447 ff.

6 Ernst Friesenhahn, Die Kirchen und Religionsgemeinschaften als Körperschaften des öffentlichen Rechtes, in: Handbuch des Staatskirchenrechtes der Bundesrepublik Deutschland, 1. Bd., Berlin 1974, S. 561 f.

7 Otto Friedrich, Einführung in das Kirchenrecht, 2. Aufl., Göttingen 1978, S. 311.

8 Otto Friedrich, a.a.O., S. 312.

9 Otto Friedrich, a.a.O., S. 313.

10 Rudolf Smend, Glaubensfreiheit als innerkichliches Grundrecht, in: ZevKR 3 (1953/1954), S. 113 ff.

11 Hermann Weber, a.a.O., S. 408 ff., 411.

12 Hermann Weber, a.a.O., S. 388, 390.

spruchen können, begrenzt diese Aussage aber zugleich auf den »inneren Kirchenbereich«[13]. Diese Feststellung schränkt er dann allerdings wieder ein, in dem er das kirchliche Amtsrecht einer mittelbaren Grundrechtsbindung unterwirft[14].

Neben dem »inneren Kirchenbereich« gibt es für ihn noch drei weitere Bereiche:
1) den Bereich der Wahrnehmung staatlicher Aufgaben mit der Konsequenz der vollen Geltung von Grundrechten in der Kirche, z. B. kirchliche Monopol-Friedhöfe,
2) die Sphäre kirchlichen Tätigwerdens »nach außen«, im Regelungsbereich der weltlichen Rechtsordnung oder des »für alle geltenden Gesetzes«, ebenfalls mit voller Grundrechtsbindung, ähnlich wie bei Gewerkschaften, Arbeitgeberverbänden und politischen Parteien, und schließlich
3) den Bereich, in dem die Kirchen zur Wahrnehmung ihrer Aufgaben von den Angeboten, den öffentlichen Gestaltungsmöglichkeiten und Rechtsformen Gebrauch machen, etwa bei Kirchensteuerbescheiden, Gehaltsregelung, kirchlichem Beamtenrecht, auch mit Grundrechtsbindung.

Wenn auch das allgemeine Kriterium von Friedrich »Auftrag der Kirche« bei Weber durch dessen »Bereichstheorie« spezifiziert wird, tauchen schwierige Abgrenzungsprobleme auf, worauf er selbst hinweist: »In der Tat wird mit der Zuordnung eines konkreten Aktes die Weiche für die Grundrechtsbindung gestellt und in der Tat ist eine solche Zuordnung nicht ohne interpretatorische Wertung möglich.«[15] Hinzu kommt seine These, »daß die Kirche sich auch kirchenintern den Einflüssen der Rechtsgemeinschaft, in der sie lebt, nicht ganz entziehen kann, daß also die staatlichen Grundrechte und ihre Leitbildfunktion für die vom Grundgesetz geprägte Rechtsgemeinschaft auch kirchenrechtlich nicht ganz irrelevant bleiben können«[16].

Seine hiermit verbundene Aufforderung zum weiteren Nachdenken begründet er mit der Vermutung, daß manchem der Verzicht auf jede auch noch so eingeschränkte Grundrechtsbindung im kircheninternen Bereich unbefriedigend erscheinen mag.

Ähnliche Überlegungen stellt Pirson[17] an, indem er die Behauptung aufstellt: »Die Frage, wie es die Kirche mit den Grundrechten hält, ist geeignet, das heute übliche Selbstverständnis des Kirchenrechtes auf die Probe zu stellen.« Ein vollständiges Ignorieren der Grundrechte durch das kirchliche Recht könnte sich als ein zu selbstsicherer Rückzug auf die autonome Position erweisen. Zu stark sei heute (1972!) das Empfinden, daß den Bedürfnissen der Schwachen, Abhängigen, Benachteiligten und Gefährdeten im Recht in besonderer Weise Rechnung getragen werden müsse. Er fordert von der Kirche, die Grundrechtsproblematik im Blick auf die besonderen Bedingungen und Aufgaben der kirchlichen Ordnung selbständig zu bearbeiten, andererseits befürchtet er nicht nur die Stagnation bei

---

13 Hermann Weber, a.a.O., S. 420 ff., 408.

14 Hermann Weber, a.a.O., S. 403, 413 ff., 418.

15 Hermann Weber, a.a.O., S. 417.

16 Dieser »Umfeldtheorie« kann man natürlich nur im Kontext des Grundgesetzes und der entsprechenden Rechtswirklichkeit in der BRD zustimmen, sicherlich nicht z. B. im Kontext des Dritten Reiches.

17 Dietrich Pirson, Grundrechte in der Kirche, in: ZevKR 17 (1972), S. 358 ff., insbesondere 385 f.; vgl. auch Johannes Frank, Dienst- und Arbeitsrecht, Handbuch des Staatskirchenrechts in der BRD, 1. Bd., Berlin 1974, S. 669 ff. (687).

der entsprechenden Weiterentwicklung des kirchlichen Rechtes, sondern auch die Auslieferung der Kirche an heteronome Rechtsprinzipien. Dabei geht er davon aus, daß die sehr virulente Grundrechtsidee in der Kirche so oder so Eingang findet.

Weber[18] kommt ähnlich wie Pirson zu dem Ergebnis, aus praktischer Notwendigkeit innerkirchliche Regelungen grundrechtskonform auszugestalten, soweit der kirchliche Auftrag dies zuläßt.

Wenn Landeskirchen dieser Empfehlung generell folgen würden, entfielen die Abgrenzungsprobleme bei der Weberschen »Bereichstheorie« und das Definitionsproblem bezüglich des Kriteriums von Friedrich »Auftrag der Kirche«. Außerdem würde die Akzeptanz des Kirchenrechtes bei den Kirchenmitgliedern und kirchlichen Bediensteten wachsen, die als Staatsbürger bewußt oder unbewußt Träger von Grundrechten sind.

Ausgehend von der überzeugend begründeten Erkenntnis der nicht bestehenden Grundrechtsbindung der Kirche stellt sich die drängende Frage nach der Normierung kircheneigener Grundrechte.

2. Kircheneigene Grundrechte

Innerkirchliche Grundrechte richten sich nach Kirchenrecht, nicht nach staatlichem Recht. Sind sie überhaupt mit dem Evangelium vereinbar? Sind sie normiert? Sollen sie in Kirchenverfassungen Eingang finden?

2.1 Oben ist von den unterschiedlichen Menschenbildern in Staat und Kirche die Rede gewesen. Sind Grundrechte denn überhaupt mit 1. Kor. 12,27 »Ihr aber seid der Leib Christi und jeder von euch ein Glied« vereinbar? In unserem letzten der Landessynode gegenüber zu erstattenden Rechenschaftsbericht haben wir, die Mitglieder des Landeskirchenrates (= Kirchenleitung), zu dieser Bibelstelle folgendes ausgeführt:

»Das ist ein Satz, den sich niemand selber sagen kann. Das ›Ihr seid‹ kann auch nicht einfach zu einem ›Wir sind‹ werden, mit dem wir uns selbstzufrieden bestätigen: Wir sind zwar eine recht verweltlichte und pluralistische, mit erschrekkend viel Unkraut auf dem Weizenfeld durchsetzte Volkskirche, aber wir sind eben doch der Leib Christi. Die Zusage des Apostels ist nicht einfach ein Erfahrungssatz, der nun durch den Bericht des Landeskirchenrates mit schönen Beispielen aus dem Leben unserer Kirche veranschaulicht werden könnte. Aber als Zuspruch und Verheißung unseres Herrn dürfen wir den Satz hören und gelten lassen: ›Ihr seid der Leib Christi.‹ Auch ihr in Lippe. Seht darum nicht nur auf das Sichtbare, sondern auf das Unsichtbare (2. Kor. 4,18)! Ihr seid nicht nur, was vor Augen ist, eine öffentlich-rechtlich abgesicherte Religionsgemeinschaft, durch zahllose Gesetze, Ordnungen und Verfügungen wohlgeordnet, gut verwaltet, ausreichend finanziert und gesellschaftlich mehr oder weniger anerkannt. Ihr seid nicht nur ein historisch gewachsenes, vielfältiges Gewebe von religiös, ethisch und

18 Hermann Weber, a.a.O., S. 416; vgl. auch Wolfgang Rüfner, Die Geltung von Grundrechten im kirchlichen Bereich, in: Essener Gespräche 7, Aschendorff 1972.

sozial interessierten Menschen. Ihr seid der Leib Christi. Ihr seid der Mund, durch den er redet, die Hände, durch die er handelt, die Füße, mit denen er zu den Menschen geht, das Auge, durch das er die Not der Welt sieht, und der Leib, durch den er gegenwärtig sein will. Ihr seid nicht Christus selbst. Er, der Herr der Welt, bleibt das Haupt seiner Gemeinde. Aber ihr seid unlöslich mit dem verbunden, von dem und durch den und zu dem alle Dinge sind. Das ist eure einzigartige Würde, von Gott euch zugesprochen. Das ist euer Auftrag, zu dem Gott euch begabt hat. Ihr könnt als Glieder am Leibe Christi nicht nur für euch selbst leben, für die eigenen Ansprüche und Interessen. Ihr seid dem ganzen Leib verpflichtet, so wie der Leib Christi dieser Welt dient.«

Aus diesen Ausführungen drängen sich mindestens drei Problemkreise auf, die Anlaß zu Fragen geben: Ansprüche und Interessen des einzelnen gegen die Kirche, die inhaltliche Ausgestaltung des Begriffes »Würde« und die Vereinbarkeit von subjektiv-öffentlichen Rechten mit dem einheitlichen Leib mit seinen Organen wie Mund, Händen, Füßen, Augen.

Kirchliche Grundrechte wären Abwehrrechte des einzelnen Mitgliedes, des ehrenamtlichen Mitarbeiters, des Bediensteten gegen die Kirchenleitung, wenn man vom Grundrechtsverständnis des Grundgesetzes ausginge; oder nach neuerem Grundrechtsverständnis auch Leistungs- und Teilhaberrechte des einzelnen gegen die Kirchenleitung. Die auf das Individuum bezogenen Interessen müßten also im Mittelpunkt des Kirchenrechtes stehen.

Der Schutz der Menschenwürde ist in Art. 1 Abs. 1 GG so normiert: »Die Würde des Menschen ist unantastbar. Sie zu achten und zu schützen, ist Verpflichtung aller staatlichen Gewalt.« Im Wortlaut des Grundgesetzes ist kein Hinweis auf den Ursprung dieses Rechtes enthalten. Dies ist um so erstaunlicher, als es noch unter den besonderen Schutz von Art. 79 Abs. 3 GG gestellt ist. Wäre es mit dem Evangelium vereinbar, wenn es in der kirchlichen Rechtsordnung die kirchliche Rechtsnorm gäbe mit dem gleichen Wortlaut wie Art. 1 Abs. 1 GG: »Die Würde des Menschen ist unantastbar. Sie zu achten und zu schützen, ist Verpflichtung aller kirchlichen Gewalt.«?

Wenn der Pfarrer gegen seine Kirchenleitung oder das Gemeindeglied gegen den zuständigen Kirchenvorstand eigene Grundrechte durchsetzen könnte, bestünde dann nicht die Gefahr, daß der Leib durch Streitigkeiten zwischen Mund, Händen, Füßen, Augen zerrissen würde?

Diese Ausführungen machen deutlich, daß eine analoge Anwendung der Grundrechte im kirchlichen Bereich nicht ohne weiteres möglich ist. Heinemann[19] begründet dies mit dem Charakter der Kirche als Stiftung Gottes, deren Grundlagen und Aufgaben menschlicherseits unverfügbar seien. Für ihre Lehre und Ordnungen bestünden durch das Evangelium gesetzte Grenzen. Deshalb gäbe es für die Glieder der Kirche nicht jene persönlichen Freiheitsrechte, wie sie die staatliche Ordnung in den Grundrechten der Verfassung anerkennen. Aber es ist wohl auch die große Nähe zwischen den staatlichen Grundrechten und dem

19 Gustav Heinemann, Das Verhältnis von Synode und Parlament, in: Emder Synode von 1571, S. 285ff. (288).

Evangelium erkennbar[20]. Pirson[21] spricht sogar von einem Brückenschlag zwischen den Grundrechten und der christlichen Botschaft. Die Wurzel für die Geltung der Unantastbarkeit der Menschenwürde liegt letztlich darin, daß es Gott ist, der den Menschen ihm zum Bilde, zum Bilde Gottes, geschaffen hat[22]. Der in der neueren Grundrechtsdogmatik geprägte Begriff des Grundrechts auch als »Teilhaberecht«[23] ist unserem Kirchenrecht durchaus geläufig und mit 1. Kor. 12,27 vereinbar. So heißt es z. B. in Art. 15 Abs. 4 Kirchengemeindeverfassungsgesetz der Lippischen Landeskirche: »Die Gemeindeglieder haben ein Anrecht auf den Dienst der Gemeinde und Anteil an den kirchlichen Einrichtungen.« Bei dieser Ausgestaltung kirchlicher Grundrechte müßte es im Leib Christi keine Zerreißproben geben. Aber unser Landeskirchenrat weist zu Recht darauf hin, daß wir »eine recht verweltlichte und pluralistische, mit erschreckend viel Unkraut auf dem Weizenfeld durchsetzte Volkskirche« sind. Also wird es doch Streit über anerkannte oder angebliche Rechtspositionen geben. Dann ist es besser, wenn die Rechte gesetzlich geregelt und durch eigene kirchliche Gerichtsbarkeit geschützt sind. So könnte der Forderung von Friedrich[24], jedes Kirchenmitglied sei vor Willkür, Rechthaberei, Anmaßung und Ungerechtigkeit zu schützen, wirksam entsprochen werden.

Es gibt noch eine bedeutsamere Begründung für die Normierung kirchlicher Grundrechte.

Aus Anlaß des 40. Jahrestages der »Erklärung der Menschenrechte« am 10. 12. 1988 haben manche kirchliche Vertreter darauf hingewiesen, daß der Gedanke der universalen Menschenrechte dem christlichen Glauben und Leben nahestehe. So hat Kruse die Normierung einiger Menschenrechte als »Auslegung christlicher Ethik in weltlicher Sprache« bezeichnet[25]. Immer wieder werden in Fürbitte, Predigt und kirchlichen Verlautbarungen Verbote der Todesstrafe, von Folter, willkürlicher Verhaftung und Zensur und neben den herkömmlichen auch die Ausgestaltung neuer Menschenrechte gefordert, die Rechte auf Arbeit, Bildung, saubere Umwelt, Entwicklung, die rechte Verteilung des Reichtums der Industrienationen usw. Wenn der Inhalt dieser Verkündigung das Maß für die Kirchenordnungen ist, dann muß es auch Grundrechte des einzelnen in der Kirche und gegenüber der Kirche geben[26]; andernfalls ist die Glaubwürdigkeit der Kirche zu hinterfragen. Die Grundrechte des Grundgesetzes bzw. die international anerkannten Menschenrechte bedürfen der »Transformation«[27] bzw. »Analogie«[28], um in die innerkirchliche Rechtsordnung Eingang zu finden. Oben ist bereits auf die

20 Klaus Obermayer, Aufgabe einer evangelischen Kirchenverfassung in dieser Zeit, in: ZevKR 32 (1987), S. 599 ff. (604, 605).

21 Dietrich Pirson, a.a.O., S. 367 f.

22 Otto Friedrich, a.a.O., S. 311, FN 45.

23 Dietrich Pirson, a.a.O., S. 371.

24 Otto Friedrich, a.a.O., S. 313.

25 Martin Kruse, in: Evangelische Informationen Nr. 49 vom 8. 12. 1988; siehe auch Martin Heckel, Die Menschenrechte im Spiegel der reformatorischen Theologie, Heidelberg: Winter, 1987; hierzu: Axel Frhr. von Campenhausen, Menschenrechte im Verhältnis der Kirchen, in: Zeitschrift für Evangelische Ethik, 32. Jg. (1988), S. 282 ff.; Dietrich Pirson, a.a.O., S. 358, FN 1 m.w.N.

26 Wolfgang Huber, Heinz Eduard Tödt, Menschenrechte, 3. Aufl., München: Kaiser, 1988, S. 202.

27 Wie FN 26, S. 199.

28 Wolfgang Huber, Menschenrechte – Christenrechte, in: »Recht nach Gottes Wort«, Neukirchener Verlag 1989, S. 82 ff. (86 ff.).

unterschiedlichen Menschenbilder eingegangen worden, hier die Autonomie des Staatsbürgers, dort die den Menschen von Gott geschenkte und verheißene Freiheit, die Unverfügbarkeit der Person, die Gleichheit aller Menschen vor Gott. Huber und Tödt[29] sprechen von der »Gottesrelation«, die durch die liebende Zuwendung Gottes zum Menschen ermöglicht ist. Das Doppelgebot der Liebe, Gottes- und Nächstenliebe, muß die Ausgestaltung der kirchlichen Grundrechte bestimmen. Obermayer[30] sieht »alles Kirchenrecht von den überpositiven Menschenrechtsprinzipien beherrscht, die in den kirchlichen Grundrechten eine besondere ekklesiologische Konkretisierung erfahren«.

2.2 Im 1983 novellierten Codex Iuris Canonici der röm.-kath. Kirche gibt es für die Fragestellung nach Grundrechten in der Kirche aufschlußreichere Regelungen als in den Kirchenordnungen der evangelischen Landeskirchen[31]. So ist im Can. 208 unter der Überschrift »Pflichten und Rechte aller Gläubigen« von der »wahren Gleichheit in ihrer Würde und Tätigkeit« die Rede. Can. 212 regelt insbesondere in § 3 das kirchliche Grundrecht der Meinungsfreiheit: »Entsprechend ihrem Wissen, ihrer Zuständigkeit und ihrer hervorragenden Stellung haben sie (die Gläubigen) das Recht und bisweilen sogar die Pflicht, ihre Meinung in dem, was das Wohl der Kirche angeht, den geistlichen Hirten mitzuteilen und sie unter Wahrung der Unversehrtheit des Glaubens und der Sitten und der Ehrfurcht gegenüber den Hirten und unter Beachtung des allgemeinen Nutzens und der Würde der Personen den übrigen Gläubigen kundzutun.« Es wird durch Can. 218 ergänzt: »Die sich theologischen Wissenschaften widmen, besitzen die gebührende Freiheit der Forschung und der klugen Meinungsäußerung in den Bereichen, in denen sie über Sachkenntnis verfügen; dabei ist der schuldige Gehorsam gegenüber dem Lehramt der Kirche zu wahren.«[32] In Can. 215 ist von der Vereinigungs- und Versammlungsfreiheit die Rede. Das Wort »Recht« wird im übrigen gebraucht im Zusammenhang mit den »geistlichen Gütern« – Wort Gottes und Sakramente – (Can. 213), Gottesdient (Can. 214), christlicher Erziehung (Can. 217). Z.B. in Can. 220 und 223 sind Formulierungen zu finden, die grundrechtlichen Bestimmungen sehr ähneln: »Niemand darf den guten Ruf, den jemand hat, rechtswidrig schädigen und das persönliche Recht eines jeden auf den Schutz der eigenen Intimsphäre verletzen« (Can. 220); »Bei der Ausübung ihrer Rechte müssen die Gläubigen sowohl als einzelne wie auch in Vereinigungen auf das Gemeinwohl der Kirche, die Rechte anderer und ihre eigenen Pflichten gegenüber anderen Rücksicht nehmen« Can 223 § 1). Das Grundrecht auf Freiheit ist für die Laien in Can. 227 wie folgt beschrieben[33]: »Die Laien haben das Recht, daß ihnen in den Angelegenheiten des irdischen Gemeinwesens jene Freiheit

29 Huber und Tödt, a.a.O., S. 200.

30 Klaus Obermayer, a.a.O., S. 605.

31 Zur Vorgeschichte der Novellierung des CIC: Otto Friedrich, a.a.O., S. 312 f; Dietrich Pirson, a.a.O., S. 359 m.w.N.; Wolfgang Huber und Heinz Tödt, a.a.O., S. 44; Klaus Obermayer, a.a.O., S. 610 m.w.N. in FN 55; Heribert Heinemann, Die Entwicklung der Grundrechte im kanonischen Recht, in: »Recht nach Gottes Wort«, Neukirchener Verlag 1989, S. 63 ff.

32 Vgl. hierzu als praktisches Beispiel die Kölner Erklärung kath. Theologieprofessoren »Wider die Entmündigung – für eine offene Katholizität«, Herderkorrespondenz, 43 (1989), S. 127 ff. und die Entgegnung der Kath. Deutschen Bischofskonferenz, inhaltlich wiedergegeben in FAZ v. 27. 1. 1989, in der offenbar nur auf die Grenzen der Meinungsfreiheit von Theologieprofessoren i. S. des CIC hingewiesen wird.

33 Gem. Can. 207 gibt es kraft göttlicher Weisung in der katholischen Kirche unter den Gläubigen geistliche Amtsträger, die Kleriker genannt werden; die übrigen dagegen heißen Laien.

zuerkannt wird, die allen Bürgern zukommt; beim Gebrauch dieser Freiheit haben sie jedoch dafür zu sorgen, daß ihre Tätigkeiten vom Geist des Evangeliums erfüllt sind, und sich nach der vom Lehramt der Kirche vorgelegten Lehre zu richten; dabei haben sie sich jedoch davor zu hüten, in Fragen, die der freien Meinungsbildung unterliegen, ihre eigene Ansicht als Lehre der Kirche auszugeben.«

Zusammenfassend ist festzustellen, daß die sog. röm.-kath. Grundrechte zwar eine gewisse Nähe zu den Grundrechten des Grundgesetzes haben, aber letztlich doch keine i.S.d. Grundgesetzes sind, weil sie immer einen schrankenlosen Vorbehalt zugunsten der kirchlichen Autorität haben.

2.3 Soweit in der evangelischen Kirchenrechtsliteratur überhaupt der Fragestellung nach kirchlichen Grundrechten Aufmerksamkeit geschenkt wird, gibt es folgende Bandbreite: Den extremsten negativen Standpunkt nahm Smend[34] ein, der innerkirchliche Grundrechte überhaupt bestritt. Friedrich[35] vertritt die Auffassung, daß es in der evangelischen Kirche keine verschiedenen Grundrechte, wohl aber ein Grundrecht gibt: »Das ist die im Glauben zu erlangende Gewißheit des Christen, ein Kind Gottes zu sein. Das ist ein Schutzrecht, das wirksamer helfen kann als alle Grundrechte.« Oder anders formuliert: »Das Grundrecht der Christgläubigen ist das Eingefügtsein in den Leib Christi.« Sein »Grundrecht ist die frohe Botschaft, die Zusage von Gottes freier Gnade gegenüber dem ihm immer wieder davonlaufenden Menschen.« Er[36] schränkt seine grundsätzliche Ablehnung innerkirchlicher Grundrechte im Hinblick auf das Recht auf Gewissens- und Meinungsfreiheit ein, indem er die Auffassung vertritt, daß es eigentlich zum Wesen christlichen Glaubens gehört, ein solches Grundrecht zu respektieren. Es stehe aber unter dem Vorbehalt des Gebotes der Agape: »Die Kritik muß getragen sein von der Liebe zur Kirche, von der Rücksicht auf den in Zweifel und Anfechtung stehenden Mitchristen und muß von jeder Selbsterhöhung und Rechthaberei frei bleiben.« J. Heckel[37] nennt die »göttlichen« Grundrechte der christlichen Bruderliebe, die er als die vornehmsten bezeichnet, der Gleichheit des Christenstandes und der Freiheit des Christenmenschen[38]. Im Vergleich mit ihnen seien die weltlichen Grundrechte »bloß verzerrte Schattenbilder«. Schon die seit der sich in diesem Jahr zum 200. Mal jährenden Französischen Revolution bekannte Umkehr der Reihenfolge in »Brüderlichkeit, Gleichheit, Freiheit« zeigt den Unterschied auf. Ähnlich wie Friedrich erkennt Heinemann[39] z.B. keine Meinungs- und Redefreiheit in der Kirche an, die nicht vom Evangelium hergeleitet wird. Er setzt also an die Stelle des katholischen Vorbehalts »kirchliche Autorität« für die evangelische Kirche den allgemeinen Vorbehalt des Evangeliums. Obermayer[40] setzt in dieser Diskussion deutlich weiterführende Akzente, indem er von neu zu schaffenden Kirchenverfassungen fordert, daß sie kirchliche Grundrechte der einzelnen Kirchenglieder festschreiben. Er merkt hierbei die

---

34 Rudolf Smend, Glaubensfreiheit als innerkirchliches Grundrecht, in: ZevKR 3 (1953/54), S. 113ff. (125).

35 Otto Friedrich, a.a.O., S. 313.

36 Otto Friedrich, a.a.O., S. 312.

37 Johannes Heckel, Lex charitatis, Eine juristische Untersuchung über das Recht in der Theologie Martin Luthers, Abh. der Bayr. Ak. der Wiss. 36 (1953), S. 40.

38 Ähnlich Albert Stein, Evangelisches Kirchenrecht, Lernbuch, 2. Aufl., 1985, S. 22.

39 Gustav Heinemann, a.a.O., S. 32.

40 Klaus Obermayer, a.a.O., S. 610, 607.

entsprechende Lücke[41] im evangelischen Kirchenrecht an und verweist auf die erfreuliche Ausnahme in der inzwischen aufgehobenen Verfassung der Ev.-ref. Kirche in Nordwestdeutchland von 1922, in deren § 1 Abs. 3 Ziff. 1 ein Grundrecht der Kirchenglieder so geregelt war, daß kein Gemeindeglied »über andere Gemeindeglieder den Vorrang oder die Herrschaft beanspruchen« dürfe. Dieser Grundrechts-Ansatz ist in der am 1. 2. 1989 in Kraft getretenen neuen Verfassung der »Evangelisch-reformierten Kirche (Synode evangelisch-reformierter Kirchen in Bayern und Nordwestdeutschland)« von 9. 6. 1988[42] fortentwickelt worden:

Nachdem in deren § 1 Abs. 5 die Grundsätze der Verfassung für alle Glieder und Organe der Kirche als unmittelbar verbindliches Recht erklärt worden sind, kommt der mit »Grundrechte« überschriebenen Bestimmung des § 2 besondere Rechtsqualität zu. Dort sind das Teilhaberecht am Gottesdienst und dem ganzen Leben der Gemeinde und die Rechte auf Gleichheit und Würde garantiert. Die Herrschaftsfreiheit ist als ein wesentliches Kriterium der Ordnung in der Kirche in § 4 normiert. Zu dieser erstmaligen Kodifizierung von Grundrechten im deutschen evangelischen Kirchenrecht hat Stolz[43] entscheidend beigetragen, wie aus seinem Beitrag erkennbar ist. Dort hebt er im Rahmen seines geschichtlichen Rückblicks zunächst hervor, daß in den nach der Reformation auf deutschem Boden erlassenen Kirchenordnungen trotz positiver Ansätze bei Luther und Calvin bis auf die Forderung der Gleichrangigkeit der Gemeinden, der Pastoren, Ältesten und Diakone von innerkirchlichen Grundrechten keine Rede ist. Nicht einmal dieses Grundrecht auf Gleichbehandlung sei wohl angesichts des Summepiskopats tradiert worden. Sogar die Barmer Theologische Erklärung sei in dieser Hinsicht wegen ihres Schweigens zur Judenverfolgung defizitär, wenn sie auch im übrigen die Grundrechtsidee wieder aufgegriffen und weiterentwickelt habe. Auf seinen ausformulierten innerkirchlichen Grundrechtskatalog wird ausdrücklich aufmerksam gemacht.

Huber und Tödt[44] erwähnen ohne Anspruch auf Vollständigkeit folgende innerkirchlichen Grundrechte, die Obermayer[45] unter besonderem Hinweis für unsere Zeit »nach Auschwitz« positiv würdigt:

1) Das Recht auf Zugang zum Glauben: Ein innerkirchliches Grundrecht nicht nur für die Kirchenmitglieder, sondern für alle Menschen, das sich insbesondere als Recht auf christliche Unterweisung, auf Gottesdienst und als Recht des zum Glauben Gekommenen auf die Taufe entfaltet. Die Autoren führen aus: »Es berührt sich mit dem Recht auf Religionsfreiheit, geht aber darüber hinaus; denn es konstituiert mit einem Rechtsanspruch aller Menschen zugleich eine Rechtspflicht der Kirche ... Dem Recht auf Zugang zum Glauben entspricht somit die missionarische Struktur kirchlicher Ordnung.«

---

41 Diese Lücke wird in der Abhandlung von Peter Müller, Neuere Entwicklungen im Verfassungsrecht der evangelischen Landeskirchen in der DDR, in: ZevKR 33 (1988), S. 380 ff., nicht erkennbar.

42 Gesetz- und Verordnungsblatt, 16. Bd., Nr. 1, S. 1 ff.

43 Winfried Stolz, Menchenrechte und Grundrechte im evang. Kirchenrecht, in: »Recht nach Gottes Wort«, Neukirchener Verlag, 1989, S. 100 ff.

44 Wolfgang Huber, Heinz Eduard Tödt, a.a.O., S. 201, 203 ff.; s. Streichung der Rechte unter 2) + 3) auf S. 19 bei Huber, Menschenrechte – Christenrechte, in »Recht nach Gottes Wort«, Neukirchener Verlag, 1989, S. 82 ff. (96 ff.).

45 Klaus Obermayer, a.a.O., S. 610, 607.

2) Das Recht auf Einheit: Ein innerkirchliches Grundrecht für Christen aller Konfessionen, aber auch für Nichtchristen, denen der Zugang zum Glauben durch die Trennungen innerhalb der Christenheit erschwert wird. »Aus dem Recht auf Einheit ergibt sich demgegenüber eine Pflicht aller Kirchen auf allen Ebenen zu ökumenischer Verständigung und Zusammenarbeit. Dem Recht auf Einheit entspricht deshalb die ökumenische Struktur kirchlicher Ordnung.«

3) Das Recht der christlichen Bruderliebe: Die Autoren heben hervor, daß man hier nicht von einer Symmetrie zwischen Rechten und Pflichten reden könne, denn ein geistliches Recht auf Bruderliebe komme auch dem zu, der der Verpflichtung zur Bruderliebe nicht nachkommen kann. »Dem Recht der christlichen Bruderliebe entspricht die diakonische Struktur kirchlicher Ordnung.«

4) Das Recht auf Gewissens- und Meinungsfreiheit: Ein innerkirchliches Grundrecht, das nach innen Glaubenszwang verbietet und die Freiheit theologischer Forschung und Lehre garantiert, wobei die Wahrheit des Glaubens die immanente Schranke ist. »Der geistliche, ›konziliare‹ Streit um die Wahrheit schließe nicht aus, daß sich die Kirche im äußersten Fall von Mitarbeitern oder Mitgliedern wegen grundlegender Glaubensgegensätze trennen muß... Diesem Recht entspricht die konziliare Struktur kirchlicher Ordnung.«

5) Das Recht auf Integrität der Person: Bei Lehrbeanstandungs- und Kirchenzuchtmaßnahmen müsse den Betroffenen rechtliches Gehör, gerichtlicher Rechtsschutz und ein faires Verfahren gewährleistet sein.

»Diesem wie dem zuvor genannten Recht entspricht die freiheitliche Struktur kirchlicher Ordnung.«

6) Das Recht auf Gleichheit: Basierend auf dem Gedanken des »Priestertums aller Gläubigen«, bedeutet dieses Grundrecht eine Absage an die hierarchische Ordnung der Ämter in der Kirche. Es verbietet jede Diskriminierung aus Gründen des Geschlechtes oder der Rasse, der Nation oder des Standes.

»Diesem Recht entspricht die bruderschaftliche (später[46]: genossenschaftliche) Struktur kirchlicher Ordnung.«

7) Das Recht auf Teilhabe an kirchlichen Entscheidungen: Ein innerkirchliches Grundrecht, beruhend auf der Gliedschaft aller Christen am »Leib Christi« und dem Grundsatz des »Priestertums aller Gläubigen« und verwirklicht in der presbyterial-synodalen Ordnung.

Diesem Recht entspricht »die demokratische Struktur kirchlicher Ordnung«.

Die Grundrechte auf Gewissens- und Meinungsfreiheit, Integrität der Person und Gleichheit stimmen im wesentlichen überein mit den oben zitierten innerkirchlichen Grundrechten in der katholischen Kirche. Das Recht auf Zugang zum Glauben ist sinngemäß im CIC enthalten; allerdings nicht die Teilhabe an kirchlichen Entscheidungen. Wie sich dies im Konkordatsrecht und der Praxis auswirkt, konnte man im Kölner Kirchenstreit um die Ernennung von Kardinal Meisner zum Erzbischof von Köln durch den Papst unschwer feststellen. Das ausdrücklich im CIC geregelte Grundrecht auf Vereinigungs- und Versammlungsfreiheit

46 Wolfgang Huber, Menschenrechte – Christenrechte, a.a.O., S. 82ff. (98).

könnte man als weiteres auch evangelisches innerkirchliches Grundrecht i.S.v. Huber und Tödt ergänzen[47]. Es fällt auf, daß Huber[48] und Tödt ein Grundrecht auf Freiheit nicht erwähnt haben, so wie es z. B. in Can. 227 geregelt ist. Ich kann mir eine Formulierung für die evangelische Kirche in Anlehnung an Art. 2 GG und Can. 227 vorstellen, ohne allerdings die Formulierung vom Lehramt der Kirche zu übernehmen. Wenn man kein allgemeines Auffangfreiheitsgrundrecht anerkennen möchte, muß man sich aber mit der Bedeutung weiterer Freiheitsrechte für die Kirche, wie z. B. des Grundrechts auf freie Berufswahl i.V.m. dem Grundrecht auf Freizügigkeit, befassen. Ich kann aus dem Auftrag der Kirche keinen Grund für die Beschränkung der Anstellungsfähigkeit von Pfarrern auf ihre Heimatkirche erkennen[49]. Die mindestens von der EKD und der Lippischen Landeskirche auch rechtlich rezipierte Leuenberger Konkordie von 1973 (Kanzel- und Abendmahlsgemeinschaft, Gemeinsamkeit von Zeugnis und Dienst) verlangt nach Folgerungen im Blick auf die Erstreckung der Anstellungsfähigkeit auf alle Landeskirchen.

In Ergänzung und im Geiste des obigen innerkirchlichen Grundrechtskatalogs könnte man noch an das Grundrecht auf Arbeit denken, wie es in Art. 23 der Allgemeinen Erklärung der Menschenrechte[50] und z. B. in Art. 24 der Verfassung des Landes Nordrhein-Westfalen[51] niedergelegt ist. Diese Fragestellung hat eine besondere Bedeutung in der derzeitigen Situation des Nachwuchses in allen Landeskirchen der EKD. Nachweislich gibt es wesentlich mehr Theologiestudenten und Vikare, als derzeit Stellen vorhanden sind. Aber auch im nichttheologischen Bereich gibt es für kirchliche Berufe eine erhöhte Nachfrage. Schon in der Studie der Kammer der Evangelischen Kirche in Deutschland für soziale Ordnung, Solidargemeinschaft von Arbeitenden und Arbeitslosen – sozialethische Probleme der Arbeitslosigkeit – aus dem Jahre 1982 ist ausgeführt worden: »Was die Kirche . . . an Maßnahmen zur Bewältigung der Beschäftigungsschwierigkeiten und zur Humanisierung der Arbeitswelt vorschlägt, gilt in besonderem Maße auch für sie selbst als Arbeitgeber.«[52] Gebietet es nicht das Gebot der Glaubwürdigkeit der Kirche, ein solches innerkirchliches Grundrecht zu normieren, zumal es überzeugende theologische Begründungen für die Anerkennung des Grundrechtes auf Arbeit gibt?[53] Ein solches Grundrecht auf Arbeit kann im Einzelfall zwar nicht zu einem Anspruch auf Anstellung werden. Es müßte aber den Anspruch an

---

47 Vgl. Gerhard Grethlein, Der Rechtsstatus der Koalitionen (Art. 9 III GG) in der Kirche, in: ZevKR 1988, S. 257 ff.

48 Wolfgang Huber erwähnt in seinem Beitrag »Menschenrechte – Grundrechte«, a.a.O., auch das Grundrecht auf Freiheit aus Glauben im Unterschied zur bürgerlichen Freiheit.

49 Vgl. Karl Barth, Christengemeinde und Bürgergemeinde, in: Theol. Studien, Heft 20, Zürich 1946, S. 32, mit seiner Absage an eine bloße Kirchturmpolitik; bemerkenswerte Ausführungen zum Heimatkirchenprinzip in der Entscheidung des Verwaltungsgerichtshofes der EKU – VGH 11/87 – v. 15. 12. 1988, insbes. S. 7, 13, 17.

50 Neuerdings abgedruckt in: Leiden von Christen in der Welt, Empfehlungen zur Fürbitte, herausgegeben vom Kirchenamt der EKD, Hannover 1988, S. 90 ff.

51 Johannes Rau, Verleihung des Staatspreises NW, Sonderdruck des Presse- und Informationsamtes der Landesreg. NW, Dez. 1988, forderte in seiner Laudatio für Carola Stern, daß »aus dem geschriebenen Recht Verfassungswirklichkeit« wird.

52 S. 87.

53 Günther Brakelmann, Berthold Klappert, Jürgen Moltmann, Walter Zimmerli, Recht auf Arbeit – Sinn der Arbeit; München: Kaiser, 1979, abl. allerdings z. B. Jubiläumskonsultation des Reformierten Weltbundes, epd-Dok. Nr. 50/77, S. 42.

die Kirche beinhalten, z. B. eine Rechts- und Finanzpolitik zu betreiben, nach der so viele Amtsträger wie nötig angestellt und bezahlt werden können.

Ich möchte noch weitergehen und die Frage aufwerfen, ob es nicht in der Konsequenz des durch das Exekutiv-Komitee des Reformierten Weltbunds 1983, die Vollversammlung des ÖRK in Vancouver 1983 und den Kirchentag in Düsseldorf 1985 initiierten Prozesses liegt, analog zur »Allgemeinen Erklärung der Menschenrechte« eine solche für innerkirchliche Grundrechte mit weltweiter ökumenischer Wirkung aufzustellen. Der konziliare Prozeß steht unter dem Thema »Frieden, Gerechtigkeit und Bewahrung der Schöpfung«. Ich möchte nur den Begriff »Gerechtigkeit« hervorheben und nach der rechtlichen Auswirkung des Gebotes der Liebe zum fernen Nächsten fragen. Es gibt genug theologische Forderungen nach der Solidargemeinschaft von Reichen und Armen, auch innerhalb der Kirchen, Forderung nach einer gerechteren Weltwirtschaftsordnung, sogar unter dem Aspekt »Ein Feld für bekennende Kirche?«[54]. Müßte es nicht ein Grundrecht in einem entsprechenden ökumenischen Katalog für unsere Partnerkirchen in der sog. Zweiten und Dritten Welt geben auf Teilhabe an den Einnahmen der Kirchen in der sog. Ersten Welt? Dürfen wir uns begnügen, mit dem erneut ausgesprochenen Appell der EKD-Synode in Bad Salzuflen 1986, mindestens 2 % und möglichst 5 % der Kirchensteuereinnahmen für Zwecke des Kirchlichen Entwicklungsdienstes zur Verfügung zu stellen? Es gibt durchaus Ansätze für solche innerkirchlichen Grundrechte in den Dokumenten von Königstein und Stuttgart, die auf der Europäischen Ökumenischen Versammlung »Frieden in Gerechtigkeit« im Mai 1989 in Basel und der Weltversammlung im Jahre 1990 in Seoul inhaltlich weiter gefüllt und verabschiedet werden könnten.

Nach dem Versuch der Ergänzung des innerkirchlichen Grundrechtskatalogs von Huber und Tödt ist bei einer kritischen Auseinandersetzung mit dieser Position darauf aufmerksam zu machen, daß in diesem innerkirchlichen Grundrechtskatalog klassische Grundrechte mit ethischen Postulaten so vermengt werden, daß sie nicht immer zu subjektiv öffentlichen Individualansprüchen[55] führen.

Offenbar hat diese Kritik Huber[56] veranlaßt, die Rechte auf Einheit und christliche Bruderliebe aus dem Katalog von 1979/1988 herauszunehmen. Erwähnenswert scheinen mir noch die von Huber[57] nachgelieferten Gliederungsgesichtspunkte für einen innerkirchlichen Grundrechtskatalog zu sein: einerseits Rechte aller Menschen und Rechte der Christen und andererseits in bezug auf Aufgaben der Kirche, auf den materiellen Rechtsstatus des einzelnen in der Kirche und auf die Verfahrensregeln, durch welche dieser Rechtsstatus gewährleistet wird.

Abschließend ist noch anzumerken, daß die Generalversammlung des Reformierten Weltbunds auf ihrer Tagung in Seoul im August 1989 die Mitgliedskirchen

54 Ulrich Duchrow, Weltwirtschaft heute, München: Kaiser, 1986; derselbe, Grenzenloses Geld für wenige oder Leben für alle in den Grenzen des Wachstums, Sondruck der »Junge Kirche«, Beilage zu Heft 9, September 1988; Klaus Lefringhausen, Wirtschaftsethik im Dialog, Radius-Verlag 1988.

55 Otfried W. H. Schellhase, Subjektive Rechte in der Ordnung der evangelischen Kirche, Ein Beitrag zur Rechtsstellung des einzelnen in der Kirche, Diss., Marburg 1969, der für das evangelische Kirchenrecht, insbesondere für die Lebensordnung grundsätzlich subjektive Rechte verneint, was Günther Wendt in seiner Besprechung dieser Dissertation in: ZevKR 32 (1987) S. 96ff. für bedenklich hält.

56 W. Huber, Menschenrechte – Christenrechte, in: »Recht nach Gottes Wort«, a.a.O., S. 82ff. (96 FN 20).

57 Derselbe, S. 82ff. (95ff.).

aufgefordert hat, nicht nur für den Schutz der Menschenrechte außerhalb, sondern auch innerhalb der Kirchen einzutreten, sich insbesondere für die Gleichbehandlung der Theologismen mit ihren Amtsbrüdern durch Zulassung ihrer Ordination einzusetzen[58].

Zusammenfassend ist festzustellen, daß die staatlichen Grundrechte zwar in der Kirche weder unmittelbar noch analog gelten, aber – soweit möglich – mittels »Transformation« bzw. »Analogie« in die innerkirchliche Rechtsordnung Eingang finden sollten, wie dies z. B. im CIC und zum Teil in der Verfassung der Ev.-ref. Kirche (Synode Ev.-ref. Kirchen in Bayern und Nordwestdeutschland) geschehen ist. So erhielten die evangelischen Kirchenordnungen, die bisher mehr den Charakter von Organisationsstatuten als von Verfassungen haben, einem dem Evangelium noch gemäßeren Inhalt, so daß die Glaubwürdigkeit der Kirche gestärkt würde. Dies ist der »erforderliche spirituelle Elan«, ohne den die Kirchenordnungen nur Regelungen enthalten, »die eben zu befolgen sind, damit ein komplizierter kirchlicher Apparat in Gang gehalten werden kann«[59].

Zusammenfassung

1. Die Geltung der staatlichen Grundrechte **in** der Kirche, also die Bindung der Kirche an die Grundrechte, ist zu unterscheiden von der inzwischen im positiven Sinne entschiedenen Frage nach der Geltung der Grundrechte **für** die Kirche.

2. Die staatlichen Grundrechte gelten nicht in der Kirche.

3. Obwohl es eine große Nähe zwischen den staatlichen Grundrechten und dem Evangelium gibt, ist eine analoge Anwendung der staatlichen Grundrechte im kirchlichen Bereich nicht ohne weiteres möglich.

4. Da die Kirche sich den Einflüssen der sie umgebenden und von ihr anerkannten Rechtsordnung nicht ganz entziehen kann, sollten vorbehaltlich des kirchlichen Auftrages innerkirchliche Regelungen grundrechtskonform ausgestaltet oder sogar innerkirchliche Grundrechte normiert werden.

5. Die Grundrechte des Grundgesetzes bzw. die international anerkannten Menschenrechte bedürfen der Transformation, um in die innerkirchliche Rechtsordnung Eingang zu finden.

6. Im 1983 novellierten CIC sind innerkirchliche Grundrechte freilich immer unter dem schrankenlosen Vorbehalt zugunsten der kirchlichen Autorität normiert.

7. In der evangelischen Kirchenrechtsliteratur gibt es keine einmütige Auffassung zu dem Thema »Innerkirchliche Grundrechte«. Es wird von einem allgemeinen Grundrecht der Christen gesprochen, worunter dessen »Eingefügtsein in den Leib Christi« verstanden wird; differenzierter heißt es an anderer Stelle: Bruderliebe, Gleichheit und Freiheit; oder noch detaillierter: Rechte auf Zugang zum Glauben, auf Gewissens- und Meinungsfreiheit, Integrität der Person und auf Teilhabe an kirchlichen Entscheidungen.

Dieser innerkirchliche Grundrechtskatalog könnte noch ergänzt werden z. B.

---

58 Bericht und Beschlüsse Sektion III (Frisch, Bewahrung der Schöpfung).

59 Klaus Obermayer, a.a.O., S. 608.

a) durch das Recht auf Freizügigkeit bei der Berufsausübung im Pfarramt über die landeskirchlichen Grenzen hinweg (Leuenberger Konkordie!) und
b) durch das Recht auf Arbeit auch für die nachwachsende große Theologengeneration in dem Sinne, daß die Kirche zu einer Rechts- und Finanzpolitik verpflichtet ist, die die Anstellung so vieler Amtsträger wie nötig ermöglicht.

Zu erwägen ist weiter die Schaffung »ökumenischer Grundrechte« analog zur »Allgemeinen Erklärung der Menschenrechte«, wie z. B. das Teilhaberecht der Partnerkirchen in der sog. Zweiten und Dritten Welt am Reichtum der Kirchen in der sog. Ersten Welt.

Das Recht der Zweckverbände in der Evangelischen Kirche im Rheinland

HERBERT FROST

Der Verfassungsaufbau der Evangelischen Kirche im Rheinland ist, hierin übereinstimmend mit dem Recht der meisten anderen deutschen evangelischen Landeskirchen[1], dreistufig ausgestaltet. Kirchengemeinden und Kirchenkreise bilden die korporativen Glieder der zu einer Einheit in Dienst, Leitung und Ordnung zusammengeschlossenen Landeskirche[2]. Die Klarheit dieser im Ansatz durchaus praktikablen verfassungsrechtlichen Grundentscheidung läßt allerdings nicht über Schwierigkeiten hinwegsehen, die sich daraus ergeben, daß die Konstruktion der Kirchengemeinden und der Kirchenkreise in der dörflichen und kleinstädtischen sozialen Wirklichkeit des frühen 19. Jahrhunderts entstanden ist, als noch eine weitgehende territoriale Gleichheit kirchlicher und kommunaler Organisation vorausgesetzt werden konnte.

Mit dem Entstehen der großstädtischen Industrielandschaft in der Gründerzeit[3] und der weiteren Bevölkerungskonzentration im 20. Jahrhundert sind dann für die Ausstattung neuer Kirchengemeinden, für die Gewährleistung ihrer Arbeitsfähigkeit und für einen gerechten finanziellen Ausgleich zwischen den Kirchengemeinden neuartige Regelungen entstanden, die zur Wurzel des heutigen kirchlichen Verbandsrechts werden sollten. Modellcharakter gewann die mit dem Kirchengesetz vom 17. 5. 1895[4] erreichte Regelung für Berlin und einige andere Städte der östlichen Provinzen Preußens, die mit einigen Variationen durch Kirchengesetz vom 4. 7. 1904[5] für Westfalen und die Rheinprovinz rezipiert worden ist. Die Regelungen von 1904, die im Rheinland mit nur wenigen Änderungen bis 1963 in Kraft geblieben sind, ermöglichten im finanziellen und wirtschaftlichen Bereich einheitliche Steuersätze der Kirchengemeinden, Ansätze eines wirksamen Finanzausgleichs sowie eine Koordination im Blick auf Personalausstattung und Bautätigkeit. Verzögerungen durch den Ersten Weltkrieg und Bedenken der Kirchengemeinden gegen Einschränkungen ihrer Eigenständigkeit[6] machten allerdings erst in den dreißiger Jahren[7] die Errichtung von Gesamtverbänden in rheinischen

1 Herbert Frost, Strukturprobleme evangelischer Kirchenverfassung, Göttingen 1972, S. 156–161; Albert Stein, Evangelisches Kirchenrecht, 2. Aufl., Neuwied/Darmstadt 1985, S. 131–159; Oskar Kühn, in: Scheffer-Kühn-Weier, Kirchenrecht, 26. Ts., Heidelberg 1986, S. 152–156.

2 Nikolaus Becker, Die Kirchenordnung der Evangelischen Kirche im Rheinland mit Erläuterungen, Neuwied 1978 (Stand: 26. 5. 1988), Erl. 1–3 zu Art. 167 KO.

3 Aus der zeitgenössischen Literatur vgl.: Hermann Dalton, Über evangelischen Kirchenbau, mit besonderem Bezug auf Berlin, Berlin 1899; Martin Schian, Der gegenwärtige Stand der Gemeindeorganisation in den größeren Orten Deutschlands, Leipzig 1913.

4 PrKGVBl. 1895, S. 37; AKBl. 1895, S. 456.

5 PrKGVBl. 1904, S. 16; AKBl. 1904, S. 501.

6 Vgl. insbes. zum Selbstverwaltungsdenken der Gemeinden: Erich Dalhoff, Kirchliche Vermögensaufsicht und Selbstverwaltung in der Evangelischen Kirche im Rheinland, in: ZevKR, Bd. 6 (1957/58), S. 365–377, bes. S. 367–369.

7 Urkunde und Satzung Essen vom 23. 2. 1934 (KABl.Rhpr. 1934, S. 73); Urkunde und Satzung Köln vom 10. 4. 1934 (KABl.Rhpr. 1934, S. 70); Urkunde und Satzung Duisburg vom 17. 5. 1934 (KABl.Rhpr. 1934, S. 89).

Großstädten möglich. Dabei ergaben sich sehr bald Schwierigkeiten aus der gesetzlichen Einschränkung der Verbandsaufgaben, die ein Zusammenwirken der Verbandsgemeinden in mehr geistlich bestimmten Bereichen ausschloß; Ausweichlösungen wurden damals durch die Gründung bürgerlich-rechtlicher Vereine (so für die Gemeindedienste der Inneren Mission) und die hilfweise Errichtung kreiskirchlicher Pfarrstellen gefunden.

Nach dem Zweiten Weltkrieg setzte zunächst eine Experimentphase ein, die im Verfolg gründlicher, zeitweise auch mühsamer Vorbereitungen zur Verabschiedung des Kirchengesetzes betr. die Zusammenarbeit benachbarter Kirchengemeinden und Kirchenkreise in gemeinsamen Angelegenheiten (Verbandsgesetz) vom 18. 1. 1963[8] geführt hat. Dieses Verbandsgesetz ist in der geltenden Kirchenordnung der Evangelischen Kirche im Rheinland vom 2. 5. 1952/20. 1. 1979[9] (KO), dort des näheren in Art. 4, 7 a(3) und 156(3), kirchenverfassungsrechtlich verankert.

In der kirchenrechtlichen Fachliteratur[10] hat das Phänomen der kirchlichen Zweckverbände bislang nur eine zurückhaltende Beachtung gefunden. Seit dem Beginn der siebziger Jahre ist keine spezielle Darstellung mehr erfolgt, so daß nach mehr als 25 Jahren Erfahrung mit dem rheinischen Verbandsgesetz im folgenden einige systematische Betrachtungen, rechtstatsächliche Auswertungen und rechtskritische Anfragen vorgelegt werden sollen.

Das Verbandsgesetz von 1963 hat erstmals eine geschlossene Normierung aller Zusammenarbeitsformen sowohl zwischen einzelnen Kirchengemeinden als auch zwischen einzelnen Kirchenkreisen unternommen, wobei allerdings die einschlägigen Regelungen der Kirchenordnung in Art. 7 a, 7 b, 132 und 156 unberührt geblieben sind. So werden in §§ 2 und 3 VerbandsG die instrumentalen Mittel von Vereinbarungen und gemeinsamen Satzungen als Kooperationsformen kirchlicher Körperschaften festgelegt. Der Schwerpunkt des Gesetzes liegt aber in den Bestimmungen über die kirchlichen Zweckverbände, die als solche ausdrücklich in § 1 terminologisch bezeichnet werden. Des näheren folgen in §§ 7–19 Aussagen über die Gemeindeverbände, für deren Aufgabenbestimmung das Gesetz eine beträchtliche Breite einräumt, wodurch Verbände mit geistlicher Zwecksetzung, Verbände mit wirtschaftlich-finanzieller Zwecksetzung wie schließlich auch Verbände mit einer Kombination beider Zweckrichtungen ermöglicht werden. Gesamtverbände älteren Rechts sind nach § 30 in ihrem Bestand unberührt geblieben und werden erst im Falle etwaiger Satzungsänderungen den neuen Regelungen unterworfen. Völlig neuartig sind die Gestaltformen des in §§ 20–25 geregelten Kirchenkreisverbands, in dem mehrere Kirchenkreise gemeinsame geistliche Aufgaben wahrnehmen können, und des in §§ 26–29 ausgestalteten Verbands von Kirchengemeinden und Kirchenkreisen, der die Zusammenarbeit aller kirchlichen Verantwortungsträger eines Großraumes in der Kombination

8 KABl.Rhld. 1963, S. 71; ABl.EKD 1963, Nr. 170.

9 KABl.Rhld. 1952, S. 57; ABl.EKD 1952, Nr. 99 – KABl.Rhld. 1979, S. 41; ABl.EKD 1979, Nr. 111.

10 Jürgen Clauss, Geschichte und Gegenwartsgestalt des Rechtes der Zusammenarbeit benachbarter Kirchengemeinden und Kirchenkreise in der evangelischen Kirche im Rheinland und in anderen deutschen evangelischen Kirchen, Jur.Diss. Köln 1970; ders., Der Zusammenschluß benachbarter Kirchengemeinden und Kirchenkreise zum Zwecke der Kooperation als Beispiel kirchlicher Raumordnung, in: ZevKR, Bd. 17 (1972), S. 157–164; vgl. Frost, Strukturprobleme, S. 251–280.

geistlicher und wirtschaftlich-finanzieller Aufgabenbereiche eröffnet. Seit der mit Kirchengesetz vom 16. 1. 1987[11] vorgenommenen Einfügung des Art. 7b in die Kirchenordnung besteht außerdem die Möglichkeit, durch Errichtung einer Gesamtkirchengemeinde[12] variable Gliederungsmöglichkeiten für eine größere Kirchengemeinde ohne deren Aufteilung zu schaffen[13]; da es sich dabei um keinen eigentlichen Zweckverband handelt, bleibt diese Gestaltform nachfolgend unberücksichtigt.

Gegenwärtig bestehen zwei von ihren Satzungen als »Stadtkirchenverband« bezeichnete Verbände von Kirchengemeinden und Kirchenkreisen[14], ein Kirchenkreisverband[15], 10 Gemeindeverbände[16], acht Gesamtverbände älteren Rechts[17] und als besonders ausgestaltete Rechtsgröße der Friedhofsverband Barmen[18]. Mit dieser Formalaussage ist zunächst noch nicht viel über Größe und Gewicht der

---

11 KABl.Rhld. 1987, S. 35; ABl.EKD 1987, Nr. 94.

12 Kirchengesetz über Gesamtkirchengemeinden vom 16. 1. 1987 (KABl.Rhld. 1987, S. 36; ABl.EKD 1987, Nr. 93).

13 Bisher einziger Anwendungsfall ist die Errichtung der Gesamtkirchengemeinde Aachen: Urkunde vom 17. 11. 1987 (KABl.Rhld. 1987, S. 280) mit Satzung vom 13. 10./17. 11. 1987 (KABl.Rhld. 1987, S. 281); zur Vorgeschichte der Organisationsgestalt gegliederter Kirchengemeinden vgl. die »ROSTA-Vorschläge zur Neuordnung des kirchlichen Dienstes in den Gemeinden«, ausgearbeitet vom Raumordnungs- und Strukturausschuß der Evangelischen Kirche im Rheinland, Düsseldorf 1971, mit Ergänzungen von 1975, bes. S. 31–33.

14 Satzung für den Stadtkirchenverband Essen vom 20. 9. 1971 (KABl.Rhld. 1971, S. 287), geändert am 18. 7. 1974 (KABl.Rhld. 1974, S. 216) und am 17. 12. 1987 (KABl.Rhld. 1988, S. 119); Satzung des Stadtkirchenverbands Köln vom 1. 7. 1964 (KABl.Rhld. 1964, S. 158) i.d.F. vom 6. 12. 1975 (KABl.Rhld. 1976, S. 59), geändert am 9. 5. 1987 (KABl.Rhld. 1987, S. 256) und am 29. 4. 1989 (KABl.Rhld. 1989, S. 91).

15 Satzung des Kirchenkreisverbands Düsseldorf vom 24. 3. 1964 (KABl.Rhld. 1964, S. 83) i.d.F. vom 19. 3. 1969 (KABl.Rhld. 1969, S. 120).

16 Satzung des Gemeindeverbands Gemarke-Wupperfeld (Oberbarmer Gemeindeverband) vom 11. 11. 1983 (KABl.Rhld. 1983, S. 297); Satzung des Gemeindeverbands Bonn vom 15. 1. 1969 (KABl.Rhld. 1969, S. 56), geändert am 16. 11. 1978 (KABl.Rhld. 1979, S. 5); Satzung des Gemeindeverbands Wuppertal-Elberfeld vom 26. 11. 1980 (KABl.Rhld. 1980, S. 253), geändert am 24. 11. 1982 (KABl.Rhld. 1982, S. 229), am 25. 5. 1984 (KABl.Rhld. 1984, S. 70) und am 25. 1. 1985 (KABl.Rhld. 1985, S. 8); Satzung des Gemeindeverbands Koblenz vom 24. 2. 1966 (KABl.Rhld. 1966, S. 92); Satzung des Gemeindeverbands Krefeld vom 4. 2. 1965 (KABl.Rhld. 1965, S. 59), geändert am 24. 10. 1967 (KABl.Rhld. 1968, S. 16); Satzung des Gemeindeverbands Mönchengladbach vom 4. 9. 1972 (KABl.Rhld. 1972, S. 189), geändert am 9. 12. 1985 (KABl.Rhld. 1986, S. 21) und am 20. 7. 1988 (KABl.Rhld. 1988, S. 273); Satzung des Gemeindeverbands Neuss vom 29. 3. 1974 (KABl.Rhld. 1974, S. 143), geändert am 2. 12. 1980 (KABl.Rhld. 1982, S. 24); Satzung des Gemeindeverbands Rheinhausen vom 13. 8. 1964 (KABl.Rhld. 1964, S. 195), geändert am 7. 7. 1969 und am 10. 12. 1973 (Satzungsänderungen sind, offensichtlich durch ein Verwaltungsversehen, nicht veröffentlicht worden); Satzung des Gemeindeverbandes An Sieg und Rhein vom 6. 7. 1982 (KABl.Rhld. 1982, S. 190); Satzung des Gemeindeverbands Wetzlar vom 5. 12. 1963 (KABl.Rhld. 1964, S. 17) i.d.F. vom 9. 10. 1975 (KABl.Rhld. 1977, S. 46).

17 Satzung des Gesamtverbands Wuppertal-Barmen vom 26. 2. 1941 (KABl.Rhpr. 1941, S. 50) i.d.F. vom 22. 2. 1985 (KABl.Rhld. 1985, S. 75); Satzung des Gesamtverbands Düsseldorf vom 21. 2. 1937 (KABl.Rhpr. 1937, S. 61), geändert am 4. 3. 1949 (KABl.Rhld. 1949, S. 26); Satzung des Gesamtverbands Duisburg vom 7. 6. 1961 (KABl.Rhld. 1961, S. 148); Satzung des Gesamtverbands Elberfeld vom 6. 3. 1940 (KABl.Rhpr. 1940, S. 30) i.d.F. vom 4. 12. 1981 (KABl.Rhld. 1982, S. 22); Satzung des Gesamtverbands Leverkusen vom 9. 11. 1961 (KABl.Rhld. 1962, S. 35), geändert am 10. 7. 1975 (KABl.Rhld. 1975, S. 233); Satzung des Gesamtverbands Moers vom 12. 4. 1954 (KABl.Rhld. 1954, S. 72); Satzung des Gesamtverbands Mülheim/Ruhr vom 25. 1. 1962 (KABl.Rhld. 1962, S. 46), geändert am 9. 2. 1966 (KABl.Rhld. 1966, S. 77) und am 4. 12. 1975 (KABl.Rhld. 1976, S. 10); Satzung des Gesamtverbands Alt-Remscheid vom 10. 2. 1956 (KABl.Rhld. 1956, S. 88).

18 Satzung vom 11. 11. 1983 (KABl.Rhld. 1983, S. 295) i.V. mit Friedhofsordnung vom 2./7. 11. 1983 und Friedhofsgebührenordnung vom 30. 11./7. 12. 1983 (Die Unterlagen wurden dem Verf. freundlicherweise vom Vorstand des Friedhofsverbands zur Verfügung gestellt.)

einzelnen Zweckverbände ausgesagt. Räumlich gesehen, umfassen die Stadtkirchenverbände je mehrere Kirchenkreise mit den diesen zugehörenden Kirchengemeinden, der Kirchenkreisverband Düsseldorf drei Kirchenkreise. Von den Gemeinde- und Gesamtverbänden deckt sich einer mit dem Gebiet dreier Kirchenkreise[19], einer umfaßt das Gebiet von zwei Kirchenkreisen und greift zusätzlich mit zwei angeschlossenen Kirchengemeinden in das Gebiet eines dritten Kirchenkreises[20]. Drei Verbände sind raumgleich mit je einem Kirchenkreis[21]. Die übrigen Gesamt- und Gemeindeverbände umfassen eine mehr oder weniger große Anzahl von Kirchengemeinden jeweils in einem einzelnen Kirchenkreis. Dabei ergeben sich Eigentümlichkeiten daraus, daß innerhalb eines Kirchenkreises sich drei Zweckverbände aufgabenmäßig überschneiden[22], was in einem weiteren Kirchenkreis mit zwei Zweckverbänden gleicherweise der Fall ist[23].

Die Zweckverbände verfügen in ihrer Gesamtheit über ein ungleich höheres strukturelles Gewicht, als es sich aus ihrer Erwähnung im kirchlichen Recht und in der Kirchenrechtsliteratur erkennen läßt. Nach den jüngsten statistischen Zahlen[24] sind von den 827 Kirchengemeinden der rheinischen Kirche insgesamt 274 in Zweckverbänden zusammengeschlossen (davon 36 in je zwei sich überlagernden Verbänden, fünf in drei Verbänden), was rund ein Drittel aller Kirchengemeinden ausmacht. Da sich die Mehrzahl der Zweckverbände in den bevölkerungsreichen nördlichen und mittleren Teilen des Rheinlands vorfindet, ergibt die Statistik nach der Zahl der Gemeindeglieder ein noch aussagekräftigeres Bild. Danach gehören von den 3 503 444 Gemeindegliedern der Evangelischen Kirche im Rheinland 1 634 368 solchen Kirchengemeinden an, die einem Zweckverband angeschlossen sind, womit also fast die Hälfte aller Gemeindeglieder einer Verbandsgemeinde zugehört. Vergleichszahlen über das Kirchensteueraufkommen liegen nicht vor, würden aber mit großer Wahrscheinlichkeit zu einem ähnlichen Ergebnis führen. Dabei kann andererseits nicht übersehen werden, daß die Organisationsdichte in Zweckverbänden einen gewissen Sättigungsgrad erreicht hat; nach Inkrafttreten des Verbandsgesetzes ist die Anzahl der Zweckverbände zwar angestiegen, hat sich aber seit geraumer Zeit nicht mehr nennenswert verändert. Vorgedrungen sind vielmehr die flexibleren Lösungen, die sich durch Vereinbarung oder Satzung mit dem Anschluß an gemeinsame Kirchensteuerverteilungsstellen oder der Bildung gemeinsamer Verwaltungsämter[25] erzielen lassen, die teilweise in Über-

---

19 Gesamtverband Düsseldorf (Düsseldorf-Nord, Düsseldorf-Ost und Düsseldorf-Süd).

20 Gesamtverband Duisburg (Duisburg-Nord und Duisburg-Süd; Kirchengemeinden Walsum-Aldenrade und Walsum-Vierlinden des Kirchenkreises Dinslaken).

21 Gesamtverband Barmen, Gesamtverband Elberfeld und Gemeindeverband An Sieg und Rhein.

22 Gesamtverband Barmen, Gemeindeverband Oberbarmen und Friedhofsverband Barmen.

23 Gesamtverband Elberfeld und Gemeindeverband Elberfeld.

24 Die hier vorgelegten Berechnungen folgen den statistischen Angaben im »Verzeichnis der Kirchengemeinden, Kirchenkreise, Verbände, Ämter und Einrichtungen und ihrer Amtsträger« der Evangelischen Kirche im Rheinland (Gemeindeverzeichnis), Düsseldorf 1989 (Stand: Februar 1989), und weichen nur dort ab, wo offensichtliche Rechenfehler vorliegen.

25 Typisch ist die Entwicklung der kirchlichen Verwaltungsorganisation in Bad Kreuznach. Hier wurde zunächst ein Gemeindeverband gegründet (Urkunde und Satzung vom 29. 3. 1965: KABl.Rhld. 1965, S. 72), dem sodann ein Verwaltungsamt beigegeben wurde, das zugleich für die Verwaltung des Kirchenkreises An Nahe und Glan errichtet worden ist (Satzung vom 31. 1./16. 3. 1972; KABl.Rhld. 1972, S. 152). Mit einer neuen Satzung des Gemeindeverbands vom 29. 1. 1980 (KABl.Rhld. 1980, S. 40) erfolgte eine verbesserte Koordination zwischen Verband und Verwaltungsamt. Am 26. 11. 1987 ist sodann der Gemeindeverband aufgelöst worden (KABl.Rhld. 1987, S. 281). Seine Aufgaben

schneidung mit Zweckverbänden ein noch differenzierteres Organisationsgeflecht zur Folge gehabt haben.

Ihrer Rechtsnatur nach sind die kirchlichen Zweckverbände sowohl im staatlichen Recht[26] als auch im Recht der rheinischen Kirche zu Körperschaften des öffentlichen Rechts ausgestaltet. Bundesrechtlich ergibt sich dies aus Art. 140 GG i.V. mit Art. 137 (5) WRV, nach Landesverfassungsrecht aus Art. 22 LVNW, Art. 42 (2) LVRhld.-Pfalz, Art. 37 (2) LVSaarld. und Art. 51 (1 u. 2) LVHessen; die Verbände besitzen damit eigene Rechtspersönlichkeit und verfügen in den Grenzen staatskirchenrechtlicher Normen über öffentliche Hoheitsgewalt[27]. Art. 4 KO bestätigt innerkirchlich diese Rechtslage und gestaltet die Verbände auch nach Kirchenrecht körperschaftlich aus[28]. Damit werden die Zweckverbände allerdings nicht in den verfassungsmäßigen Stufenaufbau der Landeskirche eingefügt. Während Kirchengemeinde, Kirchenkreis und die Landeskirche selbst in einer Art subsidiärer Zusammenordnung[29] jeweils über die Gesamtheit der kirchlichen Aufgaben in ihrem Bereich verfügen, handelt es sich bei den Zweckverbänden um »Sekundärgebilde«, denen nur die in Gesetz und Satzung ausdrücklich festgelegten Einzelaufgaben zugewiesen sind. Diese müssen dann aber als auf Dauer von den Kirchengemeinden bzw. Kirchenkreisen delegierte Befugnisse verstanden werden und können von den delegierenden Stellen nicht im Einzelfall in Anspruch genommen oder parallel ausgeübt werden.

Die in §§ 7, 8, 20 und 26 VerbandsG genannten Aufgaben der Zweckverbände werden durch die einzelnen Verbandssatzungen in sehr unterschiedlicher Breite aufgenommen und ausgestaltet. Soweit die Verbände eine finanzwirtschaftliche Zwecksetzung aufweisen, ist ihnen durchweg die Kirchensteuerhoheit der angeschlossenen Kirchengemeinden übertragen worden; die Kirchensteuermittel fließen den Verbänden damit unmittelbar von den Kirchensteuerverteilungsstellen zu. Aus ihnen bestreitet zunächst der Verband, formell über die Konstruktion von »Beiträgen« der Gemeinden, den für seine eigene Verwaltung entstehenden Bedarf. Sodann leistet er die kreiskirchliche Umlage gemäß Art. 140 (2 f) KO und stellt die für Finanzausgleich bzw. Umlage der Landeskirche nach Art. 170, Ziff. 6 KO i.V. mit dem Finanzausgleichsgesetz vom 14. 4. 1972/11. 1. 1980[30] erforderlichen Mittel bereit, womit er zugleich die Aufgabe erfüllt, die Pfarrbesoldung der angeschlossenen Gemeinden zu gewährleisten. Die danach verbleibenden Mittel sind als »Bedarfszuweisungen« an die Gemeinden abzuführen, womit der Verband zugleich seine Aufgabe erfüllt, die Gemeinden mit den notwendigen äußeren Einrichtungen und Mitteln auszustatten. Gewisse Variationen ergeben sich aus den durch die jeweilige Satzung dem Verband aufgetragenen Notwendigkeiten einer Bauplanung und etwaigen zentralen Besoldung der gemeindlichen Mitarbeiter. Zum Zweck einer sachgerechten Zuweisung der Mittel an die Gemeinden ist

werden nunmehr vom Verwaltungsamt wahrgenommen (Satzung vom 16. 11. 1987; KABl.Rhld. 1988, S. 48).

26 Ernst Friesenhahn, Die Kirchen und Religionsgemeinschaften als Körperschaften des öffentlichen Rechts, in: HdbStKirchR, Bd. 1 (1974), S. 545–585; Axel v. Campenhausen, Staatskirchenrecht, 2. Aufl., München 1983, S. 95–104.

27 So im Kirchensteuerrecht, im Friedhofsrecht und in der öffetnlichen Dienstherreneigenschaft.

28 Becker, Kirchenordnung Erl. 6–7 zu Art. 4 KO.

29 Dalhoff, Vermögensaufsicht, S. 373 u. 375; Frost, Strukturprobleme, S. 197.

30 KABl.Rhld. 1972, S. 95; ABl.EKD 1972, Nr. 282 – KABl.Rhld. 1980, S. 27; ABl.EKD 1980, Nr. 89.

eine gewisse Einwirkung der Verbände auf die gemeindliche Haushaltsgestaltung erforderlich, die sich in einer Vorlagepflicht der Haushaltsentwürfe und in verbandlichen Beanstandungsrechten niederschlagen kann. Weitgehend haben die Verbände allerdings ein Pauschalierungsverfahren für Sach-, Personal- und Baumittel eingeführt, was eine erhebliche Verwaltungsvereinfachung bedeutet, aber zugleich eine Vergröberung oder gar Verzerrung der tatsächlichen Bedarfsdekkung bedeuten kann; letzteres ergibt sich aus dem Umstand, daß als Pauschalierungsmaßstab nur noch die Zahl der Gemeindeglieder (ggf. die ihr korrespondierende Zahl der Pfarrstellen) zur Verfügung steht, während es faktisch unmöglich geworden ist, das individuelle Kirchensteueraufkommen und damit zugleich den Kirchensteueranteil der Einzelgemeinden in die Berechnung einzubeziehen[31]. Ein Ausgleich für strukturell besonders belastete Gemeinden ist zwar durch außerordentliche Zuweisungen im Einzelfall möglich, doch dürften hier auf die Dauer generelle Überlegungen erforderlich sein, die eine der Aufgabenerfüllung und dem Bedarf der Verbandsgemeinden angemessenere Lösung garantieren.

Die Rechtsentwicklung seit dem Inkrafttreten des Verbandsgesetzes von 1963 hat dazu geführt, daß die meisten Zweckverbände heute neben den »klassischen« finanzwirtschaftlichen vor allem, meist auch satzungsmäßig hervorgehoben, geistlich bestimmte Aufgaben erfüllen, in einer Anzahl von Fällen sich auch auf solche beschränken[32]. Das bedeutet, zumindest im Regelfall, keinen Eingriff in den Bereich gemeindlicher Eigenrechte, sondern den Versuch, in einem zusammengehörenden oder nachbarschaftlich zusammenhängenden Raum das kirchliche Handeln gemeinsam zu bestimmen oder zumindest zu koordinieren. Einen Anlaß dazu hat bis zur Neufassung der Kirchenordnung von 1979 die bis dahin durch Art. 11 (2) KO a.F. vorgeschriebene Teilung von Kirchengemeinden mit mehr als fünf Pfarrbezirken gegeben[33]; hier ist oft die Verbandsgründung mit dem, auch satzungsmäßig betonten, Zweck erfolgt, die bewährte Gemeinschaft in anderer Form fortzusetzen und die bleibende gemeinsame Verantwortung im öffentlichen Leben wahrzunehmen. Ähnliches gilt auch für die Errichtung der kirchlichen Großverbände.

Meist zählen die Satzungen katalogmäßig die Arbeitsgebiete auf, die dem Verband ganz oder teilweise übertragen werden. Eines der Hauptkennzeichen ist die Errichtung eigener Funktionspfarrstellen des Verbands. Von den insgesamt in der rheinischen Kirche nachgewiesenen 413 Funktionspfarrstellen sind 129, also fast ein Drittel, Verbandspfarrstellen, die sich auf 8 Verbände[34] verteilen. Bei den von den Verbandspfarrern wahrgenommenen Arbeitsgebieten stehen traditionsgemäß

31 Verwaltungstechnisch hat es sich als nahezu ausgeschlossen erwiesen, die der Kirche verfügbaren Meldedaten mit einer etwaigen nachträglichen Auswertung der Steuerkarten zu koordinieren; vgl. zu diesem Problemkreis (bereits): Axel v. Campenhausen, Staat und Kirche im Meldewesen, in: »Im Dienst an Recht und Staat«, Festschrift für Werner Weber, Berlin 1974, S. 477–491.

32 Kirchenkreisverband Düsseldorf, Gemeindeverband Oberbarmen, Gemeindeverband Elberfeld, Gemeindeverband Mönchengladbach und Gemeindeverband Neuss.

33 Geschichtliche Hinweise auf ältere Großgemeinden, aus denen kirchliche Zweckverbände entstanden sind, vermittelt Albert Rosenkranz, Das Evangelische Rheinland, Bd. 1: Die Gemeinden, Düsseldorf 1956; vgl. dort z. B. Bonn (S. 117–118), Krefeld (S. 271–272), Leverkusen (S. 594–595), Mönchengladbach (S. 274–275), Moers (S. 455–457), Neuss (S. 275–276), Alt-Remscheid (S. 422–423), Rheinhausen (früher Hochemmerich: S. 447–449) und Wetzlar (S. 689–690).

34 Essen, Köln, Düsseldorf (Kirchenkreisverband), Koblenz, Krefeld, Mönchengladbach, Neuss und Rheinhausen.

die Krankenhausseelsorge und die Berufsschulseelsorge statistisch im Vordergrund. Daneben finden sich aber weitverzweigte andere Arbeitsfelder, so für sonstige katechetische Aufgaben (Schulreferenten, Religionsunterricht), Erwachsenenbildung, Diakonie, Behindertenarbeit, Hörgeschädigtenarbeit, Telefonseelsorge, Frauenarbeit, Jugendarbeit, Seelsorge in Justizvollzugsanstalten, Ökumenische Arbeit und im speziellen Fall die vertraglich vereinbarte Finanzierung der Pfarrstelle des finnischen Auslandspfarrers in Köln[35].

Zur Erfüllung geistlicher Aufgaben ist ferner die Ausgestaltung eigener Einrichtungen der Zweckverbände zu rechnen. Hier gibt es zunächst spürbare Unterschiede in der von der Größe des jeweiligen Verbands abhängigen Institutionsdichte. Teilweise handelt es sich nur um das mehr oder weniger durchorganisierte Büro eines Funktionspfarrers, teilweise ist eine satzungsgemäße oder vertraglich vereinbarte Koordination mit in Vereins- oder Gesellschaftsform arbeitenden kirchlichen Werken erfolgt. Einen Schwerpunkt im Rahmen der Zweckverbände bilden aber eigene verbandliche Ämter, Werke oder Referate, deren Aufgabenbereiche sich auf die ganze Breite kirchlicher Arbeit erstrecken. Ohne Anspruch auf Vollständigkeit sollen hier die diakonische Arbeit im allgemeinen (Amt für Diakonie, Diakonisches Werk, Evangelischer Gemeindedienst), die Unterhaltung verbandlicher Krankenhäuser, Altenheime und Kindergärten, Ämter für Krankenhausseelsorge, für Telefonseelsorge und die Seelsorge an Spätaussiedlern, eigene Behindertenreferate, Beratungsstellen für Erziehungs-, Ehe- und Lebensfragen sowie Eltern- und Familienbildungsstätten genannt werden. Hinzukommen Einrichtungen der Jugendarbeit, des Männerwerkes, der Sozialarbeit, Ämter für Schule und Unterweisung, Einrichtungen der Erwachsenenbildung, Presse-, Medien- und Werbestellen, Bibliotheken, verbandliche Kontaktstellen des Gustav-Adolf-Werkes und in einzelnen Fällen die Trägerschaft verbandseigener Friedhöfe.

Als Wahrnehmung geistlicher Aufgaben stellt sich schließlich auch die Vertretung der Kirche im öffentlichen und gesellschaftlichen Umfeld dar, insbesondere auch der Kontakt zu den kommunalen und staatlichen Stellen im Verbandsbereich. Diese Aufgabe wird vom Verbandsgesetz und den Satzungen den Verbänden als solchen übertragen, obliegt dabei jedoch in der näheren Zuständigkeitsverteilung dem Vorsitzenden des Verbandsvorstands oder einem speziellen Sachbeauftragten. In den drei Großverbänden gehört die kirchliche Repräsentation zu den Wesensmerkmalen des Amtes der Stadtsuperintendenten.

Die Aufgaben der Zweckverbände werden im einzelnen durch ihre in Verbandsgesetz und Satzung näher bezeichneten Organe wahrgenommen. Im Regelfall verfügen die Verbände über zwei Organe, nämlich über eine Verbandsvertretung mit weiterem und einem Verbandsvorstand mit engerem Personalbestand. Nur die kleineren Verbände in Leverkusen[36] und in Moers[37] haben von der in § 12 (2) VerbandsG eröffneten Möglichkeit Gebrauch gemacht, die Aufgaben der Verbandsvertretung vom Verbandsvorstand miterledigen zu lassen, besitzen somit nur ein Organ.

35 Vgl. die Vereinbarung zwischen der Ev.-Luth. Kirche Finnlands und der EKD über die kirchliche Arbeit an evangelischen Finnen in der Bundesrepublik vom 20. 5. 1977 (ABl.EKD 1977, Nr. 123); dazu: Gemeindeverzeichnis 1989, S. 339.

36 § 3 der Satzung.

37 § 3 der Satzung.

Das Verbandsgesetz bietet den einzelnen Zweckverbänden einen erheblichen Spielraum für die Ausgestaltung der Organe in ihrer personellen Zusammensetzung an, woraus sich eine bunte Fülle von Gestaltformen entwickelt hat, die des näheren satzungsmäßig entfaltet worden sind. Hier kann nur eine notwendig grobkörnige Systematisierung angestrebt werden.

Die Satzungen versuchen durchweg, in der Zusammensetzung der Verbandsvertretung eine gleichmäßige Vertretung der Verbandsgemeinden zu erzielen. Dabei wird entweder der Weg beschritten, daß jede Gemeinde einen oder mehrere Abgeordnete, zumeist aus der Mitte des Presbyteriums wählt, teils unter der Maßgabe einer höheren Anzahl von Abgeordneten größerer Gemeinden, dann vielfach gestaffelt nach der Zahl der Pfarrstellen. Einen anderen Weg bedeutet die geborene Mitgliedschaft der Vorsitzenden der Presbyterien in der Verbandsvertretung bei gleichzeitigem Hinzutreten weiterer Abgeordneter der Gemeinden. Letztere Lösung sollte ursprünglich ein Gleichgewicht von Pfarrern und Nichtpfarrern in der Verbandsvertretung gewährleisten, was aber seit 1979 durch die Neufassung des Art. 115 KO relativiert wird, der heute den Vorsitz im Presbyterium gleichermaßen einem Pfarrer oder einem Presbyter offenstellt[38]. Die Satzungen enthalten aber außerdem zumeist Sicherungsklauseln, durch die festgelegt wird, daß höchstens die Hälfte, im Fall von Krefeld[39] sogar nur ein Drittel, des Mitgliederbestands aus Pfarrern (und ggf. Gemeindemissionaren) bestehen darf oder soll. Der Vorsitzende des Verbandsvorstands, zumeist personenidentisch mit dem Vorsitzenden der Verbandsvertretung, und sein Stellvertreter gehören der Vertretung im Regelfall als geborene Mitglieder an. Unterschiedlich geregelt ist die Mitwirkung der Verbandspfarrer, die nur in kleineren Verbänden geborene Mitglieder sind, teils eigene Vertreter entsenden, teils mit beratender Stimme an den Sitzungen teilnehmen können. Beratende Stimme wird notwendig oder fakultativ meist auch dem Leiter der Geschäftsstelle des Verbands, einigerorts zudem dem Synodalrechner und Mitarbeitervertretern eingeräumt.

Noch vielfältiger stellen sich die Gestaltformen im Blick auf den Verbandsvorstand dar. Das gilt zunächst für die zahlenmäßige Größe des Mitgliederbestands, die meist (aber nicht zwingend) von der Zahl der angeschlossenen Gemeinden oder dem Umfang der Verbandsvertretung abgehängig ist. Insofern die Satzungen eine feste Anzahl von Vorstandsmitgliedern vorsehen, schwankt sie zwischen 5 und 17. Abgesehen von den Verbänden mit nur einem Organ werden die Mitglieder des Vorstands von der Verbandsvertretung gewählt, teils aus deren Mitte, ansonsten meist aus den Presbyterien der Verbandsgemeinden, teils auch aus dem Kreis anderer zum Presbyteramt befähigter Gemeindeglieder. Unterschiedlich ist das Zahlenverhältnis zwischen Pfarrern und Nichtpfarrern. Einzelne Satzungen[40] legen fest, daß bevorzugt die Kirchmeister der Verbandsgemeinden in den Vorstand zu wählen sind; dagegen dürfen in Mülheim[41] die Kirchmeister gerade nicht dem Vorstand angehören, womit eine abweichende Lösung im Konflikt zwischen Sachkunde und Amtsvorherrschaft des Kirchmeisters erstrebt wird. Die Verbandsvertretung wählt, auch hier abgesehen von Leverkusen und

38 Becker, Kirchenordnung, Erl. 24 zu Art. 115 KO.

39 § 4 (2) der Satzung.

40 Oberbarmen: § 6 (1 d) der Satzung; Leverkusen: § 4 (1) der Satzung.

41 § 4 (2) der Satzung.

Moers, aus der Mitte des Vorstands den Vorsitzenden und in der Regel auch dessen Stellvertreter. Vorsitzender soll (oder muß), bei im einzelnen sehr unterschiedlichen Regelungen, entweder ein Pfarrer oder ein Nichtpfarrer sein, während auch die Möglichkeit eingeräumt wird, dies im Einzelfall jeweils der Wahl zu überlassen. Ohne Berücksichtigung der drei Großverbände wird der Vorsitz gegenwärtig in zehn Verbänden durch einen Pfarrer, in neun Verbänden durch einen Nichtpfarrer wahrgenommen. Auch im übrigen gehen die Satzungen hinsichtlich der Mitgliedschaft von Pfarrern im Vorstand unterschiedliche Wege, legen aber durchweg fest, daß die Zahl der Pfarrer nicht mehr als die Hälfte des ordentlichen Mitgliederbestands ausmachen darf. Beratende Stimme wird zwingend oder fakultativ zumeist dem Verwaltungsleiter, häufig auch einzelnen oder allen Verbandspfarrern, dem Synodalrechner und den Vorsitzenden der Ausschüsse beigelegt. Bei der Wahrnehmung der Aufgaben im Vorstand hat sich vielfach eine Art von Referentensystem durchgesetzt, dann meist mit dem Vorsitz im jeweiligen Ausschuß kombiniert; in Wetzlar[42] ist das durch die Satzung ausdrücklich vorgeschrieben, wobei dort aus verwandten Gesichtspunkten zusätzlich die notwendige Mitgliedschaft eines Volljuristen und eines im Rechnungswesen Fachkundigen gefordert wird.

Die Wahlperiode von Verbandsvertretung und Verbandsvorstand folgt in der Regel derjenigen der Presbyterien, beträgt also vier Jahre. In Leverkusen[43] erfolgt die Wahl des Vorsitzenden und seines Stellvertreters auf zwei Jahre. Vereinzelt findet sich für die Organe auch eine Wahlperiode von acht Jahren. Letzteres gilt implizit auch für den Gesamtverband Barmen[44], wo die Satzung weiterhin von den Bestimmungen der das Parochialverbandsgesetz von 1904 ändernden Notverordnung vom 2. 2. 1948[45] Gebrauch macht, derzufolge die Geschäfte der Verbandsvertretung durch die Kreissynode, diejenigen des Verbandsvorstands vom Kreissynodalvorstand wahrgenommen werden können.

Einen neuartigen Weg, der so allerdings nur für kleinere Verbände möglich ist, geht Wetzlar[46] mit der Einführung einer den Verbandsorganen in beratender Funktion zugeordneten »Vollversammlung«, der die Mitglieder von Vorstand und Vertretung, sämtliche Mitglieder der Presbyterien, die Verbandspfarrer und fünf von der Mitarbeitervertretung des Verbands entsandte Mitarbeiter angehören. Als Beratungsgremien finden sich in nahezu allen Verbänden Verbandsausschüsse, die von Verbandsvertretung und Vorstand gebildet werden können. Ihre Ausformung als bevollmächtigte Fachausschüsse im Sinne von Art. 126 (2) KO[47] ist über §§ 7 (3) und 27 (2) VerbandsG allgemein als möglich zu erachten, in Wetzlar[48] ist sie in der Satzung ausdrücklich festgelegt worden.

Umfang und Aufgabenfülle der einzelnen Verbände machen eine unterschiedlich stark ausgeformte Verbandsverwaltung erforderlich[49], die zumeist als Geschäfts-

---

42 Ziff. IV (11.1 u. 4) der Satzung.
43 § 4 (7) der Satzung.
44 § 4 (2) der Satzung i.V. mit Art. 159 (2) KO.
45 KABl.Rhpr. 1948, S. 22.
46 Ziff. IV (12) der Satzung.
47 Becker, Kirchenordnung, Erl. 1–17 zu Art. 126 KO.
48 Ziff. IV (13) der Satzung.
49 Tendenziell läßt sich das Bestreben feststellen, Befugnisse des Verbandsvorstands in Angelegenheiten der täglichen Geschäftsführung auf die Verbandsverwaltung bzw. den Verwaltungsleiter zu verlagern

stelle des Verbands bezeichnet wird. Für sie stellt der Verband die erforderliche Anzahl von Kirchenbeamten und Angestellten ein. Dem Verwaltungsleiter fällt in der Durchführung der laufenden Aufgaben eine erhebliche Verantwortungsbreite zu, was auch in seiner beratenden Heranziehung zu den Sitzungen der Verbandsorgane Ausdruck findet. Die Verbandsverwaltung ist vielfach mit einem Gemeinsamen Gemeindeamt aller oder der meisten Verbandsgemeinden kombiniert; einigerorts steht sie lediglich für einzelne, näher bezeichnete Aufgaben den Verbandsgemeinden zur Verfügung.

Sonderregelungen für die beiden Stadtkirchenverbände und für den Kirchenkreisverband Düsseldorf ergeben sich daraus, daß hier die Superintendenten der angeschlossenen Kirchenkreise als geborene Mitglieder der Verbandsvertretung und dem Verbandsvorstand angehören, wobei jeweils ein Superintendent zum Stadtsuperintendenten, einer zu dessen Stellvertreter gewählt werden muß.

An den drei Großverbänden zeigt sich zudem ein strukturelles Problem, das allerdings grundsätzlich auch in den übrigen Zweckverbänden mehr oder weniger deutlich Ausdruck findet. Es ergibt sich aus der, geschichtlich im kommunalen Zweckverbandsrecht des 19. Jahrhunderts[50] wurzelnden Eigentümlichkeit, daß die Verbandsvertretung aufgabenmäßig auf einzelne Vorbehaltsrechte beschränkt wird, während dem Verbandsvorstand mittels einer Kompetenzvermutungsklausel die Fülle der Verbandsaufgaben und die Verantwortung für die laufende Geschäftsführung zugewiesen werden[51]. Das wird zwar durch eine Bindung des Vorstands an Grundsatzbeschlüsse der Vertretung gemildert; jedoch kann nicht übersehen werden, daß die Zweckverbände in ihrem strukturellen Aufbau damit vom presbyterial-synodalen Verfassungsansatz der Evangelischen Kirche im Rheinland abweichen. Hier zeigen sich Reformbedürfnisse, die bei aller Berücksichtigung von Praktikabilitätserwägungen im Rahmen späterer Reformbemühungen eine Berücksichtigung verlangen.

Hervorgehoben werden soll schließlich noch die Bedeutung, die den Zweckverbänden für die Gestaltung der kirchlichen Arbeit in den meisten rheinischen Großstädten, häufig auch in deren Einzugsbereich, zugewachsen ist. Hier zeigen sich Parallelen zu kirchenstrukturellen Ausprägungen in anderen Landeskirchen, wo seit der Bestandsaufnahme von 1969/1970[52] Lösungen in Frankfurt/Main[53],

---

und damit den Vorstand zu entlasten; vgl. als jüngstes Beispiel die Einfügung der Abs. 5 u. 6 in § 12 der Satzung des Stadtkirchenverbands Köln durch Beschluß vom 29. 4. 1989 (KABl.Rhld. 1989, S. 91).

50 Zur Geschichte des kommunalen Zweckverbandsrechts vgl. Janbernd Oebbecke, Gemeindeverbandsrecht Nordrhein-Westfalen, Köln 1984, Rdnr. 342–348 (S. 101–104).

51 Zu einem gleichen Ergebnis führen die Regelungen in einigen älteren Satzungen, die dem Verbandsvorstand die Leitung des Verbands übertragen, ihn dabei jedoch in einigen wichtigen Angelegenheiten von der »Zustimmung« der Verbandsvertretung abhängig machen, so §§ 9 u. 12 der Satzung des Gesamtverbands Düsseldorf; vgl. auch: Duisburg: §§ 7 u. 10 der Satzung, Gesamtverband Elberfeld: §§ 9 u. 12 der Satzung und Alt-Remscheid: §§ 8 u. 10 (1) der Satzung.

52 Clauss, Geschichte und Gegenwartsgestalt, S. 331–334 u. 352–358; Frost, Strukturprobleme, S. 266–280.

53 Satzung des Regionalverbands Frankfurt/Main vom 29. 11. 1973 (Mitteilungsblatt des Regionalverbands 1974/Nr. 1) i.d.F. vom 1. 3. 1980 (KABl.Hess.-N. 1980, S. 238); zur Vorgeschichte vgl. Frost, Strukturprobleme, S. 269–270.

Nürnberg[54] und Stuttgart[55] hinzugetreten sind, abgesehen von der landeskirchlichen Neuregelung für Berlin (West)[56] und Hamburg[57]. Zu beachten ist dabei der jeweils unterschiedliche Rahmen, den die Kirchenverfassungsgesetze bieten, was für die rheinische Kirche in der Bindung an die presbyterial-synodale Ordnung Ausdruck findet.

Der Stadtkirchenverband Köln[58] folgt in seiner geographischen Ausdehnung den Grenzen, die der frühere Kirchenkreis Köln[59] bis zu seiner Teilung im Jahre 1964 aufwies, denen zugleich umfangmäßig seit 1942[60] der ehemalige Gesamtverband Köln entsprach. Seine Eigentümlichkeit liegt darin, daß er außer dem Stadtgebiet von Köln auch dasjenige des Kreises Bergheim und erhebliche Teile des Rheinisch-Bergischen Kreises, dazu einige Randgebiete anderer kommunaler Kreise umfaßt. Damit war es möglich, die Auswirkungen der staatlichen Kommunalreform im eigenen Verbandsgebiet »aufzufangen«. Strukturprobleme ergeben sich im Kölner Verband aus dem Umstand, daß die vom Stadtzentrum weiter entfernten Gemeinden an den zentralen Einrichtungen des Verbands weniger interessiert sind und eine restriktivere Handhabung der Satzung bewirken, wobei es zu beachten gilt, daß in den Migrationsbewegungen seit etwa 1960 eine erhebliche, auch für das Kirchensteueraufkommen relevante, Abwanderung aus der Großstadt in die Randzonen erfolgt ist.

Der 1972, gleichfalls nach der Teilung eines bis dahin einheitlichen Kirchenkreises und unter Einbeziehung eines mit diesem gebietsidentischen Gesamtverbands gegründete Stadtkirchenverband Essen[61] beschränkt sich dagegen auf das kommunale Stadtgebiet von Essen. Allerdings ist die kirchliche Neugliederung hier vor

54 Für den 1969 errichteten gegliedeten Dekanatsbezirk Nürnberg und die in ihm vereinigten drei Prodekanate gelten nunmehr die Bestimmungen der §§ 46–56 des Kirchengesetzes über den Dekanatsbezirk vom 31. 10. 1969 (KABl.Bay. 1969, S. 209; ABl.EKD 1970, Nr. 8) i.d.F. vom 9. 6. 1976 (KABl.Bay. 1976, S. 153; ABl.EKD 1976, Nr. 140), geändert am 4. 12. 1978 (KABl.Bay. 1978, S. 350).

55 Satzung für den Stadtverband Stuttgart vom 7. 10. 1983 (KABl.Wttbg. 1983, S. 624; ABl.EKD 1984, Nr. 8).

56 Mit dem 12. Gesetz zur Änderung der Grundordnung der Evangelischen Kirche von Berlin-Brandenburg vom 15. 12. 1948 (in der für Berlin-West verbindlichen Fassung) vom 15. 11. 1975 (KABl.Bln.-West 1976, S. 5; ABl.EKD 1976, Nr. 48) sind die Leitungsorgane der Landeskirche den praktischen Bedürfnissen einer großstädtischen Kirchenorganisation angepaßt worden. Dadurch wurden die früheren verbandlichen Regelungen überflüssig, was zur Auflösung des Stadtsynodalverbands durch Kirchengesetz vom 12. 6. 1976 (KABl.Bln.-West 1976, S. 69; ABl.EKD 1976, Nr. 172) geführt hat; zur Vorgeschichte vgl. Frost, Strukturprobleme, S. 266–268.

57 In das Gebiet des hamburgischen Stadtstaates griffen bis 1977 neben der damaligen hamburgischen Landeskirche Teile der schleswig-holsteinischen und hannoverschen Landeskirche räumlich ein. Dieser Zustand ist durch die Gründung der Nordelbischen Evang.-Luth. Kirche (NELK) beendet worden, so daß dem Staat heute nur noch ein evangelisch-kirchlicher Partner gegenübersteht (Verfassung der NELK vom 12. 6. 1976: ABl.EKD 1977, Nr. 8). Die Kirchenorganisation im Raum Hamburg ist allerdings überaus vielgliedrig geblieben. Allein im Stadtgebiet arbeiten 3 Kirchenkreise, während 3 weitere Kirchenkreise räumlich in das Land Schleswig-Holstein hinausgreifen. Diese 6 Kirchenkreise, die zugleich den Bischofssprengel Hamburg ausmachen, sind auf Grund von Art. 58 (2) u. 59 KV zur Wahrnehmung der großstädtischen Aufgaben in einer nicht körperschaftlich ausgestalteten Kirchenkreiskonferenz verbunden; vgl. dazu: Horst Göldner/Klaus Blaschke, Verfassung der Nordelbischen Evangelisch-Lutherischen Kirche, Kiel 1978, Erl. zu Art. 58 (2) u. 59 KV (S. 199–202).

58 Clauss, Geschichte und Gegenwartsgestalt, S. 345–352; Frost, Strukturprobleme, S. 278–280.

59 Rosenkranz, Das Evangelische Rheinland, Bd. 1, S. 360–361.

60 Satzungsänderung vom 7. 9. 1942 (KABl. Rhpr. 1942, S. 66).

61 Zur Vorgeschichte vgl.: Rosenkranz, Das Evangelische Rheinland, Bd. 1, S. 240–241; Frost, Strukturprobleme, S. 275–276.

der Kommunalreform erfolgt, woraus sich der Umstand ergibt, daß der Stadtkirchenverband heute nicht mehr die ganze Stadt umfaßt, vielmehr andere Kirchenkreise in Essener Gebiet hineingreifen, was vornehmlich für die zum Kirchenkreis An der Ruhr gehörende Kirchengemeinde Kettwig gilt; hier werden gegenseitige Abstimmungen für den Kontakt mit kommunalen Stellen erforderlich.

Eine andere Lösung ist bei der 1964 erfolgten Gründung des Kirchenkreisverbands Düsseldorf[62] gewählt worden. Die aus der Teilung entstandenen Kirchenkreise (abgesehen von dem verselbständigten Kirchenkreis Düsseldorf-Mettmann) sind zum Kirchenkreisverband Düsseldorf zusammengefügt worden, der funktional auf geistliche Aufgaben beschränkt ist, während Kirchensteuer- und Finanzverwaltung weiterhin von dem seit 1937 bestehenden Gesamtverband wahrgenommen werden. Räumliche Probleme aus der Kommunalreform haben sich nicht ergeben. Im Organaufbau ist eine Verknüpfung beider Verbände dadurch erreicht worden, daß der Vorsitzende und ein weiterer Vertreter des Gesamtverbands als ordentliche Mitglieder sowohl der Vertretung als auch dem Vorstand des Kirchenkreisverbands angehören[63].

Lockerer gestaltet sind die kirchlichen Zusammenarbeitsformen in der Stadt Duisburg. Die aus der 1960 erfolgten Teilung des früheren Kirchenkreises Duisburg[64] hervorgegangenen beiden Kirchenkreise versehen eine Reihe von geistlichen Aufgaben weiterhin gemeinsam[65], wobei für grundlegende Beschlüsse das etwas mühsame Verfahren gemeinsamer Tagungen der Kreissynoden bzw. gemeinsamer Sitzungen der Kreissynodalvorstände nach Art. 156 (1–2) KO erforderlich wird. In festem Turnus nimmt jeweils einer der Superintendenten die Vertretung gegenüber der Öffentlichkeit wahr. Für die Finanz- und Kirchensteueraufgaben ist der 1934 errichtete Gesamtverband zuständig, wobei dem Verbandsvorstand die Superintendenten der beiden Kirchenkreise als geborene Mitglieder angehören[66]. Die durch die Kommunalreform in das Stadtgebiet von Duisburg eingegliederten linksrheinischen Ortschaften sind kirchlich beim Kirchenkreis Moers geblieben. Die betreffenden Kirchengemeinden haben sich zur Wahrnehmung gemeinsamer Aufgaben in einer Arbeitsgemeinschaft zusammengeschlossen[67], die unter der Leitung einer Abgeordnetenversammlung und eines geschäftsführenden Ausschusses steht, wobei die täglichen Verwaltungsaufgaben von der Geschäftsstelle des Gemeindeverbands Rheinhausen wahrgenommen werden. In einzelnen Angelegenheiten bestehen zusätzlich Kontaktorganisationen[68] zu den beiden Duisburger Kirchenkreisen.

62 Clauss, Geschichte und Gegenwartsgestalt, S. 323–330; Frost, Strukturprobleme, S. 272–273; zur Vorgeschichte vgl.: Rosenkranz, Das Evangelische Rheinland, Bd. 1, S. 192–193.

63 §§ 5 (1 b) u. 17 (c) der Satzung des Kirchenkreisverbands.

64 Zur Vorgeschichte vgl.: Rosenkranz, Das Evangelische Rheinland, Bd. 1, S. 176; Frost, Strukturprobleme, S. 275–276.

65 Die näheren Modalitäten sind in einer unveröffentlichten und nicht näher datierten) Vereinbarung der beiden Kirchenkreise aus dem Jahre 1960 festgelegt worden; zu Auslegungsfragen nimmt das Kollegium des Landeskirchenamtes mit Schreiben vom 5. 4. 1973 (8590 Az.: 11-9-9-15) Stellung (Die Unterlagen wurden dem Verf. freundlicherweise von Superintendent Blank, Duisburg-Süd, zur Verfügung gestellt.)

66 § 8 (1) der Satzung.

67 Satzung vom 4. 1. 1978 (KABl.Rhld. 1978, S. 37).

68 Eine unter dem 20./21. 11. 1975 geschlossene (unveröffentlichte) Vereinbarung zwischen Gesamtverband und Arbeitsgemeinschaft zu Fragen diakonischer Zusammenarbeit ist mit Wirkung zum 1. 1. 1987 allerdings wieder aufgehoben worden. Weiterhin verbindlich sind folgende (bislang ebenfalls

Ein wiederum anderes Bild ergibt sich aus der Kirchenorganisation in Wuppertal. Hier bestehen weiterhin die beiden Kirchenkreise Barmen[69] und Elberfeld[70], die damit die beiden geschichtlich gewachsenen Schwerpunkte der aus der preußischen Gebietsreform von 1929 entstandenen Doppelstadt widerspiegeln. In jedem der beiden Kirchenkreise findet sich ein jeweils sämtliche Kirchengemeinden umfassender Gesamtverband für die Steuer- und Finanzverwaltung, in Barmen mit dem Kirchenkreis organidentisch, in Elberfeld ohne ausdrückliche Organverknüpfung mit dem Kirchenkreis. Zur Wahrnehmung geistlicher Aufgaben sind die Kirchengemeinden der beiden Großstadtkerne, jeweils in einem engeren Gemeindeverband zusammengefaßt, der vornehmlich geistlichen Aufgaben dient. Diese beiden Gemeindeverbände haben die zusätzliche Eigenart, daß sie aus der 1980 in Elberfeld, 1983 in Barmen erfolgten Zusammenfügung bis dahin bekenntnismäßig getrennter Verbände lutherischer und reformierter Kirchengemeinden hervorgegangen sind. Dabei drückt sich das Bestreben, die überlieferten Bekenntnisse auch nach der Vereinigung weiterzupflegen, in der Errichtungsurkunde des Barmer[71] und in § 1 der Satzung des Elberfelder Verbandes aus, wobei Elberfeld mit der Errichtung von Bekenntniskonventen[72] und der Vorsorge für das Weiterführen bekenntnisgebundener Einrichtungen[73] zusätzliche Momente aufgenommen hat. Außerdem unterhalten die beiden Wuppertaler Kirchenkreise eine Reihe gemeinsamer Einrichtungen[74]; gewisse Grenzkorrekturen durch die jüngste Kommunalreform haben sich bisher in der Kirchenorganisation nicht ausgedrückt.

Eine Mischung kreiskirchlicher Zusammenarbeitsformen mit verbandlichen Strukturelementen ergibt die Kirchenorganisation im Großraum Bonn[75]. Hier sind aus der Teilung des früher einheitlichen Kirchenkreises die Kirchenkreise Bonn, Bad Godesberg und An Sieg und Rhein hervorgegangen. Diese drei Kirchenkreise unterhalten eine gemeinsame Kirchensteuerverteilungsstelle, einen gemeinsamen Synodalrechner und eine Anzahl gemeinsamer Einrichtungen, wobei die zur Betreuung der einzelnen Arbeitsgebiete amtierenden Pfarrer jeweils in einem der Kirchenkreise eine kreiskirchliche Pfarrstelle innehaben[76]. Bonn und Bad Godesberg unterhalten ein gemeinsames Diakonisches Werk. Das Verwaltungsamt in Bonn nimmt die Verwaltungsgeschäfte der Kirchenkreise Bonn und

---

unveröffentlichte) Regelungen: Satzung der Beratungsstelle für Erziehungs-, Ehe- und Lebensfragen, getragen von Gesamtverband Duisburg und Kirchenkreis Moers vom 23./29. 6. 1978; Satzung des Vereins für Evangelische Jugendsozialarbeit in Duisburg e. V. (einschl. Duisburg-West) aus dem Jahre 1982.

69 Zur Vorgeschichte vgl.: Rosenkranz, Das Evangelische Rheinland, Bd. 1, S. 82.

70 Zur Vorgeschichte vgl.: Rosenkranz, Das Evangelische Rheinland, Bd. 1, S. 220–221.

71 Vgl. die Präambel zur Errichtungsurkunde des Oberbarmer Gemeindeverbands vom 3. 11. 1983 (KABl.Rhld. 1983, S. 292), nachträglich bekanntgemacht am 15. 3. 1984 (KABl.Rhld. 1984, S. 60) – Der Verf. dankt Herrn Kirchengemeinde-Oberamtsrat Funke für wertvolle Hinweise.

72 § 5 der Satzung des Gemeindeverbands. Nach § 14 (1 e) der Satzung gehören die Vorsitzenden der beiden Bekenntniskonvente dem Verbandsvorstand an.

73 § 5 (3) der Satzung des Gemeindeverbands.

74 Zusammenarbeitsformen bestehen in der Telefonseelsorge und in der Erwachsenenbildung, ferner – hier gemeinsam mit Niederberg – in der Öffentlichkeitsarbeit; vgl. folgende Urkunden: Vereinbarung über die Telefonseelsorge Wuppertal vom 5. 11. 1979; Vereinbarung über das Evangelische Bildungs- und Sozialreferat Wuppertal vom 14./15. 11. 1980 u. 19. 2. 1981; Vereinbarung über die Medienstelle für Öffentlichkeitsarbeit vom 4./12. 11. 1988. (Das einschlägige Material wurde dem Verf. freundlicherweise von Superintendent Schrader, Barmen, zur Verfügung gestellt.)

75 Zur Vorgeschichte vgl.: Rosenkranz, Das Evangelische Rheinland, Bd. 1, S. 114.

76 Gemeindeverzeichnis 1989, S. 141–144, 295–297 u. 505–508.

Bad Godesberg wahr und versieht gleichzeitig die Verwaltung einzelner außerhalb des Stadtgebiets von Bonn belegener Kirchengemeinden des Kirchenkreises Bad Godesberg. Der Gemeindeverband Bonn unterhält ein Gemeines Gemeindeamt für die innerstädtischen Kirchengemeinden des Kirchenkreises Bonn, während der Gemeindeverband An Sieg und Rhein organisatorisch mit dem Verwaltungsamt des Kirchenkreises verflochten ist, das die Geschäfte des Kirchenkreises und sämtlicher ihm angehörender Kirchengemeinden besorgt[77].

Wenngleich es sich dort um keine Zweckverbandsstrukturen handelt, empfiehlt es sich, auch die Kirchenorganisation der Kirchenkreise Saarbrücken[78], Ottweiler[79] und Völklingen[80], die im wesentlichen den Gebietsstand der ehemals preußischen Teile des Saarlandes umfassen, in die Betrachtung einzubeziehen. Die drei Kirchenkreise unterhalten gemeinsam eine Kirchensteuerverteilungsstelle und ein Rechnungsprüfungsamt, dazu eine erhebliche Anzahl von Einrichtungen und Arbeitsreferaten[81]. Die dafür geschaffenen Pfarrstellen sind dem Kirchenkreis Saarbrücken eingegliedert.

Gerade die Betrachtung der Kirchenstrukturen in den großstädtischen Ballungsräumen zeigt die Flexibilität und die Anpassungsfähigkeit der hierfür in der Evangelischen Kirche im Rheinland normierten Regelungen, was sinngemäß auch für die kleineren Verbände gilt. Konstatiert werden kann auch, daß die Arbeit in den Verbänden und die Kooperation mit den übrigen kirchlichen Verantwortungsträgern nahezu konfliktlos läuft[82]. Andererseits erhebt sich die Frage, ob die geschilderten Organisationsfaktoren nicht auch eine zu starke Kräftezersplitterung und einen gewissen Gruppenegoismus fördern. Jedenfalls lösen sie nicht die Probleme, die aus einer fehlenden Regionalisierung der überaus großräumigen Landeskirche herrühren, und decken nicht die Lücken in einer von synodalem Denken geprägten, auf Volksmission, Diakonie und Weltverantwortung ausgerichteten Zusammenarbeit der Kirchenkreise. Ob sich Lösungen anbahnen lassen, wie sie zwischen 1971 und 1974 vom damaligen Raumordnungs- und Strukturausschuß (ROSTA)[83] und vom Studienausschuß B zur Reform der Kirchenordnung[84] entwickelt worden sind, muß dahinstehen.

---

77 Gemeindeverzeichnis 1989, S. 508.

78 Rosenkranz, Das Evangelische Rheinland, Bd. 1, S. 518–519.

79 Rosenkranz, Das Evangelische Rheinland, Bd. 1, S. 492.

80 Rosenkranz, Das Evangelische Rheinland, Bd. 1, S. 630.

81 Gemeindeverzeichnis 1989, S. 469–471, 487–491 u. 553–555.

82 Wie der Vorsitzende der Verwaltungskammer, Staatssekretär a. D. Klaus-Berto v. Doemming, dem Verf. am 5. 6. 1989 mitgeteilt hat, sind vor diesem Kirchengericht bislang keine Streitfälle aus §§ 19, 25, 29 (1) u. 30 (1) VerbandsG anhängig gewesen.

83 Verhandlungen der 22. rheinischen Landessynode 1974, Anhang, S. 167–218 bes. S. 196–201; vgl. die Vorschläge des ROSTA zur Neuordnung des Dienstes in den Kirchenkreisen, Düsseldorf o. J. (ca. 1973).

84 Verhandlungen der 22. rheinischen Landessynode 1974, Anhang, S. 57–140, bes. S. 92–99; an dieser Ausarbeitung ist der Jubilar der hier vorgelegten Festschrift maßgeblich beteiligt gewesen.

Die Vertretung evangelisch-theologischer Fakultäten in kirchlichen Synoden – Am rheinischen Beispiel historisch dargestellt –

J. F. Gerhard Goeters

Es ist heute durchgehende Regel, daß in der Bundesrepublik Deutschland alle evangelisch-theologischen Fakultäten und auch alle kirchlichen Hochschulen in den Landessynoden derjenigen evangelischen Landeskirchen vertreten sind, in deren Kirchengebiet sie gelegen sind. Und zu allermeist entsenden die Fakultäten aus ihren Mitgliedern eins nach eigener Wahl in die Synode[1]. Damit hat der Fakultätsvertreter unter den Synodalen eine singuläre Eigenschaft, er ist weder von einem kirchlichen Gremium gewählt noch von einem kirchlichen Organ berufen, sondern von einer eigenen Körperschaft außerhalb der kirchlichen Verfassung, aus einer staatlichen Universität abgeordnet. Zum andern kommt in diesem besonderen Recht im Gegenzug eine gewisse Zuordnung der Fakultät als ganzer zur Kirche zum Ausdruck. Dies eigenartige Phänomen erklärt sich aus seiner Geschichte, die in ihren Anfängen sogar eine rheinische ist.

I. Die Vorgeschichte einer Fakultätsvertretung auf der rheinischen Provinzialsynode

Wenn Theologieprofessoren in der Zeit des ançien régime in kirchlichen Funktionen erscheinen, dann beruht das, wenn nicht die Fakultät als ganze in ihrer Landeskirche herkömmlich eigene kirchliche Befugnisse wahrnimmt, entweder auf einer persönlichen Berufung in Konsistorien und zu sonstiger kirchenleitender Instanz oder aber durch eine Anstellung auf bestimmten Pfarr- oder Kirchenstellen, mit denen kirchenleitende Funktionen verbunden sind, also immer aus solchen in Personalunion innegehabten Ämtern. In Preußen wird es mit der Begründung der Konsistorien in den Provinzen 1816 die Regel, aus der theologischen Fakultät der Provinzialuniversität einen Professor als nebenamtlichen Konsistorialrat in die Behörde zu berufen, weil hier die Zuständigkeit für die theologischen Prüfungen angesiedelt war. Der preußische Entwurf einer Synodalordnung von 1817[2] hingegen übergeht bei der Provinzialsynode die Fakultäten gänzlich. Wenn in den frühen preußischen Synoden 1817–1819 Professoren in Erscheinung treten, so Friedrich Schleiermacher, der 1817 sogar Präses der Berliner Synode wurde, und etwa Johann Gottfried Scheibel als Mitglied der schlesischen Provinzialsynode, so resultiert das beim ersten daher, daß er Pfarrer an der Berliner Dreifaltigkeitskirche war, beim zweiten, daß er Diaconus an St. Elisabeth in Breslau war, also aus ihren kirchlichen Ämtern.

1 Ernst-Lüder Solte: Theologie an der Universität. Staats- und kirchenrechtliche Probleme der theologischen Fakultäten, München 1971 (Jus ecclesiasticum, Bd. 13), S. 283–285; Herbert Frost: Strukturprobleme evangelischer Kirchenverfassung, Göttingen 1972, S. 316 mit Anm. 70, auch S. 117 und 457; Martin Heckel: Die theologischen Fakultäten im weltlichen Verfassungsstaat, Tübingen 1986 (Jus ecclesiasticum, Bd. 31), S. 159 mit Anm. 315.

2 Hermann Kelm und Fritz Rau: Die Protokolle der Tagungen der Kreissynode An der Agger von 1817 bis 1849, Düsseldorf 1969, S. 36–48.

Zu einer entsprechenden Synodalmitgliedschaft durch Personalunion auf unterschiedlichen Stellen kam es im Westen seit 1819. 1818 war Karl Heinrich Sack als Extraordinarius der evangelischen Theologie an die im gleichen Jahre eröffnete Bonner Universität versetzt und zugleich kraft königlichen Patronats als Pfarrer der 1816 begründeten evangelischen Gemeinde Bonn installiert worden. Im September 1819 nahmen er als Pfarrer und sein Kollege Friedrich Lücke als Presbyter der Gemeinde Bonn an der Sitzung der Kreissynode Mülheim am Rhein teil. Sie beantragten im Blick auf die bevorstehende Provinzialsynode von 1820, die Kreissynode möge dort dem jeweiligen Dekan der Fakultät die Teilnahme an den Sitzungen der Provinzialsynode mit Sitz und Stimme erwirken. Die Kreissynode machte sich dies zu eigen[3].

Auf der Provinzialsynode von Jülich, Kleve, Berg in Elberfeld vom 12.–20. April 1820 kam der Mülheimer Antrag zur Verhandlung. »Die Provinzialsynode hält eine recht innige Verbindung der theologischen Fakultät mit der Synode der Provinz [für] sehr wohltätig und nützlich, genehmigt den Antrag der Kreissynode Mülheim und beschließt 1) der zeitliche Dekan der hochwürdigen theologischen Fakultät zu Bonn wird zum Ehrenmitglied der Provinzialsynode ernannt, 2) der Präses wird der hochwürdigen Fakultät diesen Beschluß bekannt machen.«[4]

Die Mitteilung von Präses Roß präzisierte den Beschluß auf »Sitz und Consultation-Stimme« für den Dekan als Ehrenmitglied und brachte die Erwartungen der Synode zum Ausdruck[5]. Das Dankschreiben der Fakultät für die »dargebotene Gemeinschaft« berichtet, daß man die Angelegenheit dem Ministerium zur Genehmigung vorzulegen habe, aber an der Bewilligung keinen Zweifel hege[6]. Noch 1820 wurde die Fakultät vom Ministerium jedoch beschieden, daß eine generelle Genehmigung einstweilen nicht gegeben werden könne, der Dekan nur auf jeweilige Einladung an der Synode teilnehmen könne[7]. Das von Präses Roß befragte Konsistorium in Köln vermeldet im Herbst 1824, daß es vom Ministerium auf seine Eingabe von 1820 nicht beschieden worden sei[8].

1820–1830 waren die Provinzialsynoden ohnedies sistiert. In eben diesen Jahren aber haben Sack und seit 1824 vor allem Karl Immanuel Nitzsch in der Kreissynode Mülheim eine vielseitige und fruchtbare Mitarbeit entfaltet. Dieser war 1822 als Professor und Universitätsprediger nach Bonn berufen worden, wurde zugleich so etwas wie vicarius perpetuus der Gemeinde Bonn und damit Mitglied der Kreissynode. Der Sachse Nitzsch ist der wichtigste rheinische Sprecher in der Agendenfrage geworden. Bei der Kölner Provinzialsynode im Juni 1830 war die Teilnahme des Bonner Dekans noch ungeklärt. Jedoch war Sack als von Mülheim deputierter Pfarrer Synodaler, Nitzsch als Mitglied der Agendenkommission für den rheinisch-westfälischen Provinzialanhang zugegen und erwarb sich die Achtung der Synode.

---

3 Friedrich Gerhard Venderbosch: Die Protokolle der Tagungen der Kreissynode Mülheim am Rhein von 1817 bis 1847, Düsseldorf 1967, S. 75.

4 Protokolle der Verhandlungen im Landeskirchenarchiv (LKA) Düsseldorf, C I a 6, dort unter § 8 (Anträge der Kreissynoden, alphabetisch: Mülheim).

5 LKA Düsseldorf, C I a 14, vol. I, S. 86–87 (Konzept).

6 LKA Düsseldorf, C I a 15, fol 241–242.

7 Otto Ritschl: Die evangelisch-theologische Fakultät zu Bonn im ersten Jahrhundert ihrer Geschichte 1819–1919, Bonn 1919, S. 45, nach den im 2. Weltkrieg vernichteten Fakultätsakten.

8 LKA Düsseldorf, C I b 11, Nr. 1.

Unmittelbar vor der nächsten Provinzialsynode von 1835 fragte Dekan Sack »im Interesse des nahen Verhältnisses zwischen Kirche und theologischer Fakultät« diskret bei Präses Dr. Graeber an, ob wegen der einst beschlossenen Berufung des Dekans schon etwas vorgesehen sei, zumal in der gerade erlassenen Kirchenordnung dazu nichts enthalten sei. Sack verweist auf § 6 der eben gedruckten Fakultätsstatuten vom 18. Oktober 1834: »Das besondere Verhältnis der Fakultät zu der evangelischen Kirche der westlichen Provinzen des Preussischen Staats, zu deren Dienste sie zunächst gegründet ist, wird durch besondere Verordnungen bestimmt werden.«[9] Derartige Verordnungen gebe es noch nicht. Es sei nun dies die Gelegenheit, bei den vorgesetzten Behörden etwas zur Repräsentation der Fakultät bei der Provinzialsynode herbeizuführen[10].

Daraufhin hat Präses Graeber beim Ministerium unter Hinweis auf den Beschluß von 1820 und auf die vom Ministerium genehmigten Bonner Fakultätsstatuten die Einladung des derzeitigen Dekans der Fakultät zur Synode als Ehrenmitglied und die Zuerkennung des Stimmrechts beantragt. »Die mannigfachen Beziehungen zwischen der Synode und der evangelisch-theologischen Fakultät scheinen eine solche Verbindung sehr wünschenswert zu machen, und der Synode könnte es nur angenehm sowie für die Angelegenheiten der Kirche in allen Beratungen über doktrinelle, liturgische, kirchenrechtliche Gegenstände und nicht minder für die ganze Ausbildung und zweckmäßige Leitung der Candidaten der Theologie nicht anders als heilsam und gesegnet sein.«[11] Minister Altenstein genehmigte umgehend am 23. Juni 1835, »daß der zeitige Dekan der evangelisch-theologischen Fakultät zu Bonn den Sitzungen der rheinischen Provinzialsynode als Ehrenmitglied mit Sitz und Stimme beiwohne«[12].

II. Die kirchliche Ratifikation der Fakultätsvertretung

Auf der ersten rheinischen Provinzialsynode, die nach den Bestimmungen der neuen Kirchenordnung abgehalten wurde und im August 1835 in Neuwied stattfand, waren Sack als Dekan und auch Nitzsch als Abgeordneter der Kreissynode Mülheim zugegen. Beide haben sich in der Arbeit der Kommissionen Verdienste erworben. Die Synode ersuchte die Fakultät zur Frage einer kirchlichen Wiedertrauung Geschiedener um ein Gutachten. Dies hat die Fakultät unter Dekan Friedrich Bleek am 15. Mai 1836 erstattet und dann im Druck veröffentlicht[13]. Es lag der 2. Provinzialsynode von 1838 vor, auf der wiederum Sack als Dekan und Nitzsch als Synodaler überaus tätige Mitarbeiter waren und beide auch als Kommissionsreferenten hervortraten. Nitzsch hat sich mit einer Revision der gottesdienstlichen Schriftlesungen und als Referent zu Agendenfragen der Synode so wertvoll erwiesen, daß sie ihn zu ihrem Assessor wählte. Es leidet keinen Zweifel, daß sich die Mitarbeit der Fakultät in der Synode glücklich bewährte.

9 Statuten der evangelisch-theologischen Fakultät der königlich Preussischen rheinischen Friedrich-Wilhelms-Universität, Bonn 1835, S. 3.

10 LKA Düsseldorf, C I b 11, Nr. 3.

11 LKA Düsseldorf, C I b 11, Nr. 4

12 LKA Düsseldorf, C I b 11, Nr. 2. Vgl. Ritschl a.a.O.

13 Gutachten der Evang.-theologischen Fakultät der Rheinischen Friedrich-Wilhelms-Universität über den auf der im August 1835 gehaltenen Rheinischen Provinzial-Synode (nach § 45 der Verhandlungen) gemachten Antrag auf Entbindung der evangelischen Geistlichen von der Verpflichtung, die neue Ehe geschiedener Eheleute kirchlich einzusegnen, Barmen (J. F. Steinhaus) 1836 (25 S.).

In den Fassungen der Geschäftsordnung der Synode von 1838 und 1841 wurde festgelegt, daß der Bonner Dekan zur Rechten des Präses, gleich neben dem königlichen Commissarius bzw. dem Generalsuperintendenten, seinen Platz habe[14]. Diese ehrende Plazierung, an der seit 1948 der Vertreter der Kirchlichen Hochschule Wuppertal und seit 1950 auch der Vertreter der Fakultät in Mainz teilhatten, ist erst durch eine Neufassung der Geschäftsordnung von 1974[15] abgeändert worden.

1840, noch in der Ära Altenstein, ist jedoch der eben eingebürgerte Brauch der synodalen Mitgliedschaft des Dekans wieder in Zweifel gezogen worde. Auf einen Bericht des Konsistoriums hin hat das Ministerium am 14. April 1840 wohl die Teilnahme des Dekans an den Synoden genehmgit, nicht aber seine formgerechte Mitgliedschaft, weil dies in § 45 der Kirchenordnung nicht vorgesehen sei[16]. Deswegen könne der Dekan kein volles Stimmrecht ausüben und habe auch keinen Anteil an den Synodalkosten. Ganz offenbar gehört dieser restriktive Bescheid in den Rahmen einer engen Auslegung der Kirchenordnung durch das Ministerium angesichts weitergehender Forderungen der rheinischen Synode, die synodalen Kompetenzen über das in der Kirchenordnung gesetzte Maß hinaus auszudehnen. Umgehend antwortete der Präses mit einem Bericht über den Antrag der Synode von 1820, die ministerielle Genehmigung von 1835 und die bisher unbestrittene Teilnahme des Dekans »als Ehrenmitglied der Synode mit Sitz und Stimme«[17].

Das Problem für das Ministerium bestand darin, daß es sich in der Sache in einen gewissen Selbstwiderspruch begeben hatte. Der Regierungs- und Ministerwechsel von 1840 ermöglichte einen Ausweg, beim Übergang vom streng territorialistischen Standpunkt Altensteins hin zur Politik Friedrich Eichhorns zu größerer Verselbständigung der Kirche. Das Ministerium hat die Sache dem König vorgelegt. Friedrich Wilhelm IV. hat mit Kabinettsordre vom 31. Dezember 1840 nicht nur die bisher eingeführte Teilnahme des Bonner Dekans an der rheinischen Provinzialsynode genehmigt, sondern sogar die Hinzuziehung der gesamten Fakultät anheimgestellt. Hierzu aber sollten zuvor die Kreissynoden ihr Votum abgeben[18].

Das Konsistorium hat den rheinischen Kreissynoden am 5. März 1841 die königliche Anregung auf eine Teilnahme der gesamten Fakultät, auch unter Berücksichtigung der Synodalkosten, in der Form eines Proponendums zur Beratung und baldigen Rückäußerung vorgelegt. So haben die meisten der 25 Kreissynoden auf ihren Tagungen von Juni bis August 1841 sich zur Sache erklärt. Von 22 abgegebenen Stellungnahmen sprachen sich 14 klar für die Teilnahme des Dekans mit

---

14 Verhandlungen der 2. rheinischen Provinzial-Synodal-Versammlung (Koblenz 1838),Barmen 1838, S. 70 (§ 9) und Verhandlungen der 3. rheinischen Provinzial-Synode (Bonn 1841), Barmen 1842, S. 157 (§ 6).

15 Verhandlungen der 22. außerordentlichen rheinischen Landessynode. Tagung vom 6. bis 11. Januar 1974 in Bad Godesberg, Mülheim/Ruhr [1974], S. 86–87, Text S. 264 § 9.

16 Text bei Walter Göbell: Die rheinisch-westfälische Kirchenordnung vom 5. März 1835, Bd. 2, Düsseldorf 1954, S. 403; Alfred Uckeley: Die rheinisch-westfälische Kirchenordnung, Bonn 1912 (Kleine Texte für Vorlesungen und Übungen, Nr. 104) S. 32.

17 Verhandlungen der 3. rheinischen Provinzial-Synode (Bonn 1841, Barmen 1842, S. 9 (§ 8).

18 Im Bescheid des Ministeriums an das Konsistorium Koblenz vom 30. Januar 1841. Kopie im Hauptstaatsarchiv (HStA) Düsseldorf, NW 5, Nr. 425, fol. 29.

Stimmrecht aus, also für den bisherigen Brauch. 10 Kreissynoden waren auch für die Zulassung der gesamten Fakultät offen, aber durchweg ohne Stimmrecht und auf eigene Kosten[19].

Daraufhin stellte die Provinzialsynode in Bonn am 23. August 1841 fest, daß die Teilnahme des Dekans mit Sitz und Stimme als entschieden zu gelten habe, und lud umgehend Dekan Sack zu den Sitzungen ein. Die Zulassung der ganzen Fakultät wurde abgelehnt. Hingegen erklärte man sich damit einverstanden und beantragte beim Ministerium, »daß der Fakultät gestattet werden möge, an der Stelle des Dekans dasjenige Mitglied derselben zur Ausübung des erwähnten Rechts abzusenden, welches sie abzusenden wünsche«[20].

Im Sommer und Herbst 1842, im Zusammenhang der Bewilligung der Synodalbeschlüsse von 1841, und dann wieder im Sommer 1844, angesichts der bevorstehenden nächsten Provinzialsynode, ist in mehrfachen Schriftwechseln des Ministeriums mit dem Konsistorium bzw. der Synode sowie mit der Fakultät endgültig genehmigt worden, zunächst daß der Dekan als Synodaler auch vertreten werden könne, dann aber daß die Fakultät generell »zu den Versammlungen der rheinischen Provinzialsynode jedesmal eines ihrer Mitglieder durch freie Wahl zu deputieren« das Recht habe[21].

Diese etwas verschlugene rheinische Entwicklung von 1840 bis 1844, die ein klares Konzept im Ministerium ja gänzlich vermissen läßt, dann aber zur Regel eines von der Fakultät gewählten und entsandten Mitglieds mit vollem Stimmrecht führte, hat in der preußischen Landeskirche sichtlich Vorbildfunktion ausgeübt. Die Ausschreibung der Provinzialsynode der östlichen preußischen Provinzen vom 21. September 1844 sieht in jeder Synode ein Mitglied der theologischen Fakultät einer der Landesuniversitäten vor, das die Fakultät dem einberufenden Generalsuperintendenten nach getätigter Wahl benennen wird[22]. Das Ministerium erläutert hierzu später seine Absicht im Blick auf diese Reformsynoden: »Endlich wurde, die innige Vermittelung mit dem wissenschaftlichen Element der evangelischen Theologie gleich von vorneherein zu sichern, die Teilnahme eines von den theologischen Fakultäten der Landesuniversitäten gewählten Professors der evangelischen Theologie angeordnet.«[23]

Dieselben Grundsätze fanden auch Anwendung bei der Berliner Generalsynode vom Sommer 1846, die die kirchlichen Reformen in ein gesamtkirchliches Konzept bringen sollte. Unter ihren geistlichen Mitgliedern rangierten nach den Vertretern von Kirchenregiment und Synoden auch »sechs Professoren der Theologie von den sechs Landesuniversitäten, die durch die theologische Fakultät erwählt werden«, entsprechend unter den weltlichen Mitgliedern auch sechs evangelische Professoren der Jurisprudenz, die von den evangelischen Mitgliedern

---

19 Die Voten in LKA Düsseldorf, SIa 1–w 2, Protokolle der Kreissynoden in alphabetischer Reihenfolge, zumeist unpaginiert; gedruckte Protokolle bei Kelm-Rau, S. 338–339; Venderbosch, S. 156–157; Hanns-Joachim Maßner: Protokolle der Tagungen der Kreissynode Düsseldorf von 1817 bis 1849, Düsseldorf 1970, S. 301.

20 Verhandlungen der 3. rheinischen Provinzialsynode (Bonn 1841) Barmen 1842, S. 10–11 (§ 8).

21 HStA Düsseldorf, NW 5, Nr. 425, fol. 30–31.

22 Protokolle der im Jahre 1844 in den östlichen Provinzen der Preußischen Monarchie abgehaltenen Provinzial-Synoden, Berlin 1845, S. IX–XI.

23 Ebendort, S. V.

der juristischen Fakultäten zu wählen waren und mit dem Kirchenrecht vertraut sein sollten[24]. Die von der Synodalkommission zur Fortbildung der Kirchenverfassung in den sechs östlichen Provinzen aufgestellten Grundsätze sahen auf der Ebene der Provinzialsynode die Vertretung der einzelnen theologischen und juristischen Fakultäten der Provinzialuniversität, bei der Landessynode diejenige beider Fakultäten aller Landesuniversitäten vor[25]. Man hat sich hier am Muster der Zusammensetzung der Synoden von 1844 und 1846 orientiert[26]. In der synodalen Diskussion haben diese Fragen sonst eine Rolle nicht gespielt, es gab da allgemeine Übereinstimmung. Nur für die Provinzen ohne Universitäten war eine Zuständigkeit schon 1844 geregelt worden, Breslau hatte auch die Provinzialsynode von Posen, Königsberg auch Westpreußen zu beschicken.

Dies hatte auch eine Nachwirkung im Westen. Auf der westfälischen Provinzialsynode in Soest im Oktober 1847 regte der Präses an, ob diese es »zum Gedeihen der Provinzial-Synodal-Versammlung für ersprießlich halten möchte, nach Art der rheinischen Synode einen gelehrten Theologen als Ehrenmitglied mit vollem Stimmrechte in ihre Mitte aufzunehmen, und zwar ein Mitglied der theologischen Fakultät zu Bonn«. Er nannte als beispielgebend die Rolle der Professoren auf der Generalsynode, was für Bonn Nitzsch und Sack gewesen waren. Da aber die Kirchenordnung die Synodalmitgliedschaft an den Wohn- und Pfarrort in der Provinz band, wurde der Antrag abgewandelt auf einen Gaststatus der Fakultätsmitglieder von Bonn nach Analogie der Konsistorialräte und so mit großer Mehrheit angenommen[27]. Eine formgerechte Vertretung der Bonner Fakultät auf der westfälischen Provinzialsynode, nun bereits auf Grund einer diesbezüglichen Ergänzung der Kirchenordnung, ist dann zuerst 1853 und weiterhin bis 1914 wahrgenommen worden, bis 1917 die eben begründete Fakultät in Münster diesen Platz einnehmen konnte.

III. Die Verankerung der Fakultätsvertretung in der rheinisch-westfälischen Kirchenordnung

Im Jahr 1848 kam die Frage einer Revision der Kirchenordnung von 1835 erneut auf die Tagesordnung. Die neuen Grundsätze der Trennung von Staat und Kirche und der Selbständigkeit der Kirchen bzw. Religionsgemeinschaften in Ordnung und Verwaltung ihrer Angelegenheiten nötigten zu Korrekturen, da die Kirchenordnung den presbyterial-synodalen Verfassungsaufbau neben die bestehende Konsistorialverfassung gestellt hatte. Eine Mehrzahl von kirchlichen Konferenzen im Westen 1848/49 beschloß, die Kirchenordnung von 1835 zum Ausgangspunkt weiterer Ausgestaltung zu nehmen. Auf einer Konferenz vom 14. September 1848 in Dortmund legten die Synodalkommissionen von Westfalen und Rheinland in 12 Punkten ihre Grundsätze fest. Punkt 10 berührt das Verhältnis von Fakultät und Kirche: »Da auf den Universitäten, durch die theologischen Fakultäten, die Bildung der Lehrer der Kirche geschieht, die Kirche also bei der Besetzung

24 Verhandlungen der evangelischen General-Synode zu Berlin vom 2. Juni bis zum 29. August 1846, Berlin 1846, S. 2–3.

25 Ebendort, Anhang, S. 132 und 133, § 26 (4) und § 31 (5).

26 Ebendort, Anhang, S. 125.

27 Verhandlungen der 5. westfälischen Provinzialsynode, Bielefeld [1847/48], S. 27–28.

derselben wesentlich beteiligt ist, so übt sie, nach Analogie des der katholischen Kirche zustehenden Rechts, an der Ernennung der Professoren der Theologie durch das Konsistorium und die Examinations-Kommission eine Mitwirkung aus. Die theologische Fakultät hat dagegen das Recht, durch einen aus ihrer Mitte zu ernennenden Deputierten mit Sitz und Stimme an den Verhandlungen der Provinzialsynode teilzunehmen. Die Synode spricht hierbei die bestimmte Forderung aus, daß bei einer möglichen Umgestaltung des akademischen Unterrichtswesens das in den Statuten der Universität Bonn ausgesprochene Verhältnis der dortigen theologischen Fakultät zur evangelischen Kirche unverändert erhalten wird. Demnächst wird sie in einem besonderen Schreiben an die theologische Fakultät das Vertrauen aussprechen, daß diese ihrerseits für die Aufrechterhaltung dieses Grundsatzes mitwirken werde.«[28]

Die im März 1849 einberufenen Provinzialsynoden, die 5. westfälische in Dortmund und die 6. rheinische in Duisburg, machten sich diese Grundsätze im wesentlichen zu eigen. Die rheinische Synode bezog sich in ihren Beratungen auf § 3 der Bonner Fakultätsstatuten: »Die Fakultät bekennt sich zu der unierten evangelischen Kirche und ist verpflichtet, ihre Lehre mit den Grundsätzen dieser Kirche, wie sie in deren anerkannten Bekenntnisschriften übereinstimmend und schriftmäßig aufgestellt worden sind, in Einklang zu erhalten und ihre Wirksamkeit dem Dienste dieser Kirche zu widmen«[29], dazu den bereits oben zitierten § 6, der besondere Verordnungen über das Verhältnis der Fakultät zu den westlichen Provinzialkirchen ankündigte. Die Bonner Professoren Kling und Dorner hatten vergeblich die Mitwirkung bei der Berufung der Professoren einem künftigen preußischen Oberkonsistoriums zu reservieren versucht. Weil die Aufnahme einer entsprechenden Bestimmung in die Fakultätsstatuten nicht zu erreichen war, hat die Synode als Äquivalent für die Aufnahme eines Fakultätsmitglieds in die Synode und eines weiteren in das Konsistorium ihre Gegenbedingungen in einer Konkretion der Dortmundert Grundsätze formuliert: »Da auf den Universitäten durch die theologischen Fakultäten die Bildung der Lehrer [der Kirche] geschieht, die Kirche also bei der Besetzung derselben wesentlich beteiligt ist, so übt sie nach Analogie des der katholischen Kirche zustehenden Rechtes an der Ernennung der Professoren der Theologie durch das Konsistorium eine Mitwirkung aus.

Die Synode spricht hierbei die bestimmte Forderung aus, daß auch bei der etwaigen Umgestaltung des akademischen Unterrichtswesens der evangelisch-theologischen Fakultät zu Bonn [diese] in ihrem bisherigen Verhältnis zu der evangelischen Kirche der westlichen Provinzen des preußischen Staats, zu deren Dienst sie nach ihren Statuten zunächst gegründet ist, unverändert erhalten wird.«[30]

Bei der Koordinierung der bisher getrennten Provinzialberatungen hat die gemeinsame Kommission beider Synoden in Duisburg am 13.–14. März 1850 die

28 August von Bethmann-Hollweg: Die Beschlüsse der Dortmunder Synodalkonferenz, in: Monatsschrift für die evangelische Kirche der Rheinprovinz und Westfalens 1849, Bonn 1849 I, S. 27; zur Gesamtentwicklung Heinrich Heppe: Zur Geschichte der evangelischen Kirche Rheinlands und Westfalens, Bd. 1, Iserlohn 1867, S. 383–456; Gerhard Lüttgert: Evangelisches KIrchenrecht in Rheinland und Westfalen, Gütersloh 1905, S. 92–105.

29 Statuten der evangelisch-theologischen Fakultät (wie Anm. 9), S. 2.

30 Verhandlungen der 6. rheinischen Provinzialsynode (Duisburg 1849), Krefeld 1849, S. 122–125; vgl. auch S. 237–238 die Motivation der Synodalkommission.

Änderungen und Ergänzungen der Kirchenordnung zu gemeinsamer Beschlußfassung beraten und festgelegt. Die Rheinländer, aus bisheriger Praxis offener und unbefangener, schlugen zu § 45, zur Sitzungsperiode und Zusammensetzung der Provinzialsynode, einfach vor: »Außerdem hat die evangelisch-theologische Fakultät zu Bonn das Recht, sowohl zu der westfälischen als zu der rheinischen Provinzialsynode ein von ihr aus ihrem Schoß erwähltes Mitglied mit Sitz und Stimme abzuordnen.«

Die Westfalen wandten ein, daß der Fakultätsvertreter bei ihnen bisher nur ein Gastrecht mit beratender Stimme besitze. Zulassung mit vollem Stimmrecht werde von ihnen nur unter der Bedingung eines kirchlichen Einflusses auf die Fakultät und der Garantie ihrer kirchlichen Stellung bewilligt werden können. Die Rheinländer betonten die gemeinsame Forderung kirchlicher Einwirkungen auf die Besetzungen, brachten aber die Bedenken der Fakultät zur Sprache, dies Einwirkungsrecht für ein Organ der Provinzialkirche in Aussicht zu nehmen. So lautet der gemeinsam beschlossene Zusatz zu einem § 50 (in neuer Zählung, statt des bisherigen § 45): »Außerdem hat die evangelisch-theologische Fakultät zu Bonn das Recht, sowohl zu der westfälischen als rheinischen Provinzialsynode einen aus ihrer Mitte gewählten Deputierten mit vollem Stimmrecht abzusenden, unter Voraussetzung der Fortdauer ihrer statutarischen kirchlichen Stellung, deren Garantie sowie eine angemessene Einwirkung der Kirche auf die Besetzung der Fakultät vorbehalten wird.«[31]

In einem vom rheinischen Präses am 11. Juli 1850 erforderten Gutachten hat die Bonner Fakultät zum Verhältnis von Provinzial- und Landeskirche und zu Fragen von Bekenntnis und Union Stellung genommen. Bei ersterem spricht sie sich durchaus für eine kirchliche Einwirkung auf die Besetzung theologischer Lehrstühle aus, will diese aber nicht einer Mehrzahl konkurrierender und provinzialer Instanzen zugewiesen, sondern einem künftigen preußischen Oberkirchenrat vorbehalten wissen[32].

Die 7. rheinische Provinzialsynode in Duisburg hat am 11. November 1850 die Sachlage kaum mehr diskutiert, sondern die Annahme des Entwurfs vom Frühjahr 1850 befürwortet[33]. In der endgültigen Vereinbarung der vereinigten Synodalkommission in Elberfeld vom 7.–10. Januar 1851 hat dies dann folgenden Wortlaut gefunden: »Außerdem hat die evangelisch-theologische Fakultät zu Bonn das Recht, sowohl zu der westfälischen als der rheinischen Provinzialsynode einen aus ihrer Mitte gewählten Deputierten mit vollem Stimmrecht abzuordnen, unter Voraussetzung der Fortdauer ihrer statutarischen kirchlichen Stellung und einer angemessenen Einwirkung der Kirche auf die Besetzung der Fakultät.«[34]

In nur ganz leicht abgewandelter Form hat der Passus schließlich als Zusatz 21,4

---

31 Verhandlungen der vereinigten Kommissionen der westfälischen und rheinischen Provinzialsynode zur Revision der Kirchenordnung zu Duisburg am 13. und 14. März 1850, Bielefeld 1850, S. 25–26; der Text S. 52.

32 Gutachten der Evangelisch-theologischen Fakultät zu Bonn über die Vorschläge der zu Duisburg am 13. und 14. März 1850 zusammengetretenen vereinten Kommissionen der westfälischen und rheinischen Provinzialsynode zur Revision der Kirchenordnung, Bonn (Carl Georgi) 1850 (14 S. in 4°, vom 1. Oktober 1850).

33 Verhandlungen der 7. rheinischen Provinzialsynode, Duisburg 1851, S. 191–192.

34 Text ebendort, S. 508–509, als Anhang des Protokolls.

zu § 45 der Kirchenordnung am 25. August 1853 die förmliche ministerielle Genehmigung gefunden: »Außerdem hat die evangelisch-theologische Fakultät das Recht, sowohl zu der westfälischen als der rheinischen Provinzialsynode einen aus ihrer Mitte gewählten Deputierten mit vollem Stimmrecht abzusenden, unter Voraussetzung der Fortdauer ihrer statutarischen kirchlichen Stellung und einer angemessenen Einwirkung der Kirche auf die Besetzung der Fakultät.«[35]

Die Bestimmung, die in dieser Form bis 1918 Bestand hatte, zeigt in ihrer Formulierung deutlich Kompromißcharakter. Die doppelte Konditionierung am Schluß ist westfälischen Ursprungs und dort ein Äquivalent zum Delegations- und vollen Stimmrecht. Was die Kirche angeht, so gab es im Rheinland die Mitgliedschaft des Fakultätsvertreters mit Stimmrecht schon zuvor, in Westfalen wurde sie jetzt analog geordnet. Der Fortfall der Ortsbezeichnung bei Nennung der Fakultät umging die Frage einer Provinzzugehörigkeit und ließ Bonn für beide Provinzen als zuständig erscheinen. Es konnte in Westfalen 1917 auch Münster eintreten, ohne daß der Text der Kirchenordnung geändert werden mußte. Die besondere Eigenschaft dieses Synodalen ist mit seiner Stellung am Schluß des Absatzes und der Einführung mit »außerdem« sehr augenfällig unterstrichen.

Deputationsrecht für die Fakultät und Stimmrecht für den Deputierten sind ein gewährtes Recht von Seiten der Kirche und der Synode. Unter der Zeitfrage der Trennung von Staat und Kirche, die hier das staatliche Organ einer Universitätsfakultät und das kirchliche einer Synode mitbetreffen, ist die Gewährung eines solchen Rechts an zwei Bedingungen geknüpft worden, die nicht primär den Deputierten, sondern die entsendende und vertretene Fakultät betreffen. Es sind dies die Zuordnung der Fakultät zur Kirche bzw. die Fortdauer dieser Zuordnung, wie sie in den Fakultätsstatuten niedergelegt war, und es ist die angemessene kirchliche Einwirkung auf die Besetzung der Lehrstühle.

Die Bonner Fakultätsstatuten sind in ihrem Abschnitt II (Von dem Verhältnisse der Fakultät zur evangelischen Kirche) unverändert in Kraft geblieben und 1897 durch Neudruck bekannt gehalten worden[36]. Die kirchliche Einwirkung auf die Besetzung der theologischen Lehrstühle ist durch königliche Kabinettsordre vom 5. Februar 1855 in Preußen dem Evangelischen Oberkirchenrat in Berlin übertragen worden[37]. Wohl hat es, ausgelöst durch Wilhelm Benders Bonner Lutherrede 1883 und dann wieder durch den Bonner Ferienkurs von 1894, in den westlichen Provinzialsynoden und dann auch auf der preußischen Generalsynode Versuche gegeben, die kirchliche Einwirkung auf die Besetzung der theologischen Lehrstühle durch die Beteiligung des Generalsynodalvorstands zu verstärken[38]. Aber

35 Kirchenordnung für die evangelischen Gemeinden der Provinz Westfalen und der Rheinprovinz vom 5. März 1835. In der aus späteren Ergänzungen und Abänderungen, besonders vom 25. August 1853, sich ergebenden Fassung. Auf Veranlassung der achten rheinischen Provinzialsynode hrsg. v. Friedrich Bluhme, Bonn (Ad. Marcus) 1854, S. 26–27; Alfred Uckeley: Die rheinisch-westfälische Kirchenordnung (wie Anm. 16), S. 32.

36 Statuten für die evangelisch-theologische Fakultät der königlich Preussischen Rheinischen Friedrich-Wilhelms-Universität. Abdruck der ursprünglichen Statuten vom 18. Oktober 1834 mit Hinzufügung der offiziellen Abänderungen und Zusätze, Bonn (Carl Georgi) 1897 (27 S. in 4°). Text von § 3–6, S. 2. Hier sind auch die wichtigsten Dokumente zur Fakultätsvertretung auf der Synode in einer Anmerkung aufgeführt.

37 Ernst Rudolf Huber und Wolfgang Huber: Staat und Kirche im 19. und 20. Jahrhundert, Bd. 3, Berlin 1983,S. 648.

38 Gerhard Lüttgert: Evangelisches Kirchenrecht (wie Anm. 28), S. 796.

das ist von mittelparteilicher und liberaler Seite mit Erfolg abgewehrt worden. Es blieb bei diesen Regelungen von 1853 und 1855.

IV. Die allgemeine Durchsetzung der Fakultätsvertretungen in gesamtpreußischen und außerpreußischen Ordnungen

Das rheinisch-westfälische Vorbild, ebenso aber schon die Zusammensetzung der preußischen Synoden von 1844 und 1846 und der Verfassungsplan von 1846 haben auch die Regelungen der Fakultätsvertretungen in den gesamtpreußischen Verfassungsgesetzen bestimmt. In der Kirchengemeinde- und Synodalordnung für die östlichen Provinzen vom 10. September 1873 heißt es in § 59 Abs. 2 zur Mitgliedschaft in der Provinzialsynode: »einen von der evangelisch-theologischen Fakultät der Provinzialuniversität (für Westpreußen der Universität Königsberg, für Posen der Universität Breslau) zu wählenden Mitgliede dieser Fakultät«[39].

In der Generalsynodal-Ordnung vom 20. Januar 1876 lautet das in § 2 Abs. 2 entsprechend: »aus sechs Mitgliedern, von welchen jede evangelisch-theologische Fakultät an den Universitäten Königsberg, Berlin, Greifswald, Breslau, Halle und Bonn eines aus ihrer Mitte wählt«[40].

In diesen gesamtkirchlichen Regelungen gelten überall die Fakultätsvertreter trotz ihrer Wahl und Abordnung durch ihre Fakultäten als reguläre Synodale ohne alle Gegenbedingungen[41].

Dieselben Grundsätze von voller Mitgliedschaft der Fakultätsvertreter und ihrer freien Wahl durch die Fakultäten haben auch in den anderen deutschen Synodalverfassungen Anwendung gefunden, so in Hannover 1864[42], in Württemberg 1867[43], in Sachsen 1868[44], sodann auch in den neurpreußischen Provinzen Schleswig-Holstein 1876[45] und Hessen-Kassel 1885[46]. Nur in der Badischen Kirchenverfassung von 1861 wird das Mitglied der Heidelberger Fakultät in der Landessynode vom Großherzog ernannt[47].

---

39 Alfred Uckeley: Die Kirchengemeinde- und Synodalordnung für die Provinzen Preussen, Pommern, Posen, Schlesien und Sachsen, Bonn 1912 (Kleine Texte für Vorlesungen und Übungen, Nr. 103), S. 27; Huber-Huber, Bd. 3, S. 939; Zur Vorbildlichkeit der rheinisch-westfälischen Ordnung Huber-Huber, Bd. 2, Berlin 1976, S. 335.

40 Alfred Uckeley: Die Generalsynodal-Ordnung, Bonn 1912 (Kleine Texte für Vorlesungen und Übungen, Nr. 102), S. 4; Huber-Huber, Bd. 3, S. 945.

41 Zur Stellung der Fakultäten zu den evangelischen Kirchen in Preußen insgesamt Paul Schoen: Das evangelische Kirchenrecht in Preußen, Bd. 1, Berlin 1903 (Nachdr. Aalen 1967), S. 412–413 und 427; Bd. 2, Berlin 1906–1910 (Nachdr. Aalen 1967), S. 632–637.

42 Huber-Huber, Bd. 2, S. 338: § 58 Abs. 4.

43 Ebendort, S. 376: § 2 Abs. 2.

44 Ebendort, S. 353: § 33 Abs. 2.

45 Ebendort, S. 995: § 86 Abs. 3.

46 Ebendort, S. 1000: § 55 Abs. 3.

47 Ebendort, S. 385: § 61 Abs. 2.

V. Die Fakultätsvertretung in der Zeit der Weimarer Republik und des Dritten Reiches

Die Regelungen in der preußischen Gesamtordnung und in den beiden Westprovinzen wurden auch nach 1918 nur geringfügig abgewandelt. Die 34. rheinische Provinzialsynode von 1919 verwandte sich nachdrücklich für die Erhaltung der theologischen Fakultäten an den staatlichen Hochschulen[48]. Und auch das Kirchengesetz zur Bildung der preußischen Kirchenversammlung vom 19. Juni 1920 schrieb die herkömmliche Abordnung von Fakultätsvertretern in diese verfassungsgebende Landessynode vor. Die Ausschüsse der beiden westlichen Provinzialsynoden formulierten im Entwurf von § 45 Abs. 4 der Kirchenordnung folgendermaßen: »Die evangelisch-theologische Fakultät der Rheinischen Friedrich-Wilhelms-Universität zu Bonn hat das Recht, eines ihrer Mitglieder zu der rheinischen Provinzialsynode als Mitglied abzusenden, unter Voraussetzung der Fortdauer ihrer statutarischen kirchlichen Stellung und einer angemessenen Einwirkung der Kirche auf die Besetzung der Fakultät.

Die evangelisch-theologische Fakultät der Westfälischen Wilhelm-Universität zu Münster hat das Recht, eines ihrer Mitglieder zu der westfälischen Provinzialsynode als Mitglied abzusenden.«[49]

Doch die preußische Kirchenversammlung hatte in ihren Tagungen von 1921 und 1922 mit der Beratung und Verabschiedung der Verfassungsurkunde der Evangelischen Kirche der altpreußischen Union vom 29. September 1922 den Vortritt. In Sachen der Fakultätsvertretung in der Provinzialsynode setzte Art. 86 Abs. 2,2 bei den Mitgliedern fest »einen Vertreter der evangelisch-theologischen Fakultät der Provinzialuniversität« und entsprechend in Art. 88: »Die evangelisch-theologische Fakultät der Provinzialuniversität hat das Recht, aus ihrer Mitte einen Vertreter in die Provinzialsynode zu entsenden.«

Ganz analog wurde das für alle Fakultäten im Blick auf die Generalsynode in Art. 117 Abs. 2,3 und in Art. 119 geregelt[50]. Hierbei wurde die theologische Schule in Bethel als kirchliche Anstalt im Sinne von Art. 120 der Verfassungsurkunde mit Entsendungsrecht eines Vertreters anerkannt[51] und damit den Fakultäten in ihren kirchlichen Rechten angenähert.

Die entsprechende Bestimmung in der am 6. November 1923 neugefaßten Kirchenordnung der Provinz Westfalen und der Rheinprovinz lautet in § 54 Abs. 3 d: »einem Vertreter der evangelisch-theologischen Fakultät der Provinzialuniversität unter Voraussetzung der Fortdauer ihrer statutarischen kirchlichen Stellung und einer angemessenen Einwirkung der Kirchen auf die Besetzung der Fakultät« und in § 56 ergänzend: »Die evangelisch-theologische Fakultät der

48 Verhandlungen der 34. rheinischen Provinzialsynode (Barmen, März 1919), Essen 1919, S. 69.

49 Verhandlungen der 35. außerordentlichen rheinischen Provinzialsynode (Barmen, November 1919), Aachen 1920, S. 138.

50 Friedrich Giese und Johannes Hosemann: Die Verfassungen der Deutschen Evangelischen Landeskirche, Bd. 1, Berlin 1927, S. 27 und 36–37; Godehard Josef Ebers: Evangelisches Kirchenrecht in Preußen. Sammlung der in den evangelischen Landeskirchen Preußens geltenden kirchlichen Gesetze und Verordnungen, Bd. 1, München 1932, S. 39–40 und 52–53.

51 Ebers, S. 83.

Provinzialuniversität hat nach § 54 Abs. 3 d das Recht, aus ihrer Mitte einen Vertreter in die Provinzialsynode zu entsenden.«[52]

Ganz offenbar hat die Rechtssystematik und die Terminologie der Verfassungsurkunde sich hier durchgesetzt. Gleichwohl hat man im Westen die ältere Konditionierung von 1853 aufrechterhalten, obwohl das in den anderen preußischen Provinzen nicht für nötig erachtet wurde.

In Bonn blieben diese Bedingungen auch weiterhin gewährleistet. Die neue Satzung der Universität von 1930 eröffnete zwar in § 42 wiederum einen besonderen Satzungsbereich der Fakultäten. Und der Ausführungserlaß des Ministeriums ordnete Neubearbeitungen der Fakultätssatzungen an, stellte aber zugleich die Fortgeltung der nicht von der Satzung berührten Bestimmungen der älteren Statuten fest[53]. Es ist aber zu einer Ersetzung der alten Statuten nach 1930 nicht mehr gekommen. Die kirchliche Einwirkung auf die Besetzung der theologischen Lehrstühle wurde in Art. 11 des preußischen Staatskirchenvertrags von 1931 sichergestellt[54].

Bemerkenswert war die Fakultätsvertretung auf den Synoden in der Zeit des Dritten Reiches. Während sie auf der ordentlichen 42. rheinischen Provinzialsynode von 1933 noch herkömmlich wahrgenommen wurde, befand sich der Fakultätsvertreter Professor D. Ernst Wolf angesichts der ungesetzlichen Neubildung der Synode von 1934 unter den protestierenden Synodalen der Bekennenden Kirche[55]. Auf der 4. rheinischen Bekenntnissynode vom April 1935 in Barmen vertrat kein geringerer als Karl Barth, stellvertretend für Wolf, die Fakultät[56]. Die Synode bildete ein Theologisches Amt, dem auch die Mitglieder der Bekennenden Kirche in der Bonner Fakultät angehören sollten. Doch mit den Versetzungen und Entlassungen von 1935/36 bestand diese dann nur mehr aus Deutschen Christen. Ein Kuriosum ist die Vertretung der Fakultät auf der Provinzialsynode vom Mai 1935 durch den Dekan Pfennigsdorf[57]. Hier ist die Wahl und Abordnung durch die Fakultät bereits vom Fakultätsführerprinzip ersetzt.

VI. Die moderne Regelung mit ihren Problemen

Die kirchliche Neuordnung nach dem 2. Weltkriege vollzog sich im Rheinland selbständig, ohne die Vorgaben der altpreußischen Union, mit Westfalen nicht mehr mit derselben, sondern nur noch einer entsprechenden Kirchenordnung. Was die Landessynode anging, so hatte der Entwurf des Kirchengesetzes über die Leitung der Evangelischen Kirche von Westfalen und der Evangelischen Kirche

52 Giese-Hosemann, Bd. 1, S. 74–75; Ebers, S. 115–116.

53 Karl Theodor Schäfer: Verfassungsgeschichte der Universität Bonn 1818–1960, Bonn 1968 (150 Jahre Rheinische Friedrich-Wilhelms-Universität zu Bonn 1818–1968), S. 477 und 489.

54 Nikolaus Becker u. a.: Kirche und Staat – Rechtstexte für Studium und Praxis, Neuwied 1984, S. 40 und 42.

55 Verhandlungen der außerordentlichen 43. rheinischen Provinzialsynode (Köln, 16. März 1934), Neuwied 1934, Anhang S. 20. Joachim Beckmann: Rheinische Bekenntnissynoden im Kirchenkampf, Neukirchen 1975, S. 102.

56 Beckmann, S. 162.

57 Verhandlungen der außerordentlichen 44. rheinischen Provinzialsynode (Köln, 3. Mai 1935), Neuwied 1935, S. 9 und 12.

im Rheinland von 1948 zunächst nur einfach die Entsendung von Professoren aus Münster und Bethel in die westfälische Landessynode, von Bonn, Mainz und Wuppertal in die rheinische vorgesehen. Der nach Abstimmung mit Westfalen veränderte und beschlossene Text von § 7 Abs. 2 d des Gesetzes vom 12. November 1948 formulierte bei der Zusammensetzung der Landessynode für das Rheinland: »Lehrern der Theologie, von denen je einer von den Evangelisch-theologischen Fakultäten der Universitäten Bonn und Mainz sowie von der Kirchlichen Hochschule Wuppertal entsandt wird, solange deren statutarisch festgelegte kirchliche Stellung und eine angemessene Einwirkung der Kirche auf die Besetzung der Lehrstühle gewährleistet bleiben«[58].

Wortgleich dasselbe ist nach der 1. Lesung auf der Landessynode 1951 und der 2. und 3. Lesung 1952 als Art. 174 Abs. 2 d auch in die Kirchenordnung der Evangelischen Kirche im Rheinland vom 2. Mai 1952 eingegangen[59]. Verglichen mit der älteren Kirchenordnung ist die Zahl der Fakultäten vermehrt und der Text grammatisch verändert, in der Sache jedoch erstaunlich konstant geblieben.

Der Bedarf einer Neufassung entstand erst in den 70er Jahren, als die staatliche Hochschulgesetzgebung in Gang gekommen war und ein höchstrichterliches Urteil den Verfassungsgrundsatz der Gruppenuniversität näher umschrieben hatte. Seitdem haben stets neue Schritte der Gesetz- und Satzungsgebung die überkommenen Universitätsverfassungen verändert. In einem weiterreichenden Gesetz zur Reform der Kirchenordnung vom 20. Januar 1979 hat der Artikel 174 Abs. 2 d folgende Fassung erhalten: »drei Professoren der evangelischen Theologie, von denen je einer von der Gruppe der Professoren im Sinne des staatlichen Hochschulrechts in den evangelisch-theologischen Fachbereichen der Universitäten Bonn und Mainz und von der Gruppe der Professoren in der Kirchlichen Hochschule Wuppertal entsandt wird, sofern eine Beteiligung der Kirche bei der Ernennung dieser Professoren gewährleistet ist«[60].

Von Seiten der Kirche ließ sich nicht besser formulieren, weil von den staatskirchenrechtlichen Gegebenheiten auszugehen war, den Bestandsgarantien für die Fakultäten und der Form der Einwirkung der Kirche bei der Berufung der Professoren. Sicher ist, daß die nichtprofessoralen Gruppen eines Fachbereichs nicht bei dessen kirchlichen Befugnissen mitzuwirken haben. Es gibt aber noch weitere personelle und sachliche Grenzfälle im Vertretungs- und Prüfungswesen einer Fakultät, die in diesen Kategorien nicht hinreichend erfaßt werden. Zur Regelung solcher Dinge legt es sich nahe, daß zum bewährten Vorbild von Fakultätsstatuten bzw. -satzungen zurückgekehrt wird. Diese bedürfen der staatlichen Genehmigung, aber auch der kirchlichen Zustimmung.

---

58 Verhandlungen der 1. rheinischen Landessynode. Tagung vom 8.–13. November 1948 zu Velbert, Neuwied 1950, S. 120.

59 Verhandlungen der 3. außerordentlichen rheinischen Landessynode. 2. Tagung vom 27. April bis 2. Mai 1952 zu Rengsdorf, Mülheim a. d. Ruhr 1952, S. 266.

60 Die Kirchenordnung der Evangelischen Kirche im Rheinland mit Erläuterungen, hrsg. und erläutert von Oberkirchenrat Dr. h.c. Nikolaus Becker, Neuwied, 11. Lieferung vom 26. Mai 1988, Art. 174, mit den dortigen Erläuterungen; zu den Fragen der Gruppenuniversität vgl. Martin Heckel: Die theologischen Fakultäten (wie Anm. 1), bes. S. 160–162 und S. 216–217.

Die Änderungen der rheinischen Kirchenordnung im ersten Teil von 1953 bis 1989 – Ein Beitrag zur Entwicklung der rheinischen Gemeindeordnung –

Erhard Krause

Die Kirchenordnung der Evangelischen Kirche im Rheinland (KO) handelt in ihrem ersten Teil ausführlich von der Kirchengemeinde. Dieser Teil der KO enthält nicht nur die üblichen Verfassungsbestimmungen über Grundverständnis, Aufgaben, Bereich und Organisation der Kirchengemeinde und die notwendigen Regelungen für die Leitungsorgane, sondern auch die grundlegenden Vorschriften über die Rechte und Pflichten der Gemeindeglieder einschließlich des Mitgliedschaftsrechts und über den Dienst der Pfarrer, Presbyter und anderer Mitarbeiter, die sämtlich als »Dienste der Gemeinde« verstanden werden[1]. Schließlich ist in diesem Teil auch die sogenannte »Lebensordnung« geregelt: Hier sind die wesentlichen Vorschriften über den Gottesdienst und die Amtshandlungen zusammengefaßt unter der Überschrift »Die Ordnungen des Lebens in der Kirchengemeinde«.

Damit enthält dieser Abschnitt der rheinischischen KO die wesentlichen Bestimmungen einer Gemeindeordnung. Eine besondere Gemeindeordnung gibt es neben der Kirchenordnung nicht. Das ist sehr verständlich in einer Kirche, die sich aufgrund ihrer Tradition und ihres Selbstverständnisses[2] in besonderem Maß als Gemeindekirche versteht.

Die heute geltende Kirchenordnung stammt aus dem Jahr 1952. Sie wurde nach dem Zusammenbruch der staatlichen und kirchlichen Verhältnisse von der Landessynode am 2. 5. 1952 erlassen und durch Beschluß der Kirchenleitung vom 13. 6. 1952 zum 1. 1. 1953 in Kraft gesetzt.

Seitdem ist die KO in 27 Landessynoden, die in der Regel jährlich stattfanden, geändert worden. Wesentlich größer ist die Zahl der kirchenordnungsändernden Gesetze, weil die geänderten Bestimmungen der KO meist nicht in einem einzigen Kirchengesetz zusammengefaßt wurden, sondern je nach Sachzusammenhang und aus Gründen der synodalen Beratung und Abstimmung in jeder Landessynode in mehreren Kirchengesetzen behandelt wurden. Andererseits erfaßte die sogenannte Kirchenordnungsreform von 1979 eine große Fülle verschiedener Änderungen vieler KO-Bestimmungen.

Ein Überblick über die verschiedenen Änderungen und Ergänzungen der KO ist

1 Lediglich das Verfahren zur Besetzung der Pfarrstellen und zur Wahl der Presbyter ist in besonderen Kirchengesetzen geregelt: **Pfarrstellenbesetzungsgesetz**, in der Fassung der Bekanntmachung vom 28. 2. 1985 (KABl. Seite 55) und **Presbyterwahlordnung** in der Fassung der Bekanntmachung vom 25. 3. 1983 (KABl. Seite 59, 258). Die Vorschriften über die Vermögensverwaltung der Kirchengemeinden sind in der Verwaltungsordnung zusammengefaßt: Verwaltungsordnung der Evangelischen Kirche im Rheinland vom 8. 4. 1960 (KABl. Seite 103, 170), zuletzt geändert am 27. 10. 1983 (KABl. Seite 269).

2 Vgl. auch Art. 137 und 167 KO.

reizvoll. Er kann aufzeigen, zu welchen Zeiten das kirchliche Bewußtsein von neuen Problemlagen erfaßt wurde und wie neue Herausforderungen, die verfassungsrelevant erschienen, aufgenommen wurden. Ein solcher Überblick würde deshalb eine wesentlich ausführlichere Darstellung verdienen, als sie im Rahmen dieser Ausführungen möglich ist: Die Motive der Änderungen, die wesentlichen Beratungsgänge in den Synoden, die gesetzlichen Regelungen außerhalb der KO und nicht zuletzt die abgelehnten Anträge zur Änderung der KO müßten mit einbezogen werden.

Der nachfolgende Überblick kann nur die wesentlichen Änderungen darstellen und diese schwerpunktartig beschreiben; er kann auch nur in wenigen Fällen auf die zugrunde liegende synodale Diskussion eingehen. Außerdem wäre es unübersichtlich, die verschiedenen Änderungen in historischer Reihenfolge zu beschreiben, weil eine Reihe von Bestimmungen mehrfach, manchmal sogar vielfach unter jeweils ganz verschiedenen Aspekten geändert wurde. Die nachfolgende Darstellung ist deshalb nach Sachthemen geordnet und zusammengefaßt, und zwar nach Möglichkeit entsprechend der Systematik der KO.

1. Allgemeine Bestimmungen betreffend die Kirchengemeinde

1.1 Rechte und Pflichten der Gemeindeglieder/Kirchenmitgliedschaft

In der KO wird die Kirchenmitgliedschaft entsprechend der presbyterial-synodalen Struktur der KO als Gemeindegliedschaft beschrieben (Artikel 13). Die Wohnsitz-bestimmte Zuordnung von Gemeindegliedern kannte schon von Anfang an Ausnahmen bei Wohnsitzwechsel und in den Fällen, in denen sich die Gebiete von Kirchengemeinden lutherischen oder reformierten Bekenntnisses überschnitten (Artikel 13 Abs. 3)[3]. Die Änderung von Abs. 3 aus dem Jahr 1961[4] ermöglichte weitere Ausnahmen für den Fall der Änderung von Gemeindegrenzen und enthielt Sonderbestimmungen für hauptamtliche Mitarbeiter einer Kirchengemeinde, die außerhalb wohnen[5]. In diese Regelung wurden durch eine weitere Änderung von Artikel 13 Abs. 3 im Jahr 1975 auch nebenamtliche Mitarbeiter einbezogen[6].

Die KO-Reform des Jahres 1979 brachte eine weitere Öffnung mit einer Ermächtigung für kirchengesetzliche Regelungen, die »unter besonderen Voraussetzungen« eine Mitgliedschaft »auch zu einer anderen Kirchengemeinde« ermöglichen kann (Artikel 13 Abs. 3 neu). Ein vollständiger Wechsel der Gemeindezugehörigkeit wird hierdurch aber nicht ermöglicht, denn die Kirchensteuerpflicht besteht auch nach der Neufassung des Gemeindezugehörigkeitsgesetzes nur gegenüber der Wohnsitzkirchengemeinde (§ 1 Abs. 4)[7].

3 Hier galten zunächst noch die Bestimmungen des Kirchensenats über die Gemeindezugehörigkeit vom 23. 2. 1928 (KABl. Seite 37) und § 3 Abs. 3–4 der Kirchenordnung von 1923 fort, bis sie 1961 aufgehoben wurden.

4 Kirchengesetz vom 13. 1. 1961 (KABl. Seite 17).

5 Kirchengesetz zur Regelung der Gemeindezugehörigkeit in besonderen Fällen vom 13. 1. 1961 (KABl. Seite 17).

6 Kirchengesetz vom 23. 1. 1975 (KABl. Seite 21).

7 Im Jahr 1980 wurde das Kirchengesetz über die Gemeindezugehörigkeit in besonderen Fällen (Gemeindezugehörigkeitsgesetz vom 9. 1. 1980, KABl. Seite 2) dahingehend geändert, daß Gemeindeglieder bei

Vorausgegangen war im Jahre 1978 die Ergänzung des Artikels 13 durch einen Absatz 4[8], der eine förmliche Übernahme von Kirchenmitgliedschaftsgesetzen der EKD durch einfaches Kirchengesetz vorsieht. Gemeint war das Kirchengesetz der EKD über die Kirchenmitgliedschaft, das kirchliche Meldewesen und den Schutz der Daten der Kirchenmitglieder vom 10. 11. 1976 (ABl. EKD Seite 389). Hierdurch sollte die unübersichtliche Rechtslage geklärt werden, daß die Regelung der Kirchenmitgliedschaft durch das EKD-Gesetz gemäß Artikel 10 b GO EKD auch für die EKiR gilt und gegebenenfalls eine Anpassung rheinischen Rechts erfordert (Artikel 2 Abs. 2 GO EKD), andererseits aber die Gemeindezugehörigkeit und damit die Kirchenmitgliedschaft nach Artikel 13 KO in der EKiR Verfassungsrecht ist, das möglicherweise Vorrang hat. Die Ermächtigungsnorm des Artikels 13 Abs. 4 sollte daher Unklarheiten – auch über Gesetzgebungszuständigkeiten der EKD – ausräumen helfen.

Die Rechte und Pflichten der Gemeindeglieder sind im übrigen generell in Artikel 14 KO geregelt. Diese Bestimmungen wurden bei der KO-Reform kritisch durchgesehen. Die Verhandlungen über die Pflichten (Absatz 2 und 3) führten zu dem Ergebnis, daß aus der alten Bestimmung in Absatz 2 »im Gehorsam gegen Gottes Gebot sollen sie fleißig an den Gottesdiensten ... teilnehmen« das Wort »fleißig« aus verständlichen Gründen gestrichen wurde, während die Verpflichtungen in Abs. 3, die Kinder zu taufen und christlich zu erziehen, durch die Umwandlung von einer Soll-Bestimmung in eine indikativische Regelung (»sie sorgen dafür«) eher verstärkt wurde[9]. Wichtiger ist, daß ein neuer Absatz 4 die in Absatz 1 generell angesprochene Mitverantwortung der Mitglieder für Leben und Dienst der Kirchengemeinde ausdrücklich auch auf die Entscheidungsprozesse in der Kirchengemeinde erstreckte; die dort auch genannte Teilnahme an der Gemeindeversammlung war dagegen schon vorher geregelt (Absatz 1 in bis 1979 geltender Fassung). Im Gefälle dieser neuen Mitbestimmungsrechte, die die Demokratisierungsbestrebungen der 70er Jahre aufnahmen, liegen auch die ebenfalls 1979 eingefügten Bestimmungen über die Leitung wichtiger Arbeitsbereiche der Kirchengemeinden durch Ausschüsse, in denen auch nicht als Presbyter gewählte Gemeindeglieder mitarbeiten sollen, und über erweiterte Zuständigkeiten der Gemeindeversammlung (Artikel 126 ff., 130; vergleiche hinten 4.5). Auch die schon vorher eingefügte Regelung, daß außer Pfarrern auch Presbyter Vorsitzende des Presbyteriums sein können (Artikel 115), gehört zu dieser Entwicklung (vergleiche hinten 3.2.2).

1.2 Aufgabenbeschreibung der Kirchengemeinde

Eine kleine, aber wichtige Änderung bei der generellen Beschreibung der Aufgaben der Kirchengemeinde findet sich in Artikel 5. Hier wurde 1987[10] der Satz eingearbeitet: »Sie (die Kirchengemeinde) beteiligt sich an dem der Kirche gebotenen Gespräch zwischen Christen und Juden.« Damit wurden Folgerungen

---

»erkennbren Bindungen« und »besonderem gemeindlichem Interesse« einer anderen als der Wohnsitzkirchengemeinde angehören können: § 1 Abs. 2.

8 Kirchengesetz zur Übernahme des Kirchengesetzes der EKD über die Kirchenmitgliedschaft vom 12. 1. 1978 (KABl. Seite 18).

9 Kirchengesetz zur Änderung und Ergänzung der Kirchenordnung der EKiR vom 2. 5. 1952 vom 20. 1. 1979 (KABl. Seite 34): § 3 Nr. 2.2 und 2.3.

10 Kirchengesetz vom 16. 1. 1987 (KABl. Seite 19).

aus dem Beschluß der Landessynode 1980 über die Erneuerung des Verhältnisses von Christen und Juden gezogen, der eine neue Verhältnisbestimmung gebracht und bekräftigt hatte, »daß Christen und Juden je in ihrer Berufung Zeugen Gottes vor der Welt und vor einander sind«[11].

In den Anträgen von zwei Kreissynoden war gefordert worden, die Kirchenordnung so zu überarbeiten, daß das Verhältnis der Kirche zu Israel und zu den Juden in der KO nicht mehr im Zusammenhang mit der Heidenmission angesprochen wird, wie es bisher in Artikel 169 Abs. 6 und 215 Abs. 2 formuliert war; die besonderen Beziehungen der Kirche zu Israel sollten vielmehr in die Grundartikel der KO eingearbeitet werden[12].

Die Synode verzichtete jedoch entsprechend den Vorlagen der vorbereitenden Ausschüsse auf eine Änderung der Grundartikel, weil hierzu alle Gemeinden hätten befragt werden müssen und eine vollständige Übereinstimmung in dieser Frage nicht erwartet wurde. Stattdessen wurde die Pflege der besonderen Beziehungen zwischen Christen und Juden ausdrücklich in die Aufgabenkataloge der drei verschiedenen kirchlichen Ebenen (Gemeinde, Kirchenkreis, Landeskirche) aufgenommen und losgelöst von der Aufgabe der äußeren Mission in Artikel 169 und 215 beschrieben.

1.3 Verbandsrecht

Bis zum Jahr 1963 war die verbindliche Zusammenarbeit benachbarter Kirchengemeinden in gemeinsamen Angelegenheiten nur möglich im Wege gemeinsamer verbindlicher Beschlußfassung (Art. 132 KO) oder im Rahmen von Gesamtverbänden[13]. Solche Gesamtverbände waren praktisch ausschließlich Verbände zur gemeinsamen Verwaltung der Kirchensteuern in Großstädten. Als Mangel dieser Regelung wurde vielfach beklagt, daß solche Gesamtverbände keine gemeindeübergreifenden geistlichen Aufgaben übernehmen, insbesondere keine Pfarrstellen einrichten konnten; dies blieb Aufgabe der einzelnen Kirchengemeinden[14].

Hier brachte das Jahr 1963 eine erste Änderung mit der Einführung eines generellen Verbandsrechtes. Art. 132 KO erhielt in einem neuen 6. Absatz eine verfassungsrechtliche Ermächtigung für entsprechende kirchengesetzliche Regelungen, besonders für die Bildung von Gemeindeverbänden mit umfassenden Zuständigkeiten. Mit demselben Ziel wurde Art. 156 ergänzt, so daß auch Kirchenkreisverbände geschaffen werden konnten. In Art. 4 wurde die Regelung aufgenommen, daß solche Verbände genauso wie Kirchengemeinden und Kir-

---

11 Beschluß der LS vom 15. 1. 1980 (Prot. Seite 147 ff.).

12 Prot. LS 1987 Seite 371*.

13 Rechtsgrundlage war bis dahin die Notverordnung über die Gesamtverbände vom 2. 2. 1948 (KABl. Seite 22) mit den fortgeltenden Vorschriften des Kirchengesetzes über die Bildung von Parochial-Verbänden im Geltungsbereich der revidierten Kirchenordnung für Westfalen und der Rheinprovinz vom 4. 7. 1904 (KGVBl. Seite 16).

14 Dies ergab sich zunächst aus den gesetzlichen Vorschriften über die Gesamtverbände in Verbindung mit Artikel 1 des Kirchengesetzes betreffend die Berliner Synode und die Parochial-Verbände in größeren Orten vom 17. 5. 1895 (KGVBl. Seite 37). Das war aber auch die Folge des spezifischen rheinischen Verfassungsgrundsatzes der Gemeindeautonomie (insbesondere Artikel 6–8 KO), der dem Grundsatz der Selbstverantwortung der Kirchengemeinde für ihre Aufgaben einen besonderen Stellenwert gibt und der übergemeindliches Zusammenwirken eher als verfassungsrechtliche Ausnahme erscheinen ließ.

chenkreise Körperschaften des öffentlichen Rechts sind. Aufgrund dieser verfassungsrechtlichen Ermächtigungen wurde das Verbandsgesetz[15] erlassen, das verschiedene Formen des Zusammenwirkens über Gemeinde- und Kirchenkreisgrenzen hinweg vorsieht: Außer verbindlichen Vereinbarungen (§ 2) und der Bildung gemeinsamer Leitungsorgane durch Satzung (§§ 2 ff.) ermöglicht es die Bildung von Gemeindeverbänden, Kirchenkreisverbänden und gemischten Verbänden ohne gesetzliche Begrenzung auf einen bestimmten Aufgabenkreis, so daß vor allem auf Stadtebene ein gemeinsames kirchliches Handeln besser ermöglicht wurde[16]. Daneben bleiben die angeschlossenen Kirchengemeinden und Kirchenkreise rechtlich bestehen. Umfassende gemischte Verbände bestehen heute als Stadtkirchenverbände in den Großstädten Essen und Köln.

1.4 Organisationsrechtliche Vorschriften der Kirchengemeinde

Die sogenannte KO-Reform des Jahres 1979 bündelte verschiedene, zum Teil recht unterschiedliche Zielvorstellungen[17], die sich aus der allgemeinen Strukturdebatte der 60er Jahre ergeben hatten. Während Anliegen der »Demokratisierung in der Kirche« sich vor allem bei der Gestaltung der Leitungsorgane[18] auswirkten, führten die stärkere Betonung des Gemeinschaftsgedankens über Gemeindegrenzen hinweg[19] und Einflüsse aus der staatlichen und kommunalen Gebietsreform mit der besonderen Betonung einer verbesserten Leistungsfähigkeit durch größere Kommunalverbände auch im kirchlichen Bereich zu Überlegungen, wie die kirchliche Versorgung unter komplexen gesellschaftlichen Bedingungen verbessert werden könnte[20]. Dabei wuchs die Einsicht, daß die in der EKiR geltende Gemeindeautonomie zwar die Selbstverantwortung der Gemeinden fördert, aber die einzelne Kirchengemeinde vielfach mit den notwendigen Diensten überfordert. Außerdem sollte auch die gemeindliche Organisation den großräumigeren Lebensverhältnissen besser angepaßt werden, als es die überwiegend »durch Herkommen« bestehenden Kirchengemeinden (Art. 11 Abs. 1 KO) ermöglichten. Das war nicht nur so in der ländlichen Diaspora mit vielen kleinen Gemeinden, sondern hatte aufgrund des Teilungsgebots des bis dahin geltenden Artikels 11 Abs. 2 KO auch in Großstädten vielfach zu einer Zersplitterung der kirchlichen Kräfte im Stadtbereich geführt.

Der Grundsatz der gemeindlichen Selbständigkeit (Art. 6–8 KO) und der Überschaubarkeit der Kirchengemeinde wurde nicht aufgegeben, aber durch neue Bestimmungen ergänzt und differenziert: Eingefügt wurde ein neuer Artikel 7 a, der dem Prinzip der Gemeindeautonomie die Verpflichtung zur Zusammenarbeit gegenüberstellte, insbesondere bei Aufgaben, »die die Leistungsfähigkeit einer Kirchengemeinde übersteigen« (Abs. 1 Satz 1). Die Absätze 2 und 3 zählen die rechtlichen Gestaltungsformen der Zusammenarbeit auf; auch der 1963 eingefügte

15 Kirchengesetz betreffend die Zusammenarbeit benachbarter Kirchengemeinden und Kirchenkreise in gemeinsamen Angelegenheiten (Verbandsgesetz) vom 18. 1. 1963 (KABl. Seite 71).

16 Zur Kritik des Zusammenwirkens in Verbänden vgl. anschließend unter 1.4: Ausführungen über Gesamtkirchengemeinden.

17 Vgl. zum Grundsätzlichen die Ausführungen unter 4.3.

18 Vgl. auch die Darstellung über den Laienvorsitz unter 3.2.2 und über die Öffentlichkeit der Sitzungen unter 4.2.

19 Prot. LS 1979 Seite 63*.

20 ROSTA-Vorschläge zur Neuordnung des kirchlichen Dienstes in den Gemeinden 1970, als Manuskript gedruckt, Seite 18 ff. und 26 ff.

Artikel 132 Abs. 6 wurde in die zusammenfassende Aufzählung in Artikel 7a Abs. 3 eingearbeitet.

In Artikel 11 wurde das Teilungsgebot für Kirchengemeinden, die mehr als 5 Pfarrbezirke haben, gestrichen. Statt dessen wurden drei verbindliche Gestaltungsprinzipien für die Gemeindeorganisation eingefügt, die bei der Veränderung und Neubildung von Kirchengemeinden zu beachten sind: Der fortgeltende Grundsatz der Überschaubarkeit (»Kirchengemeinden sollen so gestaltet sein, daß sie kirchliche Gemeinschaft ermöglichen«), der Leistungsfähigkeit und der Berücksichtigung »äußerer Strukturen«. Mit Letzterem sind sowohl die Kommunalgrenzen und Landesgrenzen wie auch kommunale Versorgungsbereiche, Schuleinzugsbereiche, Verkehrsverbindungen u. ä. gemeint[21]; darunter ist auch zu verstehen, daß Kirchengemeinden möglichst nicht von großen Flüssen, Bundesautobahnen oder Eisenbahnkörpern durchschnitten werden sollen. Die beteiligten Presbyterien und Kreissynodalvorstände, die bisher lediglich angehört werden mußten, erhielten ein Antragsrecht (Abs. 3 Satz 2).

Um die Überschaubarkeit von größeren Kirchengemeinden zu gewährleisten, hatte der von der Kirchenleitung gebildete Raumordnungs- und Strukturausschuß (ROSTA) ein Modell entwickelt, das neben der Gliederung von Kirchengemeinden in mehrere Pfarrbezirke auch Fachbereiche für bestimmte gesamtgemeindliche Aufgaben – ggf. mit eigenen Leitungsorganen – vorsah[22]. Eine solche Gliederung, die die einzelnen Pfarrbezirke überlagerte, sollte durch die Einfügung von Artikel 11 Abs. 5 ermöglicht werden; hier ist eine Ermächtigung für ein Kirchengesetz vorgesehen, das auch eine »Gliederung nach Aufgaben« vorsieht. Dieses Vorhaben erschien jedoch so schwierig, daß ein solches spezielles Kirchengesetz bisher nicht erlassen wurde. Allerdings hat das 1987 erlassene Gesamtkirchengemeindegesetz[23] diesen Gedanken wieder aufgenommen. Dagegen gab es bisher schon selbständige personale Seelsorgebereiche für bestimmte Aufgaben innerhalb der Kirchengemeinde, so aufgrund des Kirchengesetzes zur Durchführung der evangelischen Militärseelsorge im Gebiet der EKiR vom 18. 1. 1963 (KABl. Seite 7). Hierfür wurde im Zuge der KO-Reform, als man die verfassungsrechtlichen Spielräume für gemeindliche Sondertypen neu durchdachte, eine verfassungsrechtliche Ermächtigung durch die Einfügung von Artikel 12 Abs. 2 praktisch nachgeholt – überraschenderweise im Rahmen einer Vorschrift, die von der Diakonie handelt.

Im Jahr 1987 wurde schließlich Artikel 7b in die KO eingearbeitet und Artikel 11 Abs. 3 durch einen dritten Satz ergänzt[24], um die Bildung von Gesamtkirchengemeinden zu ermöglichen. Dies war eine Spätfolge der KO-Reform, denn hierbei handelt es sich der Sache nach um die Bildung von »gegliederten Gesamtgemeinden«, wie sie der ROSTA 1970 für große städtische Einheiten vorgeschlagen hatte[25].

Als Gesamtkirchengemeinde definiert § 1 des Gesamtkirchengesetzes einen

---

21 ROSTA Seite 31.

22 ROSTA Seite 31 und 33, 47/48.

23 Vgl. die anschließenden Ausführungen.

24 Kirchengesetz vom 16. 1. 1987 (KABl. Seite 35) und Kirchengesetz über Gesamtkirchengemeinden (Gesamtkirchengemeindegesetz) vom 16. 1. 1987 (KABl. Seite 36).

25 Vgl. ROSTA Seite 31.

Zusammenschluß von mehreren Kirchengemeinden mit zusammen mehr als 15000 Gemeindegliedern und mindestens 7 Gemeindepfarrstellen, wobei die zusammengeschlossenen Kirchengemeinden ihre Existenz verlieren und in der Gesamtkirchengemeinde aufgehen (Abs. 2). Solche Gemeinden sind, um die notwendige Überschaubarkeit zu sichern, in Gemeindebereiche mit jeweils einer oder mehreren Pfarrstellen (§ 5) und in gesamtgemeindliche Fachbereiche (§ 9) gegliedert. Die Leitung solcher Gesamtkirchengemeinden ist zweistufig geregelt: Durch Bereichspresbyterien und bevollmächtigte Fachausschüsse sowie für die Gesamtkirchengemeinde durch das Gesamtpresbyterium[26].

Eine Gesamtkirchengemeinde gibt es bisher in der EKiR nur in Aachen. Man kann fragen, ob die Schaffung eines solchen neuen Gemeindetyps nötig war, und tatsächlich ist diese Änderung der KO und das Gesamtkirchengemeindegesetz auch erst im zweiten Anlauf von der Synode beschlossen worden[27]. Letztlich waren aber zwei Gründe ausschlaggebend für diese Verfassungsänderung: In der Stadt Aachen hatten sich die evangelischen Kirchengemeinden schon vor Jahren zu einer »gegliederten Gesamtgemeinde« nach den Vorschlägen des ROSTA zusammengeschlossen, weil der vorher bestehende Gemeindeverband Aachen mit zahlreichen gemeindlichen Diensten zu wenig »gemeindenah« erschien; insbesondere konnte die Leitung auf der Ebene der Verbandsversammlung nach dem Verständnis der Presbyter nur unzureichend von den Presbyterien der beteiligten Gemeinden gesteuert und beeinflußt werden. Deshalb hatte die Kirchenleitung einen solchen Zusammenschluß probeweise und befristet genehmigt; Rechtsgrundlage war ein Beschluß der Landessynode von 1971[28], der ohne Ermächtigung der Kirchenordnung im Überschwang der Strukturdebatte des Jahres 1971 gefaßt worden war und solche Modelle zur Erprobung zuließ. Nach Ablauf der mehrfach befristeten Genehmigung war deshalb eine endgültige Lösung erforderlich. Da die Aachener Kirchengemeinden auf keinen Fall zu der früheren Verbandslösung zurückkehren wollten und der eingeführte Zusammenschluß sich so gut bewährt hatte, daß er als dauerhafte Lösung geeignet erschien, beschloß die Landessynode schließlich nach anfänglichem Zögern diese Ergänzung der Gemeindeverfassung. Hinzu kam, daß mancher Synodale in dem Typ der presbyterial geleiteten Gesamtgemeinde trotz ihrer verfassungsrechtlichen Kompromisse[29] eine gute Alternative zu den Verbänden sah, die in den relativ kleinen Verbandsvorständen alle wesentlichen Leitungsbefugnisse bündeln (§ 15 Verbandsgesetz), während in der großen aber schwerfälligen und selten tagenden Verbandsversammlung die Verteter der zusammengeschlossenen Presbyterien sich gegenseitig überstimmen und damit neutralisieren können. Die Zukunft wird zeigen, ob diese rechtliche Möglichkeit, große Kirchengemeinden durch Gliederung überschaubar zu machen, über den Aachener Raum hinaus Bedeutung erlangt.

26 Vgl. hinten unter 4.4.

27 Vgl. Prot. LS 1986 Seite 183 und LS 1987 Seite 194, 196.

28 Beschluß LS 1971 Nr. 78 und 81, Prot. LS 71 Seite 180 und 182.

29 Nach §§ 5 und 7 Gesamtkirchengemeindegesetz sind nur in den Bereichspresbyterien alle Pfarrer und alle gewählten Presbyter und Mitarbeiter vertreten, während ihre Zahl im Gesamtpresbyterium begrenzt ist, damit dieses Gremium arbeitsfähig ist.

1.5 Satzungsrecht

Ein weiteres Ziel der KO-Reform war es, den Kirchengemeinden mehr Spielraum für Eigenregelungen einzuräumen, um örtlichen Bedingungen des kirchlichen Dienstes besser entsprechen zu können[30] und um die Eigeninitiative von Kirchengemeinden zu stärken. Zu diesem Zweck wurde den Gemeinden für zahlreiche Fälle ein Satzungsrecht eingeräumt, das ihnen bis dahin nur ausnahmsweise zur Verfügung stand[31]. Die Landessynode 1979 ergänzte Artikel 7 KO durch den Absatz 2, der Kirchengemeinden das Recht einräumt, »das Zusammenwirken ihrer Glieder, die Gestaltung ihrer Dienste und ihre Verwaltung« im Rahmen der KO durch Gemeindesatzung zu regeln. Darüber hat nach Artikel 101 Abs. 6 f das Presbyterium zu beschließen; die Genehmigung der Kirchenleitung ist erforderlich (Art. 8). Diese neu eingeführte Vorschrift enthält allgemeine Bestimmungen und Gültigkeitsvoraussetzungen für Gemeindesatzungen. Danach dürfen Gemeindesatzungen den Bestimmungen der Kirchenordnung nicht widersprechen; abweichende Satzungsregelungen sind also nur zulässig, wenn und soweit die KO hierzu ausdrücklich ermächtigt[32]. Solche Ermächtigungen wurden an vielen Stellen in die KO eingearbeitet, insbesondere zur Entlastung der Presbyterien[33].

2. Die Lebensordnung der Kirchengemeinde

Es ist ungewöhnlich, daß Vorschriften betreffend das Leben der Kirchengemeinde und die Amtshandlungen in der Kirchenordnung und damit in der Verfassung geregelt sind. Die Änderungen dieses Abschnittes der KO sollen hier jedoch mitbehandelt werden, weil der 1. Abschnitt der KO nach seiner Gesamtstruktur und mangels anderweitiger Regelungen als Gemeindeordnung angesehen werden kann. Wenn man ferner bedenkt, daß die christliche Gemeinde theologisch als Versammlung unter Wort und Sakrament definiert ist, leuchtet auch ein innerer Zusammenhang der Lebensordnung zum materiellen Gemeinde-Verfassungsrecht auf[34].

2.1 Abendmahl

Die Landessynode 1986 eröffnete in einem neuen 3. Absatz zu Artikel 25 eine Möglichkeit, daß getaufte Kinder auch schon vor der Konfirmation im Gottesdienst am Abendmahl teilnehmen können[35]. Einzelheiten, insbesondere auch über die dazu nötige Vorbereitung, regelt ein gleichzeitig erlassenes Kirchengesetz[36].

---

30 Prot. LS 79 Seite 65*.

31 Z. B. Artikel 131 KO (Regelungen der Verwaltung), Regelungen nach dem Verbandsgesetz sowie Satzungen im Rahmen der Vermögensverwaltung nach der VO (Friedhofssatzungen, Leitung betriebswirtschaftlich geführter Einrichtungen).

32 Vgl. N. Becker in KO-Kommentar Anmerkung 3 zu Artikel 7.

33 Prot. LS 79 Seite 64*/65*.

34 Mit ähnlichen Erwägungen der Synodale Dr. Bauer in Prot. LS 1974 Seite 34: »Der Aspekt der Gemeinschaft wird m. E. ungebührlich abgeblendet, wenn die auf die Lebensgemeinschaft bezogene Lebensordnung aus der Kirchenordnung ausgegliedert und die Kirchenordnung als Verfassung auf das kirchliche Organisationsgefüge beschränkt wird . . .«.

35 KG zur Änderung der KO vom 10. 1. 1986 (KABl. Seite 11).

36 KG über die Teilnahme nichtkonfirmierter Kinder am Heiligen Abendmahl vom 10. 1. 1986 (KABl. Seite 11).

Dieses Gesetz räumt den beteiligten Pfarrern ein Veto-Recht aus geistlichen Gründen ein (§ 1 Abs. 1). Damit wurde eine jahrelange Diskussion über diese Fragen beendet, die aus der Praxis der Familiengottesdienste entstanden war und zu grundsätzlichen Fragen des Sakramentsverständnisses und auch über die Bedeutung der Konfirmation geführt hatte. Eine zusammenfassende Darstellung enthält ein Proponendum der Kirchenleitung vom Januar 1980[37].

Die Landessynode 1981 hatte zunächst eine probeweise Regelung beschlossen, die auf 5 Jahre befristet war; Rechtsgrundlage war ein Erprobungsgesetz nach Artikel 187 Abs. 1 KO[38]. Nachdem in den folgenden Jahren gegen diese Regelung keine grundlegenden Einwendungen geltend gemacht worden waren, gab die Landessynode 1985 den Auftrag zur endgültigen Regelung[39].

Auch nach dieser Neuregelung blieb es jedoch dabei, daß die Zulassung zum Abendmahl generell durch die Konfirmation ausgesprochen wird (Art. 25 Abs. 1 und Art. 45 Abs. 2 KO). Das Kirchengesetz vermeidet deshalb den Begriff »Zulassung«. Ein Beschluß des Presbyteriums nach Art. 25 Abs. 3 KO ermöglicht nur eine vorläufige Teilnahme am Abendmahl in der betreffenden Kirchengemeinde und nur bis zur Konfirmation[40].

Eine andere wesentliche Änderung der Abendmahls-Bestimmungen der KO wurde in der Landessynode 1988 beschlossen. Sie betraf die Verwendung von Traubensaft anstelle von Wein. Schon lange war es zunehmend umstritten, ob dies statthaft sei. Schließlich beschloß die Kirchenleitung am 27. 1. 1977 eine Ausnahmeregelung für einzelne Fälle: »Wenn die Gemeindesituation es erfordert, kann auf Beschluß des Presbyteriums in einzelnen Abendmahlsfeiern Traubensaft statt Wein gereicht werden ...«[41]. Damit sollten immer wieder vorgetragene Hindernisse für die Teilnahme alkoholgefährdeter Gemeindeglieder am Abendmahl ausgeräumt und auch einer verbreiteten ökumenischen Praxis Geltung getragen werden, zumal biblisch-theologische Bedenken nicht ernsthaft vorgebracht wurden. Allerdings wurden hierdurch nur Einzelregelungen ermöglicht, über die zudem jeweils der Kreissynodalvorstand zu unterrichten war; dadurch sollte vermieden werden, daß hieraus eine regelmäßige Übung wurde. Aber diese Regelung befriedigte nicht: Viele Gemeinden machten die Ausnahme zur Regel, so daß immer häufiger gefragt wurde, ob hier noch die stiftungsgemäße Verwaltung des Sakraments vorliege. Auch erschien fraglich, ob eine solche Ausnahme gegen den klaren Wortlaut in Art. 23 Abs. 1 Satz 2 KO (»dabei werden ... Brot und Wein ausgeteilt«) zulässig war; diese Bestimmung der KO wurde als verbindliche Vorschrift verstanden.

Die Landessynode 1988 hat den Streit schließlich nach Vertagung in 1987[42] und nach der Vorarbeit mehrerer Ausschüsse durch die Einfügung eines neuen Absat-

37 Handreichung der KL Nr. 38 vom Januar 1980: Proponendum der KL an die Kreissynoden gem. Beschluß vom 18. 10. 1979 »Teilnahme von Kindern am Abendmahl«.

38 KG über die befristete Zulassung der Teilnahme nichtkonfirmierter Kinder am Heiligen Abendmahl vom 17. 1. 1981 (KABl. Seite 38).

39 Prot. LS 1985 Seite 223, 340*.

40 Prot. LS 1986 Seite 331*.

41 N. Becker in KO-Kommentar Anm. 2 zu Artikel 23.

42 Prot. LS 1987 Seite 133, 329*.

zes 3 in Artikel 23 beendet[43], der den Presbyterien »aus seelsorgerlicher Verantwortung« einen Entscheidungsspielraum einräumte; allerdings gebunden an eine Zustimmung des Kreissynodalvorstandes. Die Formulierung »in Ausnahmefällen« soll darauf hinweisen, daß der Grundsatz von Art. 23 Abs. 1 nicht aufgehoben wird; sie soll außerdem gewährleisten, daß in jeder Gemeinde auch weiterhin das Heilige Abendmahl mit Wein angeboten wird. Einzelheiten erläutert eine Handreichung der Kirchenleitung[44].

2.2 Taufe

Im Jahr 1973 kam es zu einer vollständigen Überarbeitung der Taufbestimmungen in Art. 31 ff. KO[45]. Der bisherige Grundsatz der Kindertaufe (Art. 33 i.d.F. von 1952) wurde in dem neu formulierten Artikel 31 Abs. 2 differenziert: »auf Befehl Christi . . . tauft die Kirche Kinder ihrer Glieder wie auch Erwachsene, die die Taufe begehren«; die Verpflichtung zur frühzeitigen Anmeldung neugeborener Kinder zur Taufe (Art. 37 a.F.) wurde aufgegeben. Das Elternversprechen, getaufte Kinder im evangelischen Glauben zu erziehen (Art. 35 Abs. 1 a.F.) wurde ersetzt durch die Regelung »die Eltern versprechen bei der Taufe der Kinder, für die christliche Unterweisung der Kinder nach ihren Kräften zu sorgen« (Art. 35 Abs. 3 n.F.). Die Verpflichtung der Eltern, »sich selber fleißig zum Gottesdienst und zum Gemeindeleben zu halten« (Art. 35 Abs. 1 a.F.) wurde in die neue Vorschrift nicht übernommen. Die zahlreichen Versagungsgründe aus Artikel 39 a.F., die die Lebensführung von Eltern und Geschwisern im Auge hatten und darauf hinaus liefen, daß »die evangelische Erziehung des Kindes nicht mehr zu erwarten ist« (Art. 39 Abs. 2 Satz 1 a.F.), wurden auf zwei Versagungsgründe beschränkt, die die Kirchenzugehörigkeit der Eltern und die Ablehnung des Taufgespräches betreffen (Art. 39 Abs. 1 und 2 n.F.). Die bis dahin geltende Patenbestimmung mit zahlreichen Einzelregelungen (Glieder anderer christlicher Kirchen, Sektenverbot: Art. 38 a.F.) wurden offener formuliert: Nach Art. 38 n.F. sollen »nach Möglichkeit an die Seite des Täuflings christliche Paten treten«. Das Adjektiv »christliche« wurde 1980 durch den klarstellenden Satz ersetzt: »diese müssen Glied einer christlichen Kirche sein« (Art. 38 Abs. 1 Satz 2)[46].

All diese Änderungen des Jahres 1973 spiegeln vordergründig den Unterschied volkskirchlicher Existenz 20 Jahre nach dem Entstehen der KO wider: Eine weitverbreitete christliche Sitte wurde nicht mehr als verpflichtend empfunden, Gottesdienstbesuch und kirchliche Bindung hatten nachgelassen. Vor allem aber waren die Änderungen das Ergebnis langjähriger theologischer Reflexion über die theologische Berechtigung der Kindertaufe und über die Ordnung der Taufe überhaupt, insbesondere über die Frage, ob die Taufe »zum Gesetz gemacht und also ihr Evangeliums-Charakter verdunkelt sei«[47/48].

---

43 KG zur Änderung von Artikel 23 KO vom 15. 1. 1988 (KABl. Seite 14).

44 Handreichung der KL Nr. 44 vom Februar 1988: Austeilung von Traubensaft beim Abendmahl in Ausnahmefällen.

45 KG vom 12. 1. 1973 (KABl. Seite 16).

46 KG vom 11. 1. 1980 (KABl. Seite 24).

47 Handreichung der KL Nr. 11 vom Dezember 1964: Änderung der kirchlichen Ordnung der Taufe?

48 In diesem Zusammenhang hatten auch Pfarrer die Taufe ihrer eigenen Kinder verweigert als Protest gegen die kirchliche Kindertaufpraxis, vgl. Prot. LS 1967, Seite 238 ff., 246/247, und Prot. LS 1969 Seite 194 ff.

Die Neuregelung stellt Kinder- und Erwachsenentaufe gleichberechtigt nebeneinander und stellt dem eine theologische Aussage über das Wesen der Taufe voran, die für die Entscheidung der Streitfragen grundlegend schien und auf die die Landessynode sich einigen konnte (Art. 31 KO). Die übrigen Bestimmungen wurden offener, d. h. in vielen Punkten weniger gesetzlich formuliert – damit freilich rechtlich auch weniger verbindlich. Dadurch konnte der jahrelange Streit beendet werden. In jüngster Zeit sind jedoch Fragen neu aufgebrochen: Ob ein segnendes Handeln der Kirche an ungetauften Kindern denkbar und erforderlich ist, und ob bei Taufbegehren die Einstellung der Eltern nicht schärfer zu prüfen sei[49].

2.3 Evangelische Unterweisung und Konfirmation

Die Vorschriften zur evangelischen Unterweisung und zur Konfirmation wurden in den Jahren 1967, 1976 und 1980 geändert; die Änderungen durch die Landessynode 1976 waren grundsätzlicher Art und erfaßten praktisch sämtliche Artikel.

Die Landessynode 1967[50] hatte zunächst die Verpflichtung der Pfarrer aus Artikel 42 Abs. 1 KO, den kirchlichen Unterricht selbst zu erteilen, dahingehend gelokkert, daß ein Kirchengesetz eine andere Regelung treffen konnte[51]. 1971 wurde eine »Rahmenordnung für den kirchlichen Unterricht« für 5 Jahre zur Erprobung freigegeben, die eine Beteiligung auch anderer Mitarbeiter vorsah. Der Ablauf der Erprobungszeit, die mit einer Befragung aller Kirchenkreise endete, brachte 1976 die grundsätzliche Überarbeitung der Artikel 41 bis 47[52] und die endgültige Verabschiedung der Rahmenordnung für den kirchlichen Unterrichtet mit folgenden Zielen[53]:

1. Die Ermöglichung verschiedener Unterrichtsformen
2. Eine seelsorgerliche Hinführung der Jugendlichen zum Abendmahl während der Unterrichtszeit
3. Eine Qualifizierung der Unterrichtskontrolle durch Presbyterium und Eltern
4. Eine größere Beteiligung von Mitarbeitern
5. Eine stärkere Integration des kirchlichen Unterrichts in das Leben der Gemeinde, vor allem in den Gottesdienst.

Schließlich wurde Artikel 40 KO im Jahr 1980 – abgesehen von redaktionellen Verbesserungen – so geändert, daß die Vokation der Religionslehrer in der KO verankert wurde (Abs. 6)[54].

2.4 Trauung und Wiedertrauung

Änderungsbedürftig an den KO-Vorschriften über die kirchliche Trauung erschienen zunächst die strengen Vorschriften über die Wiedertrauung Geschiedener, die grundsätzlich zu versagen war (Art. 55 Abs. 1 Satz 1 a.F.), falls der Pfarrer nicht nach sorgfältiger seelsorgerlicher Prüfung zu der Überzeugung kam, daß die Trauung »in diesem Falle« verantwortet werden könnte. Die Änderung von

---

49 Prot. LS 1989 Seite 179*.
50 Prot. LS 1967 Seite 236 ff.
51 KG vom 12. 1. 1967 (KABl. Seite 24).
52 KG vom 16. 1. 1976 (KABl. Seite 20).
53 Prot. LS 1967 Seite 234*.
54 KG vom 11. 1. 1980 (KABl. Seite 24) und Prot. LS 1980 Seite 89*.

Artikel 55 im Jahr 1964[55] gab dem Pfarrer stattdessen einen generellen Entscheidungsspielraum nach sorgfältiger seelsorgerlicher Prüfung, allerdings nach Beratung mit dem Presbyterium und dem Superintendenten (Abs. 2). Deshalb wurde auch die alte Formulierung in Artikel 55 Abs. 1 ersatzlos gestrichen, daß der Pfarrer zu prüfen habe, »ob der Geschiedene seine Sünde erkannt, bereut und Gottes Vergebung begehrt und ob er die Heiligkeit und Unverbrüchlichkeit der Ehe bejaht«.

Artikel 54 Abs. 1 b KO schließt eine kirchliche Trauung aus, wenn einer der Eheschließenden nicht Glied einer christlichen Kirche ist. Nachdem die Bitten von Gemeindegliedern, trotzdem eine kirchliche Trauung vorzunehmen, sich immer mehr häuften und bekannt wurde, daß viele Pfarrer solche Bitten aus seelsorgerlicher Überzeugung trotz des Verbots der KO erfüllten, hatte der Theologische Ausschuß sich hierzu in einem Gutachten grundsätzlich geäußert und nach einer verantwortbaren Praxis gesucht[56]. Dies führte zu einer Ergänzung von Artikel 54 um einen neuen dritten Absatz durch die Landessynode 1977[57], der in solchen Fällen statt einer Trauung eine besondere gottesdienstliche Feier nach einer von der Landessynode festgelegten Ordnung zuläßt. Artikel 56 Abs. 3 wurde entsprechend ergänzt[58]. Voraussetzung einer gottesdienstlichen Feier in solchen Fällen und besonders zu klären ist aber, daß beide Partner eine monogame Ehe auf Lebenszeit wollen und daß der christliche Ehegatte in der Ausübung seines Glaubens nicht gehindert wird[59].

2.5 Bestattung

Die gleichgelagerte Frage nach der Zulässigkeit einer kirchlichen Bestattung von Gestorbenen, die nicht zur Kirche gehörten, war 1974 von der Landessynode aufgegriffen und dem Theologischen Ausschuß gutachtlich vorgelegt worden. Eine Änderung erfolgte aber erst durch die Landessynode 1980. Hier wurde die alte Sonderregelung für Selbstmörder (Art. 64 Abs. 3 a.F.) ersatzlos gestrichen und Artikel 66 geändert. Die bis dahin geltende Verpflichtung des Pfarrers, in solchen Fällen eine häusliche Trauerfeier anzubieten, wurde jetzt differenziert: Der Pfarrer ist zu seelsorgerlichem Beistand verpflichtet und hat einen Ermessensspielraum, eine Trauerfeier vorzuschlagen, die aber keine Verwechslung mit einer kirchlichen Bestattung zulassen darf (Art. 66 Abs. 1 und 2 n.F.)[60].

3. Die Dienste der Kirchengemeinde

Zahlreich sind die Änderungen der Kirchenordnung betreffend die Dienste der Kirchengemeinde: Die Vorschriften über den Dienst des Pfarrers, des Presbyters und der (anderen) Mitarbeiter waren besonders häufig von den zwischenzeitlichen

55 KG vom 16. 1. 1964 (KABl. Seite 37).
56 Proponendum der KL gem. Beschluß vom 27. 1. 1977 und Handreichung der KL Nr. 33 vom April 1977, Seite 3.
57 KG vom 7. 1. 1977 (KABl. Seite 28).
58 Das Verbot, eine Trauung vorzunehmen, wenn vorher in einer anderen christlichen Kirche getraut wurde (Art. 54 Abs. 1 d KO), war schon vorher ohne Änderung der KO durch den Beschluß der KL über konfessionsverschiedene Ehen vom 5. 11. 1970 gelockert worden (KABl. Seite 228).
59 Ordnung nach Artikel 54 Abs. 3 KO vom 7. 1. 1977 (KABl. Seite 29).
60 KG vom 11. 1 1980 (KABl. 1980, Seite 25).

Änderungen des kirchlichen, gemeindlichen und gesellschaftlichen Lebens betroffen. Die Darstellung muß deshalb im Rahmen dieses Beitrages in besonderem Maße zusammenfassend und kursorisch sein, zumal die meisten Änderungen der KO in diesem Abschnitt nur Reflexe von Änderungen des Dienstrechts der Pfarrer und Mitarbeiter sind.

3.1 Der Dienst der Pfarrer

3.1.1 Pastorinnen

Die Zulassung von Frauen zum pfarramtlichen Dienst und die stufenweise Änderung des Pfarrer-Dienstrechts für Frauen hat in der rheinischen KO zu verschiedenen Änderungen geführt. Unter den Bestimmungen über das Pfarramt (Art. 69 ff. KO) gab es ursprünglich eine gesonderte Vorschrift (Art. 82) über den Verkündigungsdienst durch Frauen (»Vikarinnen«); sie konnten aufgrund eines besonderen Kirchengesetzes[61] ordiniert werden. 1963 wurde diese Vorschrift mit der Einführung des Pastorinnenamtes umgestaltet[62] und 1975 mit der Gleichstellung der Pfarrerin völlig gestrichen[63]. War in Artikel 67 Abs. 1 bei der Aufzählung der »Diener am Wort« zunächst noch von den Vikarinnen die Rede, so lautete die Bezeichnung ab 1963 »Pastorinnen«. Mit der Gleichstellung der Pfarrerin im Jahre 1975 entfiel auch eine besondere Bezeichnung für Frauen als Pfarrerin in Artikel 67.

Entsprechende Änderungen finden sich jeweils in Artikel 104, der aufzählt, welche Amtsträger Mitglied im Presbyterium sind: Während die Vikarinnen nicht Mitglied waren, wurden die Pastorinnen 1963 in den Kreis der stimmberechtigten Mitglieder aufgenommen und 1975 wieder im Text gestrichen, weil sie unter die Sammelbezeichnung »Pfarrer« fielen. Dieselbe Entwicklung kann man in den Umformulierungen des Artikels 109 Abs. 2 und 3 verfolgen: Hier ist zunächst auch nur von Vikarinnen (und Hilfspredigern) die Rede. 1963 wurden die Pastorinnen den Hilfspredigern als Pfarrverweser gleichgestellt; den übrigen Hilfspredigern waren die »Kandidatinnen des Pastorinnenamtes« gleichgestellt. Seit 1975 ist schließlich auch hier generell von Hilfspredigern ohne Unterscheidung nach Mann und Frau die Rede.

3.1.2. Das Pfarrer-Recht nach der KO-Reform

Bei der KO-Reform im Jahr 1979, die auf Gemeindeebenme vor allem eine Reform der Leitungsorgane war, wurden die vorgesehenen Änderungsvorschläge über den Dienst des Pfarrers »der fortdauernden Diskussion wegen«[64] zunächst zurückgestellt. Die diesbezüglichen Vorschläge wurden nachträglich erörtert und einige Änderungen erst im Jahr 1983[65] vorgenommen: Hier ergaben sich Änderungen der Artikel 58, 69 und 73, die vor allem den Gedanken der Dienstgemeinschaft betonen (Artikel 69 Abs. 3, 72, Abs. 2). Die wichtigste Änderung enthält die Neufassung von Artikel 72 Abs. 3: Hier wird bei dienstlichen oder privaten Nachlässigkeiten der Vorrang von Seelsorge und Beratung vor dienstrechtlichen

61 KG vom 15. 11. 1950 (KABl. 1951 Seite 3).
62 KG vom 18. 1. 1963 (KABl. Seite 40).
63 KG vom 23. 1. 1975 (KABl. Seite 46).
64 Prot. LS 1979 Seite 70*.
65 KG vom 13. 1. 1983 (KABl. Seite 37, 290).

Verfahren betont; solche Verfahren sind nicht mehr zwingend vorgesehen, sondern unterliegen einem Ermessungsspielraum der Aufsicht führenden Stellen.

3.1.3 Artikel 73 und 76

Zu erwähnen sind noch 2 Änderungen der Pfarrerbestimmungen, die mit der KO-Reform nicht zusammenhängen. 1981 wurde eine Bestimmung eingefügt, daß Pfarrer auch im privatrechtlichen Dienstverhältnis beschäftigt und – trotzdem – zum Inhaber einer Pfarrstelle berufen werden können (Art. 73 Abs. 2)[66].

Für das Parochial-Prinzip sind 2 Änderungen des Artikels 76 (Dimissoriale) von Interesse. Die ursprüngliche Regelung, die ein Dimissoriale nur in besonderen Fällen gestattete und den nicht zuständigen Pfarrer nur bei schwerwiegenden Gründen zur Vornahme der erbetenen Amtshandlung ermächtigte, wurde 1971 praktisch in das Gegenteil verkehrt[67]. Jetzt durfte ein Dimissoriale nur abgelehnt werden, wenn die Amtshandlung nach der KO nicht zulässig ist oder wenn Gründe der Kirchenzucht entgegenstehen (Abs. 1 Satz 2). Diese Neuregelung bedeutete eine erhebliche Lockerung ds Parochialprinzips zu Gunsten der Gemeindeglieder. Sie wurde 1986[68] etwas eingeschränkt, weil Amtshandlungen von Ruheständlern, die immer häufiger in ihrer alten Gemeinde wohnen bleiben, zu Lasten ihres Amtsnachfolgers gingen und als mißbräuchlich empfunden wurden; jetzt ist auch die Gefährdung des »gedeihlichen Zusammenlebens in der Gemeinde« ein Ablehnungsgrund.

3.1.4 Teilzeitdienst und Mehrfachversorgung von Pfarrstellen

In den Jahren 1985 bis 1987 mußten schließlich die Mitgliedschaft von Hilfspredigern im Presbyterium und die Fälle der sog. Mehrfachversorgung einer Pfarrstelle (»Stellenteilung«) neu geregelt werden. Die zunehmende Anzahl von Hilfspredigern brachte es mit sich, daß in manchen Gemeinden mehrere Hilfsprediger tätig waren. Diese hatten bisher beratende Stimme und konnten beschließende Stimme beigelegt erhalten. Das hätte das Beratungsklima im Presbyterium gefährden und ggf. die Beschlußkonstellation zwischen Theologen und Laien im Presbyterium erheblich verschieben können. Außerdem war eine entsprechende Regelung für den neu geschaffenen Stand der Pastoren im Sonderdienst erforderlich[69]. 1986 wurde deshalb Artikel 109 Abs. 3 so geändert[70], daß Pastoren im Sonderdienst wie Pastoren im Hilfsdienst beratende Stimme im Presbyterium haben, allerdings nur, wenn sie der Gemeinde zugewiesen sind und nicht aus anderen Gründen dort Dienst tun (z. B. in Stellen des Kirchenkreises oder von kirchlichen Werken). Beschließende Stimme können sie in keinem Fall mehr erhalten.

Aus arbeitsmarktpolitischen Gründen ist es aufgrund der neueren EKU-Gesetzge-

66 KG vom 16. 1. 1981 (KABl. Seite 52).
67 KG vom 15. 6. 1971 (KABl. Seite 163).
68 KG vom 9. 1. 1986 (KABl. Seite 9).
69 KG betreffend die Pastoren im Sonderdienst in der EKiR (Sonderdienstgesetz) vom 11. 1. 1985 (KABl. Seite 20). Dabei handelt es sich um ordinierte Theologen mit zweitem theologischem Examen, die mangels Übertragung einer Pfarrstelle aus dem Hilfsdienst ausscheiden müssen. Solche Theologen können als Beamte auf Zeit in besondere Dienste berufen werden, wo sie ähnlich wie Pastoren im Hilfsdienst pfarramtliche und seelsorgerliche Dienste verrichten.
70 KG vom 9. 1. 1986 (KABl. Seite 10).

bung zulässig, daß Pfarrer im eingeschränkten Dienstverhältnis tätig sind[71] und gemeinsam eine Pfarrstelle versorgen können. Da mit dem öffentlich-rechtlichen Dienstverhältnis immer auch die »Inhaberschaft« der Pfarrstelle verbunden ist, diese aber über Artikel 104 KO die Mitgliedschaft mit vollem Stimmrecht im Presbyterium begründet, entstand die Sorge, daß eine zunehmende Inanspruchnahme solcher »Stellenteilung« ein Übergewicht der Pfarrer im Presbyterium begründen könnte. 1985 wurde deshalb zunächst ein zweiter Absatz in Artikel 104 eingefügt[72], der festlegte, daß nur einer von mehreren Pfarrern in einer Pfarrstelle Stimmrecht hat. Das war in jedem Fall der Inhaber der Pfarrstelle, der zunächst nur gemeinsam mit einem Pfarrer im Angestelltenverhältnis die Pfarrstelle versorgen durfte; dieser hatte beratende Stimme. 1987 mußte die Regelung auf mehrere Pfarrer ausgedehnt werden, die jeweils im – eingeschränkten – öffentlich-rechtlichen Dienstverhältnis (oder gemeinsam mit Pfarrern im Angestelltenverhältnis) eine Pfarrstelle »versorgen«[73]. Der 1985 eingefügte Absatz 2 wurde gestrichen und durch einen neuen Artikel 104 a ersetzt, der die Regelung des Jahres 1985 auf verschiedene denkbare Fälle ausdehnt, so daß in jeder Pfarrstelle nur ein Pfarrer volles Stimmrecht hat. Bei mehreren Inhabern der Pfarrstelle wechselt das Stimmrecht zwischen ihnen im jährlichen Turnus, falls nichts anderes vom Presbyterium beschlossen wird.

3.2 Der Dienst der Presbyter

3.2.1 Passives Wahlrecht

In den Vorschriften über das Presbyteramt ist zunächst die stufenweise Herabsetzung des Wahlalters für Presbyter bemerkenswert[74]. Die KO von 1952 hatte zunächst von der alten KO i.d.F. von 1923 das Wahlalter von 30 Jahren übernommen (»Älteste«). Es wurde schon 1965 auf 25 Jahre herabgesetzt[75] und 1971 entsprechend der Regelung des BGB dem Zeitpunkt der Erlangung der bürgerlich-rechtlichen Geschäftsfähigkeit angeglichen[76]. Im Jahr 1988 war nach einem vergeblichen Versuch im Jahr 1987[77] wiederum eine Anpassung an die bürgerlichrechtliche Regelung maßgebend für die neue Altersgrenze von 18 Jahren[78], die jedoch wegen der im Januar 1988 weit fortgeschrittenen Vorbereitung für die Presbyterwahlen vom März 1988 erst seit 1. 1. 1989 gilt.

3.2.2 Vorsitz im Presbyterium

Im Zuge der langjährigen Überlegungen zur KO-Reform wurde auch die Einführung des Laienvorsitzes im Presbyterium erörert. Schon 1974 beschloß die Landessynode im Zusammenhang mit Bestrebungen zur »Demokratisierung der Kir-

---

71 Vgl. § 61 d i.V. mit § 61 a Abs. 2 Pfarrerdienstgesetz der EKU vom 16. 3. 1981 mit Änderungen (RS EKiR Nr. 700).

72 KG vom 11. 1. 1985 (KABl. Seite 23).

73 KG vom 16. 1. 1987 (KABl. Seite 20).

74 Das Wahlalter für das aktive Wahlrecht ist nicht in der KO, sondern aufgrund von Artikel 89 KO in der Presbyterwahlordnung geregelt (RS EKiR Nr. 30). Es lag zunächst bei 24 Jahren (§ 1 der Presbyterwahlordnung vom 24. 10. 1946, ABl. Seite 21) und liegt seit 1971 bei 18 Jahren (KG vom 15. 6. 1971, KABl. Seite 180).

75 KG vom 15. 1. 1965 (KABl. Seite 21).

76 KG vom 15. 6. 1971 (KABl. Seite 180).

77 Vgl. Prot. LS 1987 Seite 148 und 1988 Seite 78*.

78 KG vom 14. 1. 1988 (KABl. Seite 13).

che«[79] eine Änderung über den Vorsitz im Presbyterium[80]. Diesen führte bis dahin der Pfarrer (Art. 69 Abs. 3 Satz 1 KO) bzw. mehrere Pfarrer einer Kirchengemeinde in regelmäßigem Wechsel (Art. 115 Abs. 2 KO). 1974 beschloß die Landessynode, daß auch Presbyter zu Vorsitzenden gewählt werden können und daß ein stellvertretender Vorsitzender zu wählen ist. Dies soll ein Pfarrer sein, wenn ein Presbyter zum Vorsitzenden gewählt wurde, und umgekehrt. Diese Änderungen wurden allerdings in der betreffenden Ausschußvorlage nicht mit Gesichtspunkten der Demokratisierung begründet, sondern ausführlich theologisch untersucht; ausschlaggebend war die »in der presbyterial-synodalen Ordnung seit jeher begründete gemeinsame Veranwortung der Träger des Amtes und der Presbyter für die Leitung der Gemeinde«; umgekehrt wurde eine besondere Bindung des Vorsitzendenamtes an die Ordination abgelehnt[81]. Daraus resultierte auch die Streichung des ersten Satzes in Art. 69 Abs. 3, die Einfügung von Art. 111 Abs. 2 mit der Vorschrift, daß das Kirchmeisteramt neu zu besetzen ist, wenn ein Kirchmeister zum Vorsitzenden des Presbyteriums gewählt wird, und vor allem die Veränderung von Art. 115, insbesondere Abs. 1. Weitere Änderungen in Art. 122 Abs. 5 und Art. 125 Abs. 1 gehören zu diesem Komplex als redaktionelle Konsequenz.

3.2.3 Das Recht der Presbyter nach der KO-Reform

Die KO-Reform des Jahres 1979[82] brachte schließlich verschiedene, unterschiedlich gewichtige Änderungen fast aller Bestimmungen des Rechts der Presbyter in der KO. In Art. 84 Abs. 2 wurde ein einheitliches Presbytergelübde eingeführt, das auch für Synodale gilt (Art. 145 Abs. 1 und 179 Abs. 1); das Inkrafttreten wurde gem. § 31 Nr. 4 des Kirchengesetzes vom 20. 1. 1979 bis zur Aufnahme in die Agende der Evangelischen Kirche der Union (EKU) aufgeschoben.

Die Neufassung von Art. 83 betont auch für Presbyter die Dienstgemeinschaft in Presbyterium, Kirchenkreis und Landeskirche; Absatz 2 hebt die Notwendigkeit der geistlichen Zurüstung und der Information für Presbyter hervor. Artikel 85 regelt die Frage der Verwandtschaftsverhältnisse genauer als bisher; für das Ausscheiden eines nahen Verwandten, der gleichzeitig gewählt wurde, wurde das Losverfahren eingeführt (Abs. 3). Allerdings wurde ermöglicht, daß Pfarrerehepaare in Pfarrstellen derselben Kirchengemeinde Dienst tun dürfen (Art. 85 Abs. 3). In Artikel 86 wurde die Ausnahmemöglichkeit für die Wahl von Mitarbeitern in das Presbyterium nach der Presbyterwahlordnung gestrichen, weil Mitarbeiter seit 1971 aufgrund einer besonderen Vorschlagsliste in das Presbyterium gewählt werden konnten (vgl. anschließend unter 3.3.3). Umgekehrt wurde in Artikel 87 Abs. 2 die alte Regelung von Artikel 103 Abs. 3 eingefügt, die das Ausscheiden von Presbytern aus dem Amt regelt, wenn sie als Mitarbeiter angestellt werden. Artikel 88 und 89 wurden redaktionell geändert. Für die Wiederbeilegungen der Befähigung zum Presbyteramt von – wegen Pflichtwidrigkeit – entlassenen Presbytern durch den Kreissynodalvorstand ist jetzt das Einvernehmen mit dem Presbyterium erforderlich (Art. 88 Abs. 3 Satz 2); bis dahin reichte die Anhörung des Presbyteriums aus.

---

79 Demokratisierung in der Kirche? Ein Beitrag der Arnoldshainer Konferenz, herausgegeben von Fritz Viering und Hartmut Johnsen; als Manuskript gedruckt 1970.

80 KG vom 10. 1. 1974 (KABl. Seite 54).

81 Vorlage zum KG vom 10. 1. 1974 in Prot. LS 1974 Sewite 150* und 158*.

82 Vgl. hinten unter 4.3.

3.3 Der Dienst der Mitarbeiter

3.3.1 Gemeindemissionare

Schon bald nach der Verabschiedung der KO von 1952 wurde in der EKiR der Wunsch nach hauptberuflichen nichttheologischen Predigern erörtert. Anträge verschiedener Kreissynoden, die Prediger auch für den selbständigen pfarramtlichen Dienst zulassen wollten, hatte schon die Landessynode 1953 zu beraten[83]. Die Arbeiten einer von der Landessynode bestellten Studienkommission führten schließlich zu dem Entwurf eines »Kirchengesetzes über das Amt des Predigers«, das für die Landessynode 1961 vorgelegt wurde[84]. Für den neuen Berufsstand war kein selbständiger pfarramtlicher Dienst, sondern die Übernahme von volksmissionarischen Aufgaben ins Auge gefaßt, die deutlich vom Pfarrerstand abgegrenzt werden sollten. Die Landessynode 1961 verabschiedete schließlich das »Kirchengesetz über das Amt des Gemeindemissionars in der EKiR«[85] zur Erfüllung volksmissionarischer Aufgaben in den Kirchengemeinden. In diesem Zusammenhang wurde Artikel 91 a über den Dienst des Gemeindemissionars in die KO eingearbeitet und Artikel 103 durch den zweiten Absatz ergänzt[86]. Schon bald kam es jedoch dazu, daß Gemeindemissionare auch vakante Pfarrstellen betreuten, so daß schon die Landessynode 1965 einen Antrag zu beraten hatte, solchen Gemeindemissionaren das Stimmrecht im Presbyterium beizulegen[87]. Die Novellierung des Gemeindemissionarsgesetzes von 1967[88] eröffnete dann auch rechtlich die Möglichkeit, daß Gemeindemissionaren wegen des Pfarrermangels auch Pfarrstellen übertragen werden konnten (§ 3)[89].

Nur in diesen Fällen waren Gemeindemissionare zunächst stimmberechtigte Mitglieder in Presbyterium und Kreissynode, andernfalls lediglich beratende Mitglieder. Die KO führte Gemeindemissionare deshalb in Artikel 104 zunächst nicht auf, erwähnte sie aber in Artikel 109 Abs. 3 (beratende Mitgliedschaft im Presbyterium); nur nach Abs. 2 hatten sie als Pfarrverweser wie Hilfsprediger beschließende Stimme im Presbyterium[90]. Dies wurde bei der zweiten Änderung des Gemeindemissionarsgesetzes 1974 als unberechtigt angesehen, zumal Gemeindemissionaren 1969 die Amtsbezeichnung »Pastor« verliehen worden war. Das Amt des Gemeindemissionars in Pfarrstellen sollte vielmehr in Gemeinden und Kreissynoden dem Amt des Pfarrers angeglichen werden[91]. 1974 wurden deshalb Gemeindemissionare auch in Artikel 104 KO einbezogen[92]; die Regelung über die beratende Mitgliedschaft von Gemeindemissionaren in Artikel 109 wurde wieder gestrichen. Artikel 115 wurde schließlich so ergänzt, daß Gemeindemissionare auch bezüglich des Vorsitzes in den Presbyterien den Pfarrern gleichgestellt wurden (Abs. 7)[93].

83 Prot. LS 1953 Seite 61, 349*.
84 Prot. LS 1961 Seite 56*; Handreichung der KL für die Mitglieder der Landessynode und der Kreissynoden Nr. 3 vom Dezember 1960.
85 KG vom 13. 1. 1961 (KABl. Seite 19), Beschluß Nr. 67 der LS 1961 (Prot. LS Seite 137).
86 KG vom 13. 1. 1961 (KABl. Seite 19).
87 Prot. LS 1965 Seite 39* und 156.
88 KG vom 12. 1. 1967 (KABl. Seite 20).
89 Prot. LS 1967 Seite 43*, 268.
90 KG vom 12. 1. 1967 (KABl. Seite 24).
91 Prot. LS 1974 Seite 245*.
92 KG vom 10. 1. 1974 (KABl. Seite 54).
93 An dieser Stelle sei erwähnt, daß Gemeindemissionaren 1989 durch eine Änderung des Pfarrerdienstgesetzes der EKU und des rheinischen Ausführungsgesetzes zum Pfarrerdienstgesetz die Möglichkeit

3.3.2 Nichtevangelische Mitarbeiter

Entsprechend dem Grundverständnis der rheinischen KO, daß alle Dienste in der Kirchengemeinde – einschließlich des pfarramtlichen Dienstes – aus der Gemeinde erwachsen, bestimmt Artikel 90 KO, daß zu Mitarbeitern »Glieder der Gemeinde« berufen werden. In einer Kirche wie der rheinischen, die vielfach in der Diaspora existiert und der nur in wenigen Gebieten die Mehrzahl der Bevölkerung angehört, konnte es nicht ausbleiben, daß häufig Mitarbeiter anderer Konfessionen angestellt werden mußten, vorwiegend in den Verwaltungs- und Pflegeberufen. Dies führte 1976 zu einer Ergänzung von Artikel 90, dessen neuer Absatz 2 jetzt Ausnahmen aufgrund eines besonderen Kirchengesetzes zuließ[94]. Gleichzeitig wurde ein entsprechendes Kirchengesetz erlassen[95], das solche Ausnahmen vorsah, wenn keine geeigneten evangelischen Bewerber gefunden werden können, allerdings grundsätzlich nicht für den Verkündigungsdienst und für Leitungsfunktionen (§ 1 Abs. 2). Artikel 90 Abs. 2 wurde bei der KO-Reform1979 modernisiert, um ihn den Grundsätzen des überarbeiteten Kirchengesetzes besser anzugleichen[96].

3.3.3 Wahl von Mitarbeitern in das Presbyterium

Die Mitarbeiter der Gemeinde waren nach Artikel 86 der KO von 1952 grundsätzlich vom Presbyteramt ausgeschlossen; sie waren nur im Gemeindebeirat vertreten, der gem. Artikel 126 »zur Beratung und Unterstützung« des Presbyteriums »aus den in der Gemeinde vorhandenen Diensten« gebildet werden sollte. Seit dem Proponendum des Jahres 1960 »die Leitung der Gemeinde«[97] wurde die Beteiligung von Mitarbeitern an der Gemeindeleitung immer wieder diskutiert; dies führte schließlich zu einem Proponendum für die Landessynode 1968[98], das in der Synode ausführlich beraten wurde. Unter dem Gesichtspunkt, daß für das Verständnis der Gemeindeleitung als Dienstgemeinschaft eine Beteiligung der hauptamtlichen Mitarbeiter an der Leitung notwendig sei, gab die Landessynode eine dementsprechende Regelung in Auftrag[99]. Daraufhin beschloß sie 1971 ein Kirchengesetz über die Wahl von Mitarbeitern in das Presbyterium[100] aufgrund einer besonderen Vorschlagsliste. Solche gewählten Mitarbeiter sind allerdings keine »Presbyter« im Sinne der KO, denn sie können z. B. nicht Kirchmeister, Vorsitzende oder Synodale sein. Die Artikel 86, 104 (Zusammensetzung des Presbyteriums), 107 (Anzahl der gewählten Mitarbeiter im Presbyterium), 111 Abs. 1 (Kirchmeisteramt), 115 Abs. 1 (Vorsitz im Presbyterium) und 141 Abs. 4 a (gewählte Mitglieder der Kreissynode) wurden entsprechend geändert[101]. Im

---

eingeräumt wurde, nach 10-jähriger Amtszeit durch eine besondere Prüfung die Anstellungsfähigkeit zum Pfarramt zu erhalten und damit auch Inhaber von Pfarrstellen zu werden. Dadurch wird den Gemeindemissionaren nach vielen Kämpfen auch der Weg in den KSV und in die Landessynode eröffnet.

94 KG vom 16. 1. 1976 (KABl. Seite 21).

95 KG über Ausnahmen von dem Erfordernis der Zugehörigkeit zur Kirche bei der Einstellung von Mitarbeitern vom 16. 1. 1976 (KABl. Seite 21).

96 Prot. LS 1979 Seite 66*.

97 Vgl. auch Handreichung der KL Nr. 4 (Arbeitshilfe der Landessynode 1961).

98 »Die Mitwirkung der Mitarbeiter an der Leitung der Gemeinde«, HR der KL Nr. 16; Prot. LS 1968 Seite 83* ff.

99 Prot. LS 1968 Seite 142.

100 KG über die Wahl haupt- oder nebenamtlicher Mitarbeiter in das Presbyterium vom 17. 6. 1971 (KABl. Seite 181).

101 KG vom 17. 6. 1971 (KABl. Seite 180).

übrigen finden auf solche sog. »Mitarbeiter-Presbyter« die Bestimmungen über die Presbyter Anwendung (Artikel 86 Abs. 2). Die Kirchenleitung konnte zunächst ausnahmsweise auch weiterhin die Wahl von Mitarbeitern in das ordentliche Presbyteramt zulassen (Art. 86 Abs. 2 i.d.F. von 1971), bis die KO-Reform diese Möglichkeit im Rahmen einer Neufassung von Artikel 86 beseitigte[102].

3.3.4 Änderungen des Mitarbeiterrechts durch die KO-Reform

Im übrigen brachte die KO-Reform von 1979 für den Dienst der Mitarbeiter außer einer redaktionellen Änderung in Artikel 109 Abs. 4 lediglich eine generelle Neufassung von Artikel 90; die bisherigen Einzelbestimmungen über die gottesdienstliche Amtseinführung von Mitarbeitern (bisher Artikel 91 Abs. 2) und die Dienstverpflichtung (bisher Artikel 102 Abs. 2) von Mitarbeitern wurden als die neuen Absätze 3 und 4 von Artikel 90 im wesentlichen übernommen.

Ursprünglich war eine grundsätzliche Überarbeitung aller Mitarbeiter-Bestimmungen der KO beabsichtigt, wobei die (überwiegend überholte) Aufzählung einzelner kirchlicher Berufe in den Artikeln 91 bis 102 aufgegeben und eine zusammenfassende Beschreibung aller kirchlichen Dienste in den vier Arbeitsfeldern Apostolat, Katechumenat, Diakonat und Presbyteriat ins Auge gefaßt war[103]. Dabei war eine besondere Betonung der gemeindlichen Dienstgemeinschaft unter grundsätzlicher Einbeziehung des Pfarramtes beabsichtigt, wobei der Dienst des Pfarrers wie bisher als besonderer Repräsentant dieser Dienstgemeinschaft geregelt werden sollte (Art. 67 c, 68 des Entwurfs). Dieses Vorhaben wurde allerdings in die endgültige Vorlage zur Änderung der KO[104] nicht mehr aufgenommen, weil die Landessynode 1978 bei der Beratung des Arbeitsplans für die KO-Reform die Bearbeitung dieser Artikel wegen des engen Zusammenhangs mit zunächst zurückgestellten Grundsatzfragen[105], die vor allem den Dienst des Pfarrers betrafen, vertagt hatte. Später wurden diese Überlegungen zur generellen Modernisierung der Bestimmungen über Dienst und Stellung der Mitarbeiter in der Gemeinde leider nicht wieder aufgegriffen.

4. Die Leitung der Kirchengemeinde

Die Bestimmungen über die Zusammensetzung des Presbyteriums und über das Stimmrecht im Presbyterium (Art. 104, 104 a, 107, 109) haben seit 1952 zahlreiche Änderungen erfahren, die in anderem Zusammenhang schon dargestellt wurden[106]. Die Änderung der Vorsitzenden-Regelung in Artikel 115 ff. wurde auch schon dargestellt (vorne 3.2.2). Darüber hinaus hat es verschiedene weitere Änderungen zum Verfassungsrecht des Presbyteriums gegeben.

102 KG zur Änderung und Ergänzung der KO vom 20. 1. 1979 (KABl. Seite 34 ff.) § 5 Nr. 5.2.

103 Proponendum der KL gem. Beschluß Nr. 49 der LS 1976 »Reform der KO« in Handreichung der KL Nr. 30, hier Artikel 67 bis 67 c.

104 Prot. LS 1979 Seite 33*.

105 Prot. LS 1978 Seite 54* und 55*.

106 Rechtsänderungen im Zusammenhang mit der Einbeziehung und Angleichung der Pastorinnen (vorne 3.1.1), infolge der Einbeziehung der Gemeindemissionare (vorne 3.3.1), der Wahl von Mitarbeitern in das Presbyterium (vorne 3.3.3) und der Versorgung von Pfarrstellen durch mehrere Pfarrer – Mehrfachversorgung oder Stellenteilung – (vorne 3.1.4).

4.1 Kirchmeister

Das Recht der Kirchmeister (Art. 111 ff.) ist mehrfach geändert worden. 1971 wurde dieses Amt für in das Presbyterium gewählte Mitarbeiter ausgeschlossen (Abs. 1)[107]. Bei der Einführung des Laienvorsitzes im Jahr 1974 wurde durch die Einfügung von Artikel 111 Abs. 2 die grundsätzliche Unvereinbarkeit der Ämter des Vorsitzenden und des Kirchmeisters festgeschrieben; dies gilt jedoch nicht für den Fall, daß der Kirchmeister durch Wahl oder ausnahmsweise aufgrund von Artikel 115 Abs. 4 lediglich stellvertretender Vorsitzender ist[108]. Durch die Einführung eines oder mehrerer (Art. 115 Abs. 1 Satz 4) stellvertretender Vorsitzender wurde das Amt des Kirchmeisters in seiner Bedeutung verfassungsrechtlich ungewollt geschmälert, denn bis dahin war der Kirchmeister gem. Art. 115 Abs. 4 a.F. in dringenden Fällen stellvertretener Vorsitzender, falls der Pfarrer verhindert war. Das wirkte sich jedoch in Gemeinden mit mehreren Pfarrstellen eher positiv aus, denn jetzt wurde der Kirchmeister in diesen Fällen praktisch zweiter Stellvertreter, während ihm vorher alle Pfarrer in der Gemeinde in der Stellvertretung vorgingen. Bei der KO-Reform des Jahres 1979 wurden auch die diakonischen Aufgaben der Gemeinde zu Kirchmeister-Aufgaben erklärt (Art. 111 Abs. 2 Satz 1, 112 Abs. 3 und 113 Satz 2) und eine Auffächerung des Kirchmeisteramtes mit den Schwerpunkten Bau-, Finanz- und Diakonie-Kirchmeister ermöglicht (Art. 112 Abs. 3).

Die letzten Änderungen des Kirchmeisterrechts stammen aus den Jahren 1983 und 1984: Die Einfügung von Artikel 111 Abs. 1 Satz 4[109] stellte klar, daß auch stellvertretende Kirchmeister zulässig sind[110] und spiegelt damit die ständig zunehmende Bedeutung dieses Amtes für die Praxis der Gemeinden und ihrer Presbyterien wider. 1984 wurde durch das Verbot für Kirchmeister, die Kassengeschäfte selber zu führen (Art. 111 Abs. 2 Satz 4)[111], endlich die Grundlage für eine strikte Trennung der Kassenaufsicht von der Kassenführung gelegt und damit dem Umstand Rechnung getragen, daß inzwischen praktisch überall in den Gemeinden leistungsfähige Gemeinde- oder Verwaltungsämter für die Kassengeschäfte zur Verfügung stehen.

4.2 Öffentlichkeit

In den Jahren der synodalen Beratung einer Kirchenordnungsreform wurde die Forderung nach öffentlichen Sitzungen der Leitungsorgane vielfach erhoben. Das war unter dem Aspekt einer wünschenswerten Transparenz der Leitungsentscheidungen eine der Kernforderungen der sogenannten Demokratisierungsdebatte in der Kirche[112]. Die Landessynode 1971 traf für Gemeinden und Synoden eine unterschiedliche Regelung: Während die Tagungen der Kreissynode und der Landessynode grundsätzlich öffentlich wurden, falls die Synoden im Einzelfall nicht anders beschließen (Art. 146 Abs. 1 und 183Abs. 1 – jetzt 183 Abs. 2), wurde für die Sitzungen des Presbyteriums umgekehrt festgelegt, daß die Sitzungen in

107 Kirchengesetz vom 17. 6. 1971 (KABl. Seite 180).
108 Vgl. N. Becker in KO-Kommentar Anmerkung 1 zu Art. 111 mit Nachweisen.
109 Abs. 1 Satz 2 und Satz 3 waren der alte Absatz 3.
110 Kirchengesetz vom 13. 1. 1983 (KABl. Seite 38).
111 Kirchengesetz vom 12. 1. 1984 (KABl. Seite 21).
112 »Demokratisierung in der Kirche«? Ein Beitrag der Arnoldshainer Konferenz, als Manuskript gedruckt.

der Regel nicht öffentlich sind, dies aber vom Presbyterium anders beschlossen werden kann (Art. 118 Abs. 3)[113]. Dies wurde damit begründet, daß Angelegenheiten der Seelsorge und Personalangelegenheiten, die in Synoden seltener vorkommen als in Presbyteriumssitzungen, grundsätzlich in nichtöffentlichen Sitzungen zu verhandeln seien[114]. Artikel 118 Abs. 4 und Abs. 5 erhielten deshalb Spezialvorschriften für vertrauliche Angelegenheiten und solche der Seelsorge. Artikel 118 Abs. 1 wurde ferner im Jahr 1974 im Zusammenhang mit den Beratungen über den Vorsitz durch Laien so geändert, daß die Verhandlungsleitung vom Vorsitzenden delegiert werden kann (Abs. 1 Satz 3)[115].

4.3 Kirchenordnungs-Reform

Die Kirchenordnungs-Reform des Jahres 1979, die im wesentlichen eine Reform der Leitungsstrukturen war, brachte erhebliche Änderungen für das Verfahren der Presbyterien, die unterschiedlich motiviert waren. Zur Verdeutlichung soll hier die Vorgeschichte dieser Reform-Gesetzgebung in knappen Zügen geschildert werden.

4.3.1 Historischer Überblick

Die KO-Reform zielte ursprünglich lediglich auf die Leitungsstruktur der Landeskirche. In der Landessynode 1965 wurde eine Studienkommission zur Fortentwicklung der presbyterial-synodalen Leitung, insbesondere für die Leitung der Landeskirche eingesetzt. Die Studienkommission legte der Landessynode einen ausführlichen Bericht mit theologischer Reflexion über die Leitung der Kirche, mit grundsätzlichen Ausführungen zur presbyterial-synodalen Gestalt und mit praktischen Vorschlägen zur Leitung der Landeskirche vor[116]. Die Landessynode 1967 gab entsprechende Gesetzentwürfe in Auftrag[117]. Die Verkleinerung der Landessynode und die Erweiterung der Kirchenleitung wurden jedoch 1968 von der Landessynode abgelehnt, die Berufung ständiger Synodalausschüsse zurückgestellt[118/119].

Danach begann die zweite Phase der KO-Reform. Von der Landessynode 1971 war aufgrund einer umfänglichen Vorlage[120] zwei personell getrennten Studienausschüssen die Aufgabe gestellt worden, Alternativ-Modelle für kirchliche Leitungsstrukturen zu entwerfen[121]. Der Ausschuß A sollte Vorschläge zur Fortentwicklung der presbyterial-synodalen Ordnung ohne Funktionentrennung der Leitungsorgane (Leitung und Synodalvorsitz in einer Hand) entwerfen, Ausschuß B

113 Kirchengesetz vom 15. 6. 1971 (KABl. 164).

114 Prot. LS Seite 138*.

115 Kirchengesetz vom 10. 1. 1974 (KABl. Seite 53).

116 Handreichung der KL Nr. 14 vom August 1966: Vorschläge zur Reform der Kirchenordnung der EKiR. Vorgeschlagen wurde vor allem eine Verkleinerung der Landessynode, die Einrichtung synodaler Bezirksarbeitsgemeinschaften und eine Erweiterung der Kirchenleitung.

117 Prot. LS 1967 Seite 200, 213.

118 Prot. LS 1968 Seite 96 und 104.

119 Gleichzeitig beauftragte die Landessynode die Kirchenleitung, den bestehenden Ausschuß für Raumplanung um Vorschläge zur Gemeindeorganisation als Reaktion auf die staatliche und Kommunalgebietsreform zu bitten: Beschluß LS 1968 Nr. 58, Prot.S LS Seite 130.

120 Prot. LS 71 Seite 59* ff. und Handreichung Nr. 22: Proponendum der KL an die Kreissynoden mit deren Anträgen zu Änderungen der KO und Stellungnahmen/Vorlagen des Kirchenordnungsausschusses.

121 Beschluß LS 1971 Nr. 16, Prot. LS Seite 134.

sollte Vorschläge mit Funktionentrennung (selbständiges Präsidium der Landessynode) vorlegen. Ausschuß A erstellte daraufhin eine Vorlage, die auf der Gemeindeebene im wesentlichen die Vorsitzendenfrage ansprach[122]. Der Ausschuß B legte das Modell einer vier-stufigen Kirchenverfassung mit selbständigem Präsidium der Kreissynode und der Landessynode vor, das im Gemeindebereich zahlreiche Veränderungen unter Aufnahme einiger Überlegungen des neu gebildeten »ROSTA« vorsah[123].

Parallel zu diesen Überlegungen hatte nämlich der zunächst von der Kirchenleitung, später von der Landessynode gebildete Raumordnungs- und Strukturausschuß (ROSTA)[124] weitere Überlegungen zur Gemeindestruktur ins Spiel gebracht. Seine Vorschläge[125], die auf Kirchenleitungs-Beschluß den Presbyterien und Kreissynodalvorständen zur kritischen Bearbeitung übergeben und der Landessynode 1971 vorgelegt werden sollten, verfolgten andere Ziele, die sich teilweise mit den Anliegen der Verfassungsdiskussion überschnitten: Die kirchliche Organisation sollte die Umweltentwicklung aufnehmen und wirtschaftliche Erfordernisse wie die Leistungsfähigkeit der Gemeinden stärker berücksichtigen; zu diesem Zweck sollten kleine Gemeinden vergrößert und größere Gemeinden nicht mehr geteilt, sondern in Bezirks- und Fachbereiche gegliedert werden. Die Beteiligung sachkundiger Gemeindeglieder an der Gemeindeleitung sollte stärker ermöglicht werden. Die Presbyterien sollten dementsprechend in Bezirks- und Fachausschüsse gegliedert werden; die Prinzipien von Arbeitsteilung und Teamarbeit sowie die Delegation von Leitungsaufgaben sollten in der Ordnung vorgegeben werden[126]. Diese Vorschläge fanden unterschiedliche Resonanz, vor allem die Vorschläge über den Dienst der Pfarrer. Im Klima allgemeiner Kirchenreform-Erwägungen gab es aber so viel Zustimmung aus Gemeinden und Kirchenkreisen, daß die Landessynode 1971 begrenzte »Experimente« beschloß und eine entsprechende Planung für die Kirchenkreisebene in Auftrag gab, die 1974 vorgelegt wurde.

Die letzte Etappe der KO-Reform begann in der Landessynode 1974, der die Vorlagen der Studienausschüsse A und B (sowie die Überlegungen des ROSTA auch zur Kirchenkreis-Reform) vorlagen. Die Landessynode lehnte eine Weiterarbeit auf der Basis der Vorlage des Ausschusses B mit Mehrheit ab[127] und beschloß die Weiterarbeit entsprechend der Vorlage des Ausschusses A. Dazu wurde ein Sonderausschuß eingerichtet, der in Arbeitsgruppen die Gemeindeebene, die Kirchenkreisebene und die Ebene der Landeskirche parallel bearbeitete. Das Arbeitsergebnis des Sonderausschusses wurde von der Landessynode 1976 als Proponendum allen Kreissynoden und Presbyterien zugänglich gemacht[128] und dem Ständigen Kirchenordnungsausschuß zur Vorbereitung der landessynodalen Beschlußfassung übergeben[129]. Die Landessynode 1978 billigte das

---

122 Prot. LS 1974 Seite 20* ff., 144* ff.
123 Prot. LS 1974 Seite 57* ff., 155* ff.
124 Beschluß LS 1971 Nr. 18, Prot. LS Seite 135.
125 ROSTA – Vorschläge zur Neuordnung des kirchlichen Dienstes in den Gemeinden, als Manuskript gedruckt.
126 Vgl. ROSTA-Vorschläge Seite 18 bis 20.
127 Prot. LS 1974 Seite 104.
128 Handreichung Nr. 30: Reform der KO in der EKiR.
129 Prot. LS 1976 Seite 104 bis 107.

Arbeitsprogramm des Ständigen Kirchenordnungsausschusses, der Leitentscheidungen für die endgültige Vorlage erbeten hatte; darin fehlten »wegen des weiteren Diskussionsbedarfs« besonders die Artikel betreffend das Pfarramt und das Superintendentenamt[130].

Endlich wurde der Landessynode 1979 eine umfassende Vorlage des Kirchenordnungsausschusses – ohne die ausgesparten Teile – vorgelegt. Sie enthielt für die Gemeindeebene vor allem Vorschläge für ein einheitliches Presbytergelübde, Vorschläge für ein Satzungsrecht der Kirchengemeinden und die Möglichkeit der verbindlichen Delegation von Leitungsbefugnissen auf Fachausschüsse unter Einbeziehung weiterer Gemeindeglieder[131]. Diese Vorlage wurde in allen wesentlichen Punkten beschlossen[132].

4.3.2 Satzungsrecht

Ein wesentliches Ergebnis der KO-Reform für die Gemeindeebene war die Einführung eines gemeindlichen Satzungsrechtes zur Stärkung gemeindlicher Initiativen; außerdem sollte hierdurch die Möglichkeit verbindlicher Delegation von Leitungsaufgaben auf nachgeordnete Stellen eröffnet werden. Das Presbyterium kann nunmehr im Bereich der Gemeindeleitung durch Satzung folgende Regelungen erlassen:

Artikel 7 Abs. 2 ermöglicht es, die Dienste der Gemeinde und die kirchliche Verwaltung durch Gemeindesatzung zu regeln.

Artikel 11 Abs. 5 eröffnet in Verbindung mit dem später erlassenen Gesamtkirchengemeindegesetz[133] die Möglichkeit, große Kirchengemeinden nicht nur in räumlich bestimmte Pfarr- und Gemeindebezirke zu unterteilen, sondern darüber hinaus nach bestimmten Aufgabenbereichen zu gliedern, die für die ganze Kirchengemeinde wahrgenommen werden und von fachlichen Leitungsorganen beaufsichtigt werden (§§ 9, 10 GKG).

Artikel 106 Abs. 2 ermächtigt das Presbyterium, in bestimmten Angelegenheiten die Vertretung im Rechtsverkehr durch Satzung zu übertragen; darunter fallen vor allem solche Angelegenheiten, die durch ausdrückliche Bestimmung durch Satzung besonders geregelt werden können (z. B. die Anstellung von Mitarbeitern gem. Art. 90 Abs. 3).

Artikel 110 Satz 2 ermöglicht Regelungen, durch die besonders bestimmten Bezirkspresbytern Rechte des Presbyteriums übertragen werden.

Artikel 123 Abs. 1 Satz 4 läßt es zu, daß der Schriftwechsel des Vorsitzenden außer auf die Kirchmeister auch auf andere Stelle (z. B. das Gemeindeamt) übertragen wird.

Artikel 126 Abs. 2 ist der Kern der Satzungsregelung und der am weitesten

---

130 Prot. LS 1978 Seite 52 ff.

131 Prot. LS 1979 Seite 63*.

132 Für die landeskirchliche Ebene schlug der Tagungsausschuß für Kirchenordnungs- und Rechtsfragen wiederum ein eigenes Präsidium ohne die KL-Mitglieder vor und für die Kirchenkreis-Ebene die Leitung durch einen Tagungsausschuß (Prot. Seite 411* ff.). Diese Vorlage wurde jedoch vom Plenum verworfen, so daß die ursprüngliche Vorlage des Kirchenordnungs-Ausschusses schließlich zur Abstimmung gestellt und angenommen wurde: Prot. LS Seite 332.

133 Kirchengesetz über Gesamtkirchengemeinden (GKG) vom 16. 1. 1987 (KABl. Seite 36).

verbreitete Anwendungsfall. Hier wird die Befugnis eingeräumt, daß ein Fachausschuß durch Satzung ermächtigt wird, bestimmte Entscheidungen anstelle des Presbyteriums zu treffen und in seinem Aufgabenbereich auch über Etatmittel zu verfügen. Dasselbe gilt über Artikel 129 auch für Bezirksausschüsse. Hierfür kommen allerdings nur Angelegenheiten in Betracht, die im satzungsmäßig bestimmten Aufgabenbereich der Fachausschüsse liegen. Entscheidungen aus dem Bereich der Lebensordnung sind allerdings nicht (auch nicht auf Bezirksausschüsse) delegierbar, weil sie die Gesamtleitung der Gemeinde betreffen (Art. 126 Abs. 2 Satz 3) und auch einen gesonderten Rechtszug begründen[134]. Die »Gesamtleitung« muß dem Presbyterium immer vorbehalten bleiben; deshalb muß in solchen Satzungen ein Letztentscheidungsrecht des Presbyteriums und dessen Befugnis vorbehalten werden, einzelne Angelegenheiten der Ausschüsse an sich zu ziehen[135].

Artikel 128 Abs. 4 eröffnet schließlich die Möglichkeit, die Ausführung der Beschlüsse von Fachausschüssen dessen Vorsitzenden zuzuweisen, während dies sonst verfassungsmäßig Aufgabe des Vorsitzenden des Presbyteriums ist. Dies ist auch für solche Fach- bzw. Bezirksausschüsse möglich, die nicht nach Artikel 126 Abs. 2 besonders bevollmächtigt sind.

Von diesem Satzungsrecht haben inzwischen zahlreiche Kirchengemeinden Gebrauch gemacht, vor allem zur Entlastung der Presbyterien bei der Leitung gesamtgemeindlicher Arbeitsgebiete, bei Planungs-, Finanz-, Verwaltungs- und Bauangelegenheiten und bei wiederkehrenden Entscheidungen, z. B. in Personalsachen.

4.3.3 Ausschüsse des Presbyteriums

Auch ohne besondere Satzungsbestimmungen, die der Delegation von Entscheidungszuständigkeiten dienen, gab die KO-Reform durch die neuformulierten Artikel 126 bis 129 dem Presbyterium zahlreiche Möglichkeiten, sich durch Ausschüsse zu entlasten, die dann freilich nur beratende und vorbereitende Befugnisse haben können und nach Anweisung des Presbyteriums tätig werden müssen (Art. 128 Abs. 3 Satz 1). Diese Möglichkeit bestand zwar bisher schon im gewissen Umfang (Art. 128 und 129 a.F.), sie wurde jedoch stark ausgedehnt durch die ausdrückliche Einführung von speziellen Fach- und Bezirksausschüssen (Art. 126, Abs. 1, 127 Abs. 4 und 129) für bestimmte gemeindliche Arbeitsgebiete und durch die Einführung von Pflichtausschüssen für theologische, diakonische und finanzielle Fragen (Art. 127 Abs. 1 bis 3). Die Zusammensetzung der Ausschüsse ist neu geregelt worden: Jetzt sind in den Fachausschüssen besonders fachkundige Mitarbeiter der Gemeinde zu berücksichtigen. Schon vorher bestand die Möglichkeit, auch »sachkundige Gemeindeglieder«, die nicht Presbyter sind, in Ausschüsse zu berufen (Art. 129 Abs. 2 a.F.). Neu ist aber, daß sie durch die mögliche Bevollmächtigung der Ausschüsse zu Leitungsentscheidungen durch Satzung auch an Leitungsbeschlüssen mitwirken können; dadurch sollte die Freude an der Mitarbeit in der Gemeinde gestärkt werden. Die Satzung muß dann freilich Regelungen treffen, um Entscheidungen gegen das Presbyterium und über die Köpfe seiner Mitglieder hinweg in wesentlichen Punkten zu vermeiden. Dem

134 Vgl. N. Becker in KO-Kommentar Anmerkung 16 zu Art. 126.
135 Vgl. N. Becker in KO-Kommentar Anmerkung 4 und 12 zu Art. 126.

sollte wohl auch die etwas isoliert anmutende Bestimmung in Artikel 128 Abs. 1 Satz 2 dienen, daß speziell in Finanzausschüsse nur passiv wahlberechtigte und somit geschäftsfähige Gemeindeglieder berufen werden dürfen.

4.4 Änderungen durch das Gesamtkirchengemeindegesetz

Die letzte Änderung im Recht der Presbyterien erfolgte 1987 im Zusammenhang mit der Verabschiedung des Gesamtkirchengemeindegesetzes[136]. Hierfür wurde in Art. 104 ein neuer Abs. 2 angefügt, der für Gesamtkirchengemeinden ein »gestuftes Presbyterium« vorsieht: Die Leitung geschieht durch Bereichspresbyterien und durch das Gesamtpresbyterium gemeinsam (§§ 6 und 8 GKG). Eine Erweiterung von Artikel 115 Abs. 1 ermöglicht es, in Gesamtkirchengemeinden zwei stellvertretende Vorsitzende zu wählen. Auch das Recht der Fachausschüsse ist in Artikel 126 anders ausgestaltet: nach dem neuen Absatz 3 in Verbindung mit §§ 9 und 10 GKG werden hier für die Leitung der gesamtgemeindlichen Arbeitsfelder »bevollmächtigte Fachausschüsse« gebildet.

4.5 Gemeindeversammlung

Zu den Regelungen über das Presbyterium zählt auch Artikel 130 betreffend die Gemeindeversammlung. Diese Bestimmung, die trotz mancher Demokratisierungstendenzen in vielen Gemeinden bisher erstaunlich wenig praktiziert wird, wurde ebenfalls mehrfach geändert. Eine völlige Neufassung aus dem Jahr 1971[137] dehnte die Rechte der Gemeindeversammlung in einigen Punkten aus: Die Gemeindeglieder konnten die Tagesordnung verändern (Abs. 2) und erhielten das Recht, die Ergebnisse der Beratungen des Presbyteriums über die Vorschläge der Gemeindeversammlung zu erfahren (Abs. 5 Satz 2). In Abs. 4 erhielt die Gemeindeversammlung das Recht, über bestimmte Vorhaben unterrichtet zu werden. Die KO-Reform fügte einen neuen Absatz 7 an, der weitergehende Regelungen durch Satzungen zuläßt[138]. Schließlich wurde bei der Verabschiedung des Gesamtkirchengemeindegesetzes in Abs. 1 bestimmt, daß in – den ausgedehnten – Gesamtkirchengemeinden die Gemeindeversammlung in den einzelnen Gemeindebereichen stattfindet.

5. Rückblick und Ausschau

Ein Überblick über die kirchliche Entwicklung in den Gemeinden anhand der Rechtsänderungen wäre wesentlich aussagefähiger, wenn verwandte Kirchengesetze wie das Pfarrstellenbesetzungsgesetz und die Presbyterwahlordnung und die Fülle der Gesetze und Ordnungen über die gemeindlichen Dienste sowie über die Amtshandlungen hätten einbezogen werden können. Interessant für die Beurteilung der Verfassungsentwicklung wäre es auch, die von den Landessynoden letztlich abgelehnten, aber vorher breit diskutierten Änderungsvorschläge zu berücksichtigen; allein die verschiedenen Änderungsvorschläge im Rahmen der KO-Reform, z. B. für die Bestimmungen des Mitarbeiterrechts würden interes-

---

136 GKG vom 16. 1. 1987 (KABl. Seite 36) und Kirchengesetz vom 16. 1. 1987 (KABl. Seite 35), vgl. auch vorne unter 1.4.

137 Kirchengesetz vom 17. 6. 1971 (KABl. Seite 164).

138 Kirchengesetz vom 20. 1. 1979 (KABl. Seite 34 ff.).

sante Aspekte eröffnen. All das ist hier nicht möglich. Aber auch in der Beschränkung auf die Änderungen der KO-Bestimmungen im ersten Teil in den 37 Jahren seit Verabschiedung der Kirchenordnung werden Trends und Signale der volkskirchlichen Entwicklung und der bestimmenden Einflüsse wie auch Veränderungen im Bewußtsein und Leben der Gemeinden während dieser Zeit deutlich. Nicht zuletzt aus diesem Grund erscheint die Einbeziehung der Lebensordnung in diesen Überblick über die Rechtsänderungen im Gemeindebereich lohnend.

All diese Veränderungen können und sollen hier nicht abschließend bewertet werden; ihre Kurzdarstellung muß für sich selber sprechen. Gestattet sei aber der Schlußhinweis, daß insbesondere zwei Kapitel der Fortentwicklung im Recht der rheinischen Kirchengemeinden noch geschrieben werden müssen: Eine neue Lebensordnung und ein neues Mitarbeiterrecht.

Die KO-Bestimmungen über die kirchlichen Mitarbeiter (Art. 90 ff.) sind in den Berufsbezeichnungen und in der Beschreibung der Tätigkeiten an vielen Stellen längst überholt und bedürfen einer Neufassung, die wegen des raschen Wandels der Verhältnisse nicht so enumerativ angelegt sein sollte. Überholt erscheint auch die systematische Zuordnung all dieser Dienste unter der Überschrift »andere Dienste« im Gegenüber zum Dienst des Pfarrers und des Presbyters; hier wäre die sonst betonte Ausprägung der Dienstgemeinschaft in der Kirchengemeinde sachgemäßer. Schließlich sollte der ehrenamtliche Dienst vieler Gemeindeglieder (nicht nur der Presbyter) in der KO, die sich im ersten Teil auch als Gemeindeordnung versteht, angemessen verankert werden.

Die Bestimmungen der Lebensordnung werden in der Praxis vielfach übergangen, weil sie seelsorgerlichen Bemühungen vielfach nicht zu entsprechen scheinen; das trifft besonders für die Voraussetzung der Kirchenmitgliedschaft bei den Amtshandlungen zu. Vielleicht gelingt es einmal, für begleitendes geistliches Handeln der Kirche und ihrer Gemeinden am breiten »volkskirchlichen Rand« theologisch verantwortete, würdige und akzeptierte Formen zu finden. Zum andern erscheint es nicht mehr ausreichend, eine »Lebensordnung« der Gemeinde im wesentlichen nur anhand von Gottesdienst und Amtshandlungen in der KO zu regeln und zu beschreiben. Das Leben der Gemeinden schließt längst Formen des Zusammenlebens in Gemeindekreisen, in ihren Gruppen und in den kirchlichen Werken auf der Gemeindeebene ein. Zahlreiche Gemeinden haben ausgebaute Beziehungen und ökumenische Dauerkontakte zu Gemeinden in der DDR, in Osteuropa und zu christlichen Gemeinden in anderen Erdteilen. In jüngster Zeit sind auf dem Boden der Kirchengemeinde manche Initiativen mit teils kirchlicher, teils gesellschaftlicher Zielsetzung entstanden, zu denen die Kirchengemeinden unterschiedlich geartete Beziehungen unterhalten. Die Kirchenordnung, die im ersten Teil als Gemeindeordnung angelegt ist und deshalb die Lebensordnung einschließt, ist ohne Erwähnung und Regelung dieser Existenzformen der christlichen Gemeinde unvollständig.

Rechtliche Bemerkungen zur Zulässigkeit der Mitarbeit von Politikern in Leitungsgremien der Evangelischen Kirche im Rheinland

SUSANNA STAPELFELDT

1. Problemanzeige

Vor den Wahlen für die Besetzung eines Presbyteriums, der Kreis- oder Landessynode wird immer wieder die Frage aufgeworfen, ob Politiker Mitglieder von kirchlichen Leitungsgremien sein dürfen oder ob diese Mitgliedschaft nicht gegen die Trennung von Kirche und Staat verstößt.

Im Laufe der Diskussionen zu den diesjährigen Kirchenleitungswahlen hat sogar die Kreissynode Duisburg-Süd beschlossen: »Die Kreissynode Duisburg-Süd bittet die Landessynode, darüber zu beraten, ob angesichts der theologischen und kirchenpolitischen Entwicklung die gesetzlichen Grundlagen noch gegeben sind, daß jemand, der auf Landes- oder Bundesebene ein Parteiamt, ein parlamentarisches Amt oder ein Regierungsamt ausübt, Mitglied der Kirchenleitung sein darf.«[1]

Noch weitergehend hat die Kreissynode Dinslaken den Antrag gestellt: »Die Landessynode wird gebeten, die gesetzlichen Grundlagen dafür zu schaffen, daß niemand Mitglied der Kirchenleitung sein darf, der auf Landes- oder Bundesebene ein Regierungsamt (Regierungschef, Minister, Staatssekretär) ausübt.«[2]

In der folgenden Untersuchung soll nur die Zulässigkeit der Mitarbeit von politischen Mandatsträgern in kirchlichen Ämtern aufgrund der bestehenden Rechtslage, sowohl nach staatlichem Recht unter dem Gesichtspunkt der Trennung von Kirche und Staat und dem Neutralitätsgebot des Staates, als auch nach kirchlichem Recht überprüft werden. Weitergehende Fragestellungen, insbesondere die theologischen und gesellschaftspolitischen Fragen, können aufgrund der Kürze des Beitrages in dieser Abhandlung nicht diskutiert werden.

Die rechtliche Zulässigkeitsprüfung der Verbindung von einem kirchlichen mit einem politischen Amt durch einen Mandatsträger kann sich nicht auf die Mitgliedschaft eines Politikers in der Kirchenleitung der Evangelischen Kirche im Rheinland beschränken. Als presbyterial-synodal verfaßte Kirche ist die Evangelische Kirche im Rheinland von »unten«, der Kirchengemeinde, nach »oben«, der Landeskirche, aufgebaut[3]. Die Kirchengemeinde nimmt die zentrale Stellung im

1 Beschluß der Kreissynode Duisburg-Süd vom 4./5. November 1988, Protokoll der Landessynode 1989, Anlage XIII, Drucksache 12, Nr. 18.

2 Beschluß der Kreissynode Dinslaken vom 11./12. November 1988, Protokoll der Landessynode 1989, Anlage XIII, Drucksache 12, Nr. 7.

3 Becker, Anm. 6 zu Vorspruch, Die Kirchenordnung der Evangelischen Kirche im Rheinland mit Erläuterungen, Neuwied; Stapelfeldt, Die Entstehung der presbyterial-synodalen Ordnung als Verfassungsgrundsatz der Rheinischen Kirche sowie die Entwicklung der Presbyterwahlordnung, Vortrag gehalten anläßlich der Tagung der Kreissynode Birkenfeld am 9. November 1987, Sonderdruck des

kirchlichen Verfassungsgefüge ein[4]. Es ist ihre Aufgabe, als christliche Gemeinde alle zur Durchführung des Verkündungsauftrags des Herrn notwendigen Dienste einzurichten und zu ordnen (Präambel zur Kirchenordnung der Evangelischen Kirche im Rheinland). Alle Formen der Leitung, auch auf den übergemeindlichen Ebenen, zielen insgesamt auf die Verwirklichung dieses Dienstes ab[5]. Es gibt keine Überordnung zwischen den verschiedenen Leitungsebenen[6]. Die folgende Untersuchung befaßt sich dementsprechend nicht nur mit der rechtlichen Zulässigkeit der Wahl von Politikern in die Kirchenleitung, sondern bezieht auch die Besetzung der Ältestenämter der Kirchengemeinden und der Kirchenkreise mit ein.

Es stellt sich zunächst die Frage, ob die hier untersuchte »Personalunion« staatskirchenrechtlich zulässig ist oder ob sie gegen den verfassungsrechtlich verankerten Grundsatz der Trennung von Kirche und Staat bzw. die Neutralität des Staates verstößt.

2. Vereinbarkeit der Wahl eines politischen Mandatsträgers in ein kirchliches Leitungsamt mit dem Grundsatz der Trennung von Kirche und Staat und der Neutralität des Staates

a) Unterscheidung von Kirche und Staat

Zuvor ist jedoch auf den Unterschied von Kirche und Staat einzugehen. Nach einhelliger Meinung[7] obliegt dem Staat die Verantwortung und die Sorge für das weltliche Gemeinwesen. Demgegenüber ist die Aufgabe der Kirchen vor allem geistlicher Natur und auf Glaube und Bekenntnis gerichtet[8]. Staat und Kirche unterscheiden sich daher wesensmäßig. Aber dennoch gibt es Überschneidungen (die sogenannten res mixtae), da sich Kirche und Staat zum großen Teil an die gleichen Personen, als Gläubige und als Staatsbürger, wenden[9].

Kirchenkreises Birkenfeld, S. 1 ff.; vgl. Frost, Strukturprobleme evangelischer Kirchenverfassung, Göttingen 1972, S. 32 f.

4 Frost, Die Rechtstellung des Kirchenkreises der Evangelischen Kirche im Rheinland, Bonn 1958, S. 73 f.

5 Dalhoff, Synode und Kirchenleitung in der Evangelischen Kirche im Rheinland, in ZevKR 1964/1965, S. 89 ff., 96, Beckmann, Höhler, Die Leitung der Kirche in: Die presbyterial-synodale Kirchenordnung, Auszug aus dem Arbeitsbericht der Studienkommission der Evangelischen Kirche im Rheinland, 1966, S. 1 ff., 6 f.

6 Art. 7, 105, 140, 157, 168, 169 KO; Dalhoff, a.a.O., S. 98; vgl. Wolf, Kirchenverfassung, in: Evangelisches Staatslexikon, 3. Aufl., Stuttgart 1987, Sp. 1754; Rohde, Verwaltung und Rechtspflege einer presbyterial-synodal verfaßten Kirche, dargestellt an der Ordnung der Evangelischen Kirche im Rheinland, Diss. Köln 1972, S. 21.

7 Hesse, Kirche und Staat, in: Evangelisches Staatslexikon, Anm. 6, Sp. 1554 ff.; 1563 ff.; v. Campenhausen, Staatskirchenrecht, München 1983, 2. Aufl., S. 71; Hesse, Freie Kirche im demokratischen Gemeinwesen, in: ZevKR 1964/1965, S. 337 ff.; Scheuner, Kirche und Staat, in: Schriften zum Staatskirchenrecht, Hrsg. Listl, Berlin 1973, S. 109 ff.; Mikat, Kirche und Staat, in: Religionsrechtlichen Schriften, Hrsg. Listl, Berlin 1974, S. 265 f., 283.

8 Diese globale Unterscheidung berücksichtigt nicht das Wesen der Diakonie und der Caritas, die sich für das weltliche Wohl der Menschen im geistlichen Auftrag, christliche Liebestätigkeit, einsetzen. S. a. v. Campenhausen, Staat-Kirche-Diakonie. Zur Rechtsprechung des Bundesverfassungsgerichts im diakonischen Bereich, Hannover 1982, S. 11 ff.

9 S. Anm. 7.

b) Das Verhältnis von Kirche und Staat nach dem Grundgesetz

Die rechtlichen Grundlagen für das Verhältnis von Kirche und Staat finden sich in Artikel 4 und Artikel 140 Grundgesetz in Verbindung mit Artikel 137 Weimarer Reichsverfassung sowie auch in dem überwiegenden Teil der Landesverfassungen[10].

aa) Das bis 1918 geltende System des Staatskirchentums leitete sich aus der engen Verbundenheit des Staates mit der Kirche, hinsichtlich der evangelischen Kirche als Landeskirchen, ab. Der Staat hatte ein eigenes Interesse an der Existenz und den Aufgaben der Kirche, deren Verwaltung teilweise weitgehend in den Staat integriert war. Der Landesherr hatte teilweise auch Funktionen eines obersten Bischofs. Die Kirchenbehörden waren Staatsbehörden. Kirchengesetze wurden als Staatsgesetze erlassen[11]. Die Ausrufung der Republik und die Abschaffung der Monarchie machte in diesem System eine Änderung erforderlich. Die Weimarer Reichsverfassung (Art. 137 Abs. 1) beseitigte deswegen die bis dahin bestehenden engen Bindungen zwischen Kirche und Staat. Staatliche und kirchliche Aufgaben wurden fortan unterschieden[12].

Die Kirchen nahmen ihre Angelegenheiten selbständig und unabhängig vom Staat wahr. Diese Trennung zwischen Kirche und Staat war jedoch von eigener Art. Zum einen war den Kirchen die Selbständigkeit im Rahmen der allgemeinen Gesetze garantiert worden, zum anderen sollten sie ihre überkommenen Rechte, insbesondere ihren öffentlich rechtlichen Status, weiter behalten, soweit dies mit einem weltanschaulichen neutralen Staat vereinbar war[13].

Auch durch das in den zwanziger Jahren entwickelte Vertragsstaatskirchenrecht, mit dem das Reich bzw. die Länder und die Kirchen bestimmte Gebiete durch Verträge sicherten, wurden die Kirchen aus dem Kreis der sonstigen Religionsgemeinschaften herausgehoben und erhielten damit eine Vorrangstellung. Allerdings räumten die Kirchen auch dem Staat eine Reihe von Mitwirkungsrechten ein[14]. So entwickelte sich zwischen Kirche und Staat eine vertrauensvolle Zusammenarbeit[15].

In der Zeit des sogenannten Dritten Reiches wurde nach dem Versuch, eine

10 Die Länder haben aufgrund der Verfassung die Zuständigkeit zur Regelung von kirchlichen Angelegenheiten. Das Grundgesetz gibt aber den verfassungsrechtlichen Rahmen für das Verhältnis von Kirche und Staat, den die Länder bei ihren Regelungen beachten müssen, s. a. Mikat, Das Verhältnis von Kirche und Staat im Landes Nordrhein-Westfalen in Geschichte und Gegenwart (1966), in: Religionsrechtliche Schriften, Anm. 7, S. 181 ff., 1984; Scheuner, Wandlungen im Staatskirchenrecht in der Bundesrepublik Deutschland (1968) in: Schriften zum Staatskirchenrecht, Anm. 7, S. 237 ff., 245.

11 Mikat, Das Verhältnis von Kirche und Staat in der Bundesrepublik, in: Religionsrechtliche Schriften, Anm. 7, S. 163 ff., 164.

12 Die Trennung von Kirche und Staat wurde auch von dem seit der französischen Revolution bestehenden Gedanken der Befreiung des Staates von dem Monarchen von Gottes Gnaden und der damit verbundenen Lösung des Staates von der Kirche beeinflußt, s. a. Liermann, Hinkende Trennung und Disestablishment – Ein Beitrag zur Gegenwartsproblematik des deutschen Staatskirchenrechts auf geschichtlicher Grundlage (1967), in: Jus Ecclesiasticum Bd. 17, S. 207 ff., 219.

13 Dazu gehören auch die Anerkennung der Kirchen als Körperschaften des öffentlichen Rechts sowie die Eigentumsgewährleistung und Staatsleistungen, Art. 138 WRV und andere vermögens- und strafrechtliche Schutzbestimmungen, s. a. Mikat, Anm. 11, S. 165.

14 Zu den wichtigsten Verträgen im einzelnen: Mikat, Anm. 11, S. 167 f.; sowie Maunz, Anm. 25 ff. zu Art. 140 GG, in Maunz-Herzog-Dürig, Kommentar zum Grundgesetz, München 1987.

15 Hesse, Kirche und Staat, Anm. 7, Sp. 1553.

weitgehende Verschmelzung von Staat, Kirche und Volk zu erreichen[16], eine radikale Trennung von Kirche und Staat durchgeführt mit dem Ziel der völligen Entrechtung und Zerstörung der Kirche[17]. Diese Situation änderte sich mit dem Kriegsende 1945 und mit Erlaß des Grundgesetzes 1949.

bb) Die Entwicklung des Verhältnisses von Kirche und Staat nach 1949 zeichnet sich dadurch aus, daß zwar die Regelungen der Weimarer Zeit, Artikel 137 Abs. 1 Weimarer Reichsverfassung, mit aufgenommen worden sind, aber sich die gesamte Lage der Kirche und des Staates, auch in ihrem Selbstverständnis und in ihrem Verhältnis zueinander, gewandelt hat. Auf staatlicher Seite hat sich der Wandel in der Form vollzogen, daß es sich heute – im Unterschied zum Weimarer Reich – um die Trennung der Kirche von einem modernen, funktionierenden, demokratischen Staatsgebilde handelt. Dies – und der mit der Demokratie verbundene gesellschaftliche Pluralismus – stellen neue Anforderungen an das Miteinander von Kirche und Staat. Ein weiterer Gesichtspunkt für das veränderte Verhältnis von Kirche und Staat ist die zunehmende Säkularisierung des Staates, d. h. die »Entchristlichung der Welt«[18]. Daneben besteht spätestens aufgrund des Kirchenkampfes die Einsicht, daß es sich bei Kirche und Staat um zwei wesensverschiedene Gebilde handelt, die sich zwar in der Regel an die gleichen Bürger richten, der Staat aber seine Sorge ausschließlich auf das weltliche Gemeinwohl, die heutige Kirche sich hingegen vornehmlich geistlich ausrichtet, auf Glaube und Bekenntnis[19]. Dies führt auf kirchlicher Seite zu einem verstärkten Eintreten für die Selbständigkeit gegenüber dem Staat und gegen staatliche Einflußnahme[20].

Die als »Verlegenheitslösung«[21] übernommenen Artikel der Weimarer Reichsverfassung haben sich als geeignetes Instrument erwiesen, dieser neuen Lage gerecht zu werden. Es galt, den Ertrag des Kirchenkampfes für das Verhältnis zwischen Kirche und Staat angemessen zur Wirkung zu bringen und eine Ordnung zu finden, die zum einen die Freiheit und Selbstbestimmung der Kirche zur Erfüllung ihrer Aufgaben garantiert und die zum anderen den Prinzipien des neuen demokratischen Staates auch im Verhältnis zur Kirche gerecht wird[22].

Aus einer sehr engen Zusammenarbeit während des Aufbaus in der Nachkriegszeit hat sich ein partnerschaftliches Miteinander herausgebildet, das sich insbesondere in dem neuen Vertragsstaatskirchenrecht manifestiert[23].

---

16 Mikat, Anm. 11; S. 169; Beckmann, Der Kampf der bekennenden Kirche im Rheinland um die Presbyterial-Synodale Kirchenordnung, in: ZevKR 1951, S. 135 ff., 261 ff.

17 Beckmann, Das Wort Gottes bleibt in Ewigkeit: erlebte Kirchengeschichte, Neukirchen-VLUYN, 1986, S. 284, 323 ff.; Scholder, Kirchenkampf, in: Evangelisches Staatslexikon, Anm. 6, Sp. 1625.

18 Hesse, Kirche und Staat, Anm. 7, Sp. 1555.

19 Hesse, Kirche und Staat, Anm. 7, Sp. 1554 f.; s. a. These V Barmer Erklärung; Mikat, Kirche und Staat, in: Staatslexikon, hrsg. von der Görres-Gesellschaft, 7. Aufl. Freiburg, Basel, Wien 1987, Sp. 487; s. aber a. Anm. 8.

20 Scheuner, Die Kirche im säkularen Staat, in: Schriften zum Staatskirchenrecht, Anm. 7, S. 215 ff., 217; ders., Erörterungen und Tendenzen im gegenwärtigen Staatskirchenrecht der Bundesrepublik, in: Essener Gespräche zum Thema Staat und Kirche, Bd. 1, S. 108 ff.

21 v. Campenhausen, Staatskirchenrecht, Anm. 7, S. 45; Mikat, Anm. 11, S. 163.

22 Hesse, Kirche und Staat, Anm. 7, Sp. 1564; v. Campenhausen, Staatskirchenrecht, Anm. 7, S. 68.

23 Scheuner, Die Kirche im säkularen Staat, Anm. 20, S. 234 f.; Becker, Kirche und Staat in der Bundesrepublik – eine Bestandsaufnahme, 1989, bisher nur in ungarischer Sprache veröffentlicht, LKA Nr. 17221, Az.: 11-3-6, S. 26 ff.; Ein Beispiel für das Verhältnis von Kirche und Staat ist die Präambel des sog. »Loccumer Vertrages« zwischen den ev. Landeskirchen in Niedersachsen und dem Land Niedersachsen vom 19. März 1955.

Auf diesem Hintergrund ist das Verbot der Staatskirche in Artikel 137 Absatz 1 Weimarer Reichsverfassung und damit die Trennung von Kirche und Staat in einem Zusammenhang mit dem Selbstbestimmungsrecht der Kirche, Artikel 137 Absatz 3 Weimarer Reichsverfassung, zu sehen, nämlich der Freiheit der Kirche vom Staat und damit korrespondierend der Freiheit des Staates von der Kirche und der Freiheit der Kirche im Staat. Mit dem Verbot der Staatskirche ist kein Verbot jeglicher staatlich-kirchlicher Verbindungen ausgesprochen, sondern das Verbot der Aushöhlung der rechtlichen Eigenständigkeit und Unabhängigkeit von Kirche und Staat und ein Identifikationsverbot des Staates mit der Kirche[24].

Durch die Wahrnehmung eines kirchlichen Leitungsamtes durch einen Politiker wird die hier angesprochene Freiheit des Staates von der Kirche bzw. der Kirche vom und im Staat rechtlich nicht beeinträchtigt, da es dadurch zu keiner Aushöhlung der rechtlichen Eigenständigkeit sowohl der Kirche als auch des Staates kommen kann. Selbst wenn ein Politiker ein kirchliches Amt übernähme, weil er Politiker ist, und nicht, weil er als Christ der Kirche dienen will, so wäre dies die Entscheidung eines einzelnen und nicht die der Institution Staat. Umgekehrt wird ein kirchlicher Mandatsträger mit der Übernahme eines politischen Amtes nicht die Identifikation der Kirche mit dem Staat bewirken. Die Grenze dafür, daß die gleichzeitige Wahrnehmung eines hohen kirchenleitenden und eines staatsleitenden Amtes rechtlich unbedenklich ist, könnte dann erreicht sein, wenn es sich um die Verbindung der jeweils höchsten Ämter handelt (Präsesamt, Regierungschef, Bundespräsident etc.). Aber auch hier ist nicht die Freiheit der Institution voneinander bedroht, insbesondere, da die Trennung zwischen Kirche und Staat keine laizistische darstellt[25], sondern ein kooperatives Zusammenwirken.

cc) Fraglich könnte sein, ob die Übernahme von kirchlichen Ämtern durch Politiker gegen das Neutralitätsgebot des Staates verstoßen könnte. Die religiöse Neutralität des Staates ist ein Grundzug des Verhältnisses zwischen Kirche und Staat. Zwar ist die Religionsneutralität nicht ausdrücklich im Grundgesetz aufgenommen worden, sie ergibt sich aber aus dem Gesamtkontext der Verfassung[26].

Unter Religionsneutralität des Staates im Sinne des Grundgesetzes versteht man das Verbot der Identifikation des Staates mit einer Religion oder Religionsgesellschaft, z. B. durch weltanschauliche Stellungnahmen durch den Staat. Dies bedeutet aber keine Trennung von Kirche und Staat[27].

Die Folgerung aus der Religionsneutralität des Staates geht nicht soweit, daß dem einzelnen Politiker sein christliches Engagement verboten werden könnte. Es handelt sich vielmehr darum, eine institutionelle Verbindung und eine organisatorische Einheit zwischen Kirche und Staat zu vermeiden. Eine solche institutionelle Verbindung liegt nicht in der gleichzeitigen Wahrnehmung eines kirchli-

---

24 Hollerbach, Kirche und Staat, in: Staatslexikon, Anm. 19, Sp. 493.

25 Hesse, Kirche und Staat, Anm. 7, Sp. 1564; v. Campenhausen, Staatskirchenrecht, Anm. 7, S. 74 ff.

26 BVerfGE 41, 29 (50); Zum verfassungsrechtlichen Gesamtbild gehören auch Art. 3 Abs. 3, Art. 4 Abs. 1, Art. 6, Art. 7, Art. 33, Abs. 3 GG sowie Art. 136 Abs. 1 und 4 und Art. 137 WRV i. V. m. 140 GG; s. Maunz, Anm. 43 zu Art. 140 GG, Anm. 14.

27 Scheuner, Anm. 10, S. 249; Weber, Gelöste und ungelöste Probleme des Staatskirchenrechts, NJW 1983, S. 2541 ff., 2543; vgl. a. Schlaich, Neutralität II, in: Evangelisches Staatslexikon, Anm. 6, Sp. 2239 ff., 2242; Maunz, Anm. 52 zu Art. 140 GG, Anm. 14.

chen und eines politischen Mandats durch eine einzelne Person vor, auch wenn es sich um staats- und kirchenleitende Ämter handelt.

c) Ergebnis der staatskirchenrechtlichen Zulässigkeitsprüfung
Zusammenfassend ist festzustellen, daß nach staatlichem Recht die Übernahme von kirchlichen Leitungsaufgaben durch einen Politiker zulässig ist.

Auf der Grundlage des geltenden Staatskirchenrechts müßte der Staat aber eine kirchliche Inkompatibilitätsregelung tolerieren. Die religiöse Neutralität des Staates steht in einem engen Zusammenhang mit dem Selbstbestimmungsrecht der Kirche[28]. Das Grundgesetz regelt in Artikel 140 in Verbindung mit Artikel 137 Absatz 3 Weimarer Reichsverfassung, daß die Kirchen ihre Angelegenheiten selbständig innerhalb der Schranken des für alle geltenden Gesetzes ordnen. Hierzu gehört auch die Ämterhoheit und die Wahl von selbständigen kirchlichen Leitungsgremien durch eigene vom Staat unabhängige Organe[29].

Dies bedeutet, daß, selbst wenn die Kirche Regelungen gegen die staatsrechtlich zulässige gleichzeitige Übernahme eines kirchlichen und eines staatlichen Mandats treffen würde, der Staat dies akzeptieren müßte, da die Entscheidung, wie und wer Ämter und Funktionen in der Kirche wahrnimmt, unmittelbar die Verkündigung und damit das Wesen der Kirche betrifft.

3. Vereinbarkeit der Wahl eines politischen Mandatsträgers in ein kirchliches Leitungsgremium mit kirchenrechtlichen Regelungen

a) Zulässigkeit aufgrund des kirchlichen Wahlrechts
Zunächst stellt sich die Frage, ob es nach den bestehenden Regelungen der Kirchenordnung der Evangelischen Kirche im Rheinland zulässig ist, daß der Träger eines politischen Mandats in ein kirchliches Leitungsamt gewählt wird.

Die Leitungsorgane in der Evangelischen Kirche im Rheinland sind für die Kirchengemeinde das Presbyterium (Artikel 104 KO), für den Kirchenkreis die Kreissynode (Artikel 140 KO) bzw. der Kreissynodalvorstand (Artikel 157 KO) und für die Landeskirche die Landessynode (Artikel 168 KO) bzw. die Kirchenleitung (Artikel 192 KO)[30].

Die Zulässigkeitsvoraussetzungen für die Wahl in eines dieser Leitungsgremien ist die »Befähigung zum Presbyteramt«, Artikel 84, 141, 142, 159, 174, 176, 196 KO, und die Wahlfähigkeit nach §§ 1, 2 Presbyterwahlordnung bzw. §§ 1, 2 der Mitarbeiterwahlordnung.

Die Befähigung zum Presbyteramt ist in Artikel 84 KO geregelt. Danach kann einem Gemeindeglied u. a. nur dann das Presbyteramt übertragen werden, wenn

28 Schlaich, Zur weltanschaulichen und konfessionellen Neutralität des Staates, Eine staatsrechtliche Problemskizze, in: Essener Gespräche zum Thema Staat und Kirche Bd. 4, S. 9 ff., 12; Maunz, Anm. 44 zu Art. 140 GG, Anm. 14.

29 Maunz, Anm. 18 zu Art. 140 GG i.V.m. Art. 137 WRV, Anm. 14; v. Campenhausen, Staatskirchenrecht, Anm. 7, S. 82.

30 Der Kreissynodalvorstand und die Kirchenleitung nehmen im Auftrage der entsprechenden Synode die Aufgaben und Rechte dieser Synode in dem Zeitraum wahr, in dem diese nicht tagt, Art. 157 Abs. 1 und 192 Abs. 1 KO.

es sich durch die gewissenhafte Erfüllung der Pflichten eines evangelischen Gemeindegliedes als treues Glied der Gemeinde bewährt hat. Wer Gemeindeglied ist, richtet sich nach Artikel 13 KO. Hierfür sind nur die Taufe, die Bekenntniszugehörigkeit und der Wohnsitz entscheidend, nicht der Beruf[31].

Artikel 84 KO bedient sich mehrerer unbestimmter Rechtsbegriffe. Zum einen »die gewissenhafte Erfüllung der Pflichten eines evangelischen Gemeindegliedes« zum anderen »des treuen Gliedes der Gemeinde«. Juristisch spricht man von einem unbestimmten Rechtsbegriff, wenn für die Anwendung ein Beurteilungsspielraum bleibt[32].

Dementsprechend läßt sich die Frage, was unter den Pflichten eines evangelischen Gemeindegliedes zu verstehen ist, nicht generell beantworten. Es kommt immer auf die besonderen Verhältnisse an[33]. Es gehören aber sicherlich die Teilnahme am Gottesdienst[34], die evangelische Erziehung der Kinder, Artikel 40 KO, die Teilnahme am heiligen Abendmahl[35] sowie die kirchliche evangelische Trauung dazu[36]. Dies ergibt sich insbesondere auch aus Artikel 14 Abs. 2 und 3 KO.

Aber auch bei diesen Anforderungen gibt es hinsichtlich der Beurteilung, wann eine Pflicht eines Gemeindegliedes gewissenhaft erfüllt ist oder nicht, örtlich bedingte Unterschiede[37].

Es handelt sich bei den Anforderungen in Artikel 84 und 14 KO um ihrem Wesen nach geistliche Ansprüche und nicht um einen rechtlich erzwingbaren Pflichtenkatalog, wie ihn die katholische Kirche kodifiziert hat[38].

Hier stellt sich die Frage, ob die Annahme und Ausübung eines politischen Mandats der Erfüllung dieser Pflichten eines Gemeindegliedes widersprechen.

In Betracht zu ziehen wäre Artikel 14 Abs. 3 KO. Danach sind die Gemeindeglieder dazu gerufen, ihr Leben in der Verantwortung zu führen, welche die Glieder der Kirche Jesu Christi vor Gott haben. In Art. 14 Abs. 3 Satz 2 KO wird aufgezählt, was von einem Gemeindeglied hinsichtlich der Lebensführung erwartet wird (kirchliche Trauung, christliche Erziehung, Konfirmation und kirchliche Bestattung).

Es fragt sich, ob auch die Berufsausübung zu der Lebensführung im Sinne des Artikels 14 KO gehört, auch in Anbetracht dessen, daß in den übrigen Bestimmungen des Artikels 4 KO der Bereich erfaßt wird, der sich auf die Gemeinschaft der Gläubigen bezieht und die damit verbundenen Zugehörigkeitserfordernisse. Der Anspruch des Evangeliums richtet sich aber auf das gesamte Verhalten eines Menschen und nicht nur auf spezielle Lebensbereiche[39], so daß zu der Lebensfüh-

31 S. a. Kirchenmitgliedschaftsgesetz der EKD vom 10. 11. 1976; Ausnahmen des Wohnsitzes sind in Art. 13 III KO i.V.m. dem Gemeindezugehörigkeitsgesetz der EKiR vom 9. 1. 1980 genannt.
32 Zur Problematik von unbestimmten Rechtsbegriffen, Erichsen-Martens, Allgemeines Verwaltungsrecht, 7. Auflage, Berlin, New York, 1986, § 12 III 1 b.
33 Becker, Anm. 11, 20, 21 und 26 zu Art. 84 KO, Anm. 3.
34 Becker, Anm. 20, 23 zu Art. 84 KO, Anm. 3.
35 Becker, Anm. 23 zu Art. 84 KO, Anm. 3.
36 Becker, Anm. 4 zu Art. 14 KO und Anm. 26 zu Art. 84 KO, Anm. 3.
37 Becker, Anm. 2 und 26 zu Art. 84 KO, Anm. 3.
38 Frost, Strukturprobleme evangelischer Kirchenverfassung, Anm. 3, S. 74.
39 Wilkens, Politik, in: Evangelisches Staatslexikon, Anm. 6, Sp. 2578.

rung auch die Berufsausübung gehört[40]. Art. 14 Abs. 3 KO enthält somit keine abschließende Aufzählung dessen, was unter einer christlichen Lebensführung zu verstehen ist. Wenn es aber unstreitig ist, daß bewußte Christen sich in der Politik engagieren können, kann es umgekehrt auch nicht gegen eine christliche Lebensführung sprechen, wenn sich ein politisch engagierter Christ auch im kirchlichen Bereich betätigt. Wie bei anderen Berufen auch, kommt es hier darauf an, wie der Betreffende die kirchliche Amtsführung verantwortet. Damit steht Artikel 14 KO einer Kandidatur eines Politikers für ein kirchenleitendes Amt nicht entgegen. Auch verstößt die Wahrnehmung eines politischen Mandats allein nicht gegen die gewissenhafte Erfüllung der Pflichten eines evangelischen Gemeindegliedes.

Nach Artikel 84 KO muß sich der Kandidat weiterhin für ein kirchliches Leitungsamt als »treues Gemeindeglied« bewährt haben. Auch dieser Begriff ist ein unbestimmter Rechtsbegriff.

Unter »treuem« Gemeindeglied ist zu verstehen, daß das Gemeindeglied durch sein Verhalten zum Ausdruck bringt, daß es nicht nur vorübergehend die Gemeinschaft fördern und ihr angehören will. Auch diese Verpflichtung ist durch die Wahrnehmung eines politischen Mandats nicht prinzipiell ausgeschlossen.

Ebenso ist den anderen Wahlvoraussetzungen der Kirchenordnung und der Presbyterwahlordnung bzw. dem Mitarbeiterwahlgesetz kein Verbot der Wahl eines Politikers aufgrund seines staatlichen Amtes zu entnehmen. Diese Ausschließungsgründe sind wegen ihrer Bedeutung für den Betroffenen aus Gründen der Rechtssicherheit als abschließend anzusehen.

Ein Politiker ist demzufolge nach kirchlichem Recht in ein kirchenleitendes Amt wählbar.

b) Vereinbarkeit mit allgemeinen Grundsätzen der Kirchenordnung

Zu prüfen bliebe, ob die Wahrnehmung eines kirchlichen Leitungsamtes durch einen Politiker gegen den Grundartikel I der Kirchenordnung, hier insbesondere die These V der Barmer Erklärung, verstößt. Speziell die fünfte These der theologischen Erklärung von Barmen spricht das Verhältnis von Kirche und Staat an. In ihr wird eine scharfe Trennung gezogen zwischen Kirche und Staat aufgrund ihres unterschiedlichen Wesens[41].

Mit der fünften These der Barmer Erklärung wird die strikte Einhaltung der Neutralität des Staates gefordert, nämlich die Abwehr staatlicher Eingriffe in die inneren Angelegenheiten der Kirche und die Einhaltung des unbedingten Selbstbestimmungsrechts der Kirche in der Ordnung und Verwaltung ihrer Angelegenheiten[42]. Trotz der deutlichen Unterscheidung zwischen Kirche und Staat in der fünften These kann aber mit Barmen V nicht auf eine strikte Trennung von Kirche und Staat durch ein abstraktes oder gleichgültiges Nebeneinander geschlossen werden, sondern es besteht nach ihr eine positive Beziehung zwischen Kirche und

40 Wilkens, a.a.O., Sp. 2576ff.; Maunz, Anm. 55 zu Art. 140 GG, Anm. 14.

41 Für Recht und Frieden sorgen, Auftrag der Kirche und Aufgabe des Staates nach Barmen V; theologisches Votum der Evangelischen Kirche der Union – Bereich Bundesrepublik Deutschland und Berlin-West, Veröffentlichung des Theologischen Ausschusses der Evangelischen Kirche der Union – Bereich Bundesrepublik Deutschland und Berlin-West; hrsg. v. Hüffmeier, Gütersloh 1986, S. 75.

42 Zum Folgenden: a.a.O., S. 98ff.

Staat. »Die Kirche erkennt ›in Dank und Ehrfurcht‹ und sicherlich auch mit ihrer Fürbitte die Wohltat der göttlichen Anordnung des staatlichen Auftrages an. Das bedeutet umgekehrt, daß dem Staat in der Wahrnehmung seines begrenzten Auftrages das Gegenüber der Kirche zugute kommt.«[43] In diesem Sinn wird vom Staat eine positive weltanschauliche Neutralität erwartet. Sie entspricht dem staatlichen Selbstverständnis, das um seine Selbstbegrenzung da weiß, wo sich die politische Meinungsbildung seiner Bürger im schutz- und förderungswürdigen Bereich der weltanschaulichen Freiheit gründet. Inhaltlich darf dieser Bereich vom Staat nicht geregelt werden, im Gegenteil, er hat in Rahmenbedingungen diese positive Neutralität zur Wirkung zu bringen[44].

Diese Konsequenz der fünften These der Barmer Erklärung für das Verhältnis von Kirche und Staat entspricht dem staatskirchenrechtlichen Verständnis von Kirche und Staat nach dem Grundgesetz.

Die fünfte Barmer These richtet sich an den Staat als Institution, aber auch an das einzelne im Staate Verantwortung tragende Individuum. Die in ihr ausgesprochenen Erwartungen der Kirche an das Verhältnis von Kirche und Staat und das Selbstverständnis des Staates aus kirchlicher Sicht werden nicht dadurch tangiert, daß ein Christ, der ein aktives politisches Mandat ausübt, in einem kirchenleitenden Amt die kirchlichen Geschicke mitlenkt, wenn das positive Miteinander von Kirche und Staat beachtet bleibt unter Wahrung der weltanschaulichen Neutralität des Staates und der Einhaltung des Selbstbestimmungsrechts der Kirche. Unter dieser Voraussetzung ist es keinem Christen seitens der Barmer Erklärung verwehrt, sowohl ein politisches als auch ein kirchliches Amt auszuüben.

Auch aus den anderen Thesen der Barmer Erklärungen läßt sich kein Verbot der gleichzeitigen Mitgliedschaft in einem kirchen- und einem staatsleitenden Organ herleiten.

Damit verstößt die Wahl eines Politikers in ein kirchenleitendes Amt nicht gegen die Kirchenordnung.

c) Unvereinbarkeit der Übernahme eines kirchlichen Leitungsamtes durch einen politischen Mandatsträger aus kirchlichen Inkompatibilitätsgründen

aa) Unter Inkompatibilität in diesem Zusammenhang versteht man die Unvereinbarkeit zweier Funktionen in ein und derselben Person[45]. Hier stellt sich die Frage, ob das politische Mandat mit der Wahrnehmung eines kirchlichen Leitungsamtes vereinbar ist. Zweifel hieran sind u. a. ausgesprochen worden, weil es gemäß § 4 Abgeordnetengesetz der Evangelischen Kirche der Union für Pfarrer und Kirchenbeamte nicht möglich ist, beide Mandate auszuüben. Der Pfarrer oder Kirchenbeamte muß sich entscheiden: entweder Annahme des politischen Mandats mit der dienstrechtlichen Folge der Versetzung in den Wartestand oder Verzicht auf das politische Mandat. Ziel dieser Regelung ist es, zum einen zu verhindern, daß ein Pfarrer mit parteipolitischen Aktivitäten in der Gemeinde den Anspruch verliert, Seelsorger für alle Gemeindeglieder zu sein, gleichgültig welcher politischen Richtung sie zuneigen. Zum anderen wird von einem Pfarrer

43 A.a.O., S. 100.
44 A.a.O.
45 Herzog, Inkompatibilität, in: Evangelisches Staatslexikon, Anm. 6, Sp. 1336 ff.

gefordert, daß er sich mit seiner ganzen Kraft in den Dienst der Gemeinde stellt. Dies kann durch das nicht minder zeit- und kraftaufwendige politische Amt beeinträchtigt werden[46].

Mit dieser Interessenlage ist aber die hier anstehende Frage nicht vergleichbar. Das Abgeordnetengesetz hat eine Schutzfunktion für die Gemeinde und die einzelnen Gemeindeglieder, damit sie nicht durch politische Aktivitäten des Pfarrers ihr Vertrauen in den Seelsorger der Gemeinde verlieren.

Der durch politische Aktionen des Pfarrers mitbedingte Unfrieden in der Gemeinde kann erheblich sein und zu einer Spaltung der Gemeinde in Gegner und Anhänger führen, was dem geistlichen Amt abträglich ist. In der heutigen Zeit, in der fast alle Pfarrstellen besetzt sind, ist es für die Kirchengemeinde ausgesprochen schwierig, sich von einem Pfarrer zu trennen, der nicht mehr von dem Vertrauen der Gemeinde getragen wird. Wenn ein Mitglied eines kirchenleitenden Organes hingegen politisch aktiv ist, haben die Gemeindeglieder die Möglichkeit, ihn entsprechend dem Turnus (bis zu acht Jahren) abzuwählen, so daß sie nicht auf Dauer an ihn als Mitglied des Leitungsorgans gebunden sind. Zudem ist die Wirkung der politischen Aktivitäten eines Pfarrers eine andere, dadurch, daß das Amt immer mit der Person verbunden wird und der Pfarrer keine »Privatperson« ist, sondern immer die Kirche vertritt[47], als wenn ein anderes Mitglied des Leitungsgremiums sich in der Öffentlichkeit politisch betätigt. Schließlich wird an den sogenannten Laien im Leitungsgremium nicht der Anspruch gestellt, die volle Arbeitskraft für den Dienst in der Kirche zur Verfügung zu stellen. Ein ehrenamtliches Mitglied des Leitungsorgans steht nicht von vornherein vor der Wahl zwischen Beruf oder kirchlichem Amt. Dies kann sich zwar in der Praxis ergeben, da die Kirche ihre engagierten Mitglieder zum Teil mit zuviel Arbeit, Ämtern und Funktionen betraut. Es ist aber nicht von vornherein geboten. Im Gegenteil, von einem ehrenamtlichen Mitglied eines Leitungsorgans wird erwartet, daß es seine Berufserfahrung mit in die kirchliche Arbeit einbringt und auch als kirchlicher Multiplikator in seinem Berufsumfeld tätig ist. Das gleiche gilt auch für politische Mandatsträger. Hierbei könnte es im Einzelfall zu einer Interessenkollision kommen. Eine Kollision zwischen kirchlichen und staatlichen Interessen kann aber nicht grundlegender Art sein, wenn der Mandatsträger die staatskirchen- und kirchenrechtlichen Regelungen über das Verhältnis von Kirche und Staat beachtet. Vor Interessenkonflikten sind aber auch andere Mitglieder eines kirchenleitenden Organs nicht geschützt, wenn in dem Leitungsgremium Beschlüsse gefaßt werden oder Beratungen stattfinden, die ihre berufliche oder private Sphäre betreffen.

Entsprechendes wie für die Pfarrer gilt auch für die Kirchenbeamten und kirchlichen Mitarbeiter. Die Kirchenbeamten und kirchlichen Mitarbeiter üben ebenfalls nicht nur ein Amt im üblichen Sinn aus, sondern sie haben mit der Übertragung der Dienstgeschäfte auch zugleich Anteil an einem geistlichen Dienst. Diese

---

46 BVerfGE 42, 312 (335 f.).

47 Vgl. § 34 PfDG der Evangelischen Kirche der Union; Beckmann, Ein Wort zum Verständnis des § 34 des Pfarrerdienstgesetzes, in: Handreichung für die Mitglieder der Landessynode und der Kreissynoden der Evangelischen Kirche im Rheinland, Nr. 26 (1972), S. 3 ff., S. 7.

Regelung im Abgeordnetengesetz hat Annexcharakter zur Regelung für die Pfarrer[48].

bb) Auch die Regelung über die politische Betätigung in den Gemeinden, § 34 Pfarrerdienstgesetz der Evangelischen Kirche der Union, und die Anzeigepflicht bzw. Untersagungsmöglichkeit der Übernahme von politischen Funktionen, § 3 rheinisches Ausführungsgesetz zum Pfarrerdienstgesetz, haben die gleiche Zielrichtung wie die Inkompatibilitätsregelung des § 4 Abgeordnetengesetz, daß der Pfarrer Seelsorger der ganzen Gemeinde ist, er mit der gesamten Gemeinde verbunden ist und in der Öffentlichkeit immer als Repräsentant der Kirche gilt. Die politische Betätigung wird dem Pfarrer aber nicht verboten, sondern er wird nur ermahnt, die Wirkung seiner politischen Betätigung im Blick auf sein Amt zu bedenken[49]. Damit liegt in § 34 Pfarrerdienstgesetz keine Inkompatibilitätsvorschrift im eigentlichen Sinne vor.

4. Schlußbemerkungen

Es ist weder aufgrund der verfassungsrechtlichen Regelungen des Verhältnisses der Kirche zum Staat noch nach innerkirchlichem Recht unzulässig, wenn ein politischer Mandatsträger kirchliche Leitungsaufgaben wahrnimmt.

In einer Zeit, in der die Gefahr besteht, daß mehr und mehr die Kirche zur Minderheit in einer säkularen Umwelt wird, ist es besonders wichtig, daß Christen in ihrem Umfeld bewußt ihr Christsein leben und Verantwortung sowohl in den weltlichen als auch in den kirchlichen Gremien übernehmen. Dies gilt auch für die politisch aktiven Christen, nur müssen sie sich immer der Eigenständigkeit der Kirche zum Staat als Institution und umgekehrt des Staates zur Kirche bewußt bleiben.

Bei der Diskussion um Änderung der jetzigen Rechtslage ist auch zu berücksichtigen, daß mit Einführung einer entsprechenden Inkompatibilitätsregelung einem Teil der Gemeindeglieder verwehrt würde, ihren Dienst für den Herrn im kirchlichen Leben, in der Form der Wahrnehmung kirchlicher Leitungsverantwortung, zu übernehmen. Der Kreis der davon Betroffenen ist um so größer, als in ihn nicht nur die Landes- oder Bundespolitiker, sondern auch die Kommunalpolitiker gehören. Nicht nur das Land oder der Bund begegnen der Kirche als Staat, sondern gerade auch die Kommunen, insbesondere auf Kirchengemeinde- bzw. Kirchenkreisebene.

Es besteht durch eine Änderung die Gefahr, daß die Kirche an Glaubwürdigkeit verlieren könnte, wenn Christen zwar die Politik mitgestalten sollen, die Mitverantwortung von politisch engagierten Christen für die Leitung in der Kirche aber abgelehnt wird unter Berufung auf die Eigenständigkeit der Kirche und ihr Selbstbestimmungsrecht.

---

48 Vgl. a. BVerfGE 42, 312 (343); s. auch Begründung des AbGG der Evangelischen Kirche der Union, in: Protokoll der Landessynode 1985, Drucksache 19, Allgemeines.

49 Beckmann, Anm. 47, S. 6; Scheuner, Sinn und Auslegung des § 34 des Pfarrerdienstgesetzes der Evangelischen Kirche im Rheinland, in: Handreichung für die Mitglieder der Landessynode und der Kreissynoden der Evangelischen Kirche im Rheinland, Nr. 26 (1972), S. 9 ff.

2. Aus dem Bereich der Evangelischen Kirche der Union

»Barmen«
– Anmerkungen zur Einheit der Kirche –

Enno Obendiek

I.

1. »Die Bekenntnissynode der Deutschen Evangelischen Kirche ist die grundsätzliche Abkehr von dem mit der Union von 1817 beschrittenen Wege« (Hans Asmussen, Die konfessionelle Bedeutung der Bekenntnissynode der deutschen evangelischen Kirchen 1934 in Barmen, in: Junge Kirche 1934, Seite 484). – »Die Union von 1817 ist eine säkulare Union in der Kirche, die keine biblischen Grundlagen hat ... Man kann es Lutheranern und Reformierten, die sich an die Heilige Schrift und die Bekenntnisse der Kirche gebunden wissen, nicht verübeln, daß sie zu dieser säkularen Union seit jeher Nein gesagt haben« (R. Steiner, Reformierte Kirchenzeitung 1934, Seite 121). – »So lehnen wir es ab, aus der Tatsache, daß Lutheraner, Reformierte und Unierte die Theologische Erklärung gemeinsam abgegeben haben, zu folgern, daß hierdurch ein neues Bekenntnis als Grundlage einer neuen Kirche entstanden sei« (Der Lutherrat am 3. 2. 1937 in: Heinz Brunotte, Die Theologische Erklärung von Barmen 1934 und ihr Verhältnis zum lutherischen Bekenntnis, in: Bekenntnisstand und Kirchenverfassung, 1977, Seite 149). – Wer aus zeitlicher Entfernung als Betrachter des Kirchenkampfes der Meinung war oder ist, damals habe der deutsche Protestantismus seine konfessionellen Grenzen mutig übersprungen und für immer hinter sich gelassen, um mit der Theologischen Erklärung von Barmen sich und der Welt die Wahrheit zu sagen, muß seine Vorstellung korrigieren. Auch wenn das Zustandekommen der Theologischen Erklärung von Barmen von einem Synodalen unmittelbar im Anschluß an die langen Tage und kurzen Nächte der Synodalversammlung als ein »Wunder« bezeichnet wurde – das »Wunder« bezog sich auf die überraschende Einigung von Lutheranern, Reformierten und Unierten zur Textgestalt der Erklärung –, so ist es bei diesem Wunder nicht geblieben. Wenig später setzte konfessionelle Kritik an »Barmen« ein. Die Abneigung gegen die Meinung, »Barmen« könne so etwas wie ein Unionsbekenntnis sein, glich fast der Abneigung gegen die Irrlehre, die »Barmen« verwirft. »Die Befürchtung, daß ›Barmen‹ sich als bekenntnisrelevant erweisen könnte, überwog zeitweise so stark, daß eine unbelastete sachliche Prüfung des theologischen Gehalts der Thesen kaum noch möglich war« (Helmut Zeddies, Ein Ausdruck gemeinsamen Bekennens, Lutherische Monatshefte 1984, S. 547ff.). Kaum war der ganze Spuk verschwunden, die Kirche wieder frei und eine geschichtliche Nachbetrachtung möglich, hieß die Frage: »Sind damit Reformierte, Unierte und Lutheraner nicht zu ›wahrer Einigkeit der christlichen Kirche‹ ... zusammengeführt worden? Stellt die Barmer Erklärung nicht einen Consensus in der Lehre des Evangeliums jenseits der bisherigen konfessionellen Lehrunterschiede dar‹?« Und es wurde geantwortet: »Es wäre eine Undankbarkeit gegen Gott, die brüderliche Gemeinschaft, die zwischen Gliedern reformierter, unierter und lutherischer Gemeinden und Kirchen durch das gemeinsame Bekennen von Barmen und durch den gemeinsam geführten Kampf gegen die falsche Lehre entstanden ist, abzuweisen, statt sie als

eine Gabe Gottes mit Dank zu empfangen und zu erhalten. Es wäre aber ein Widerspruch zu dem lutherischen Bekenntnis, in dieser brüderlichen Gemeinschaft als solcher die ›wahre Einheit der christlichen Kirche‹ erblicken zu wollen« (Peter Brunner, Union und Konfession, 1946, Seite 10 und 11). Wer immer also damals gehofft hatte, durch ein Ereignis, das die Kirche nicht heraufgeführt hatte, und durch eine überraschend richtige Reaktion ihrerseits eine Möglichkeit eröffnet zu sehen, jahrhundertelange und damit je länger, je weniger einsichtige Trennungen innerhalb des Protestantismus beendet sein zu lassen, sah sich durch den Gang der Ereignisse während des Kirchenkampfes und durch die Urteile über ihn danach getäuscht.

2. Gerechterweise muß zu den Meinungen, die im unmittelbaren Zusammenhang mit der Barmer Synode zum Thema »Union« geäußert wurden, der historische Kontext mit einbezogen werden. Über der deutschen evangelischen Kirche stand drohend eine andere Union, die für diese Kirche an die Stelle des Kreuzes das Hakenkreuz setzen wollte. In einem politisch motivierten Einheitstaumel sollte ein Gebilde geschaffen werden, die eine deutsche Reichskirche, dem jedes geistliche Moment fehlte. Angesichts dieser Drohung, von außen an die Kirche mit Gewalt herangetragen, konnte eine möglicherweise positive Beurteilung der Union von 1817 dem Gewaltregiment der nationalsozialistischen Kirchenführung nicht auch noch Argumente liefern. Insofern ist aus der Situation heraus das Urteil über die Union von 1817 selbst in seiner polemischen Form und seinem nicht ganz den Tatsachen gerecht werdendem Inhalt, so, wie es aus den konfessionellen Lagern kam, verständlich. Dennoch ist dieses Urteil symptomatisch für eine äußerst kritische Begleitung, die die Union, und nicht nur die von 1817, aus den konfessionellen Lagern seit ihrem Entstehen am Anfang des 19. Jahrhunderts immer wieder erfahren hat. Die Union ist ein ungeliebtes Kind der Geschichte der Kirche. Ihre Freunde und Verfechter haben es nicht leicht gehabt. Ihre Kritiker dagegen wußten, was zu kritisieren war:

3. Von Anfang an hat man der Union von 1817 vorgeworfen, sie sei eine Union von »oben« gewesen. Das verbirgt sich hinter der Bezeichnung »säkular«. Ein König habe sie befohlen, ein gewiß theologisch interessierter König, der die Texte der Reformation selbst gelesen hatte, der ein kritischer Hörer der Predigt war und einmal den Gottesdienst verließ, nicht weil die Predigt den König kritisierte, sondern weil sie ihn und die preußische Armee übermäßig gepriesen hatte (»Konnte das nicht länger anhören. Kann Prediger nicht brauchen, der nicht weiß, daß Gottes Wort nie dem Menschen schmeichelt...« nach H. J. Schoeps, Die preußische Union von 1817, in: Union und Ökumene, Berlin 1968, Seite 149), der als ein frommer Christ immer noch darunter litt, daß er zu Lebzeiten seiner Frau nie mit ihr hatte gemeinsam zum Abendmahl gehen können – diese ehrenwerten Motive heben das historische Faktum nicht auf, daß die Union nicht gewachsen, sondern befohlen war. (Freilich, auch die lutherischen Bekenntnisse der Reformationszeit kamen von »oben«, jedenfalls waren sie nicht synodal legitimiert.)

Aufklärung und Pietismus haben erheblich zur Entstehung der Union beigetragen. Beide haben das eingebracht, was man der Union vorwarf: Indifferentismus, Nivellierung, Desinteresse an theologischer Lehre. »Die Abschleifung der konfessionellen Gegensätze ist beider Werk« (Wilhelm Maurer, Kritische Fragen an die Unionen, in: Union und Ökumene 1968, Seite 91).

Die vom König entworfene Agende, programmierter Ausdruck der Union, »wirkte äußerst altertümlich« (Schoeps, a.a.O.), weil der König auf Luthers Formulare von 1523 und 1526 sowie auf die Brandenburgische Agende von 1540 zurückgegangen war. Er hatte sich aus der Bibliothek die Formulare des 16. Jahrhunderts zum sorgfältigen Quellenstudium kommen lassen. Ihr warf man sehr schnell vor, sie »katholisiere, der Prediger solle wieder Priester werden, die Liturgie sei als opus operatum mißverstanden, der protestantische Gottesdienst nähere sich wieder der katholischen Messe an« (Schoeps, a.a.O.). Kein Wunder also, daß diese Agende mit wenig Begeisterung aufgenommen wurde: »Daher haben sich damals nur etwa 6 % der gesamten preußischen Geistlichkeit ohne Einschränkung zur Annahme der Agende bereit erklärt, die meisten wollten die Annahme von bestimmten Bedingungen abhängig gemacht wissen« (Schoeps, a.a.O.).

Die Union war ein territorial begrenztes Unternehmen. Aus dem Geist der Zeit und der politischen Lage konnte sie sich anders nicht gestalten. In einem institutionellen Denken, das uns heute fremd geworden ist, waren die Grenzen mit der Person des Königs und mit den Grenzen von Preußen gegeben, sowie die etwa zur gleichen Zeit an anderen Orten stattfindenden Unionen selbstverständlich auch auf ihre Landesgrenzen beschränkt waren (Hessen, Baden, Pfalz).

Nur eine Kultusunion, nur eine Verwaltungsunion sei in Wahrheit die preußische Union und eben keine Consensusunion. Und das »nur« war minimierend, wenn nicht disqualifizierend gebraucht. Die »beati possidentes« wußten, woran es der Union mangelte – »Hat die Union überhaupt ein Bekenntnis?« (Hans Asmussen in seinem Einbringungsreferat auf der Barmer Synode) –, woraus sich von selbst ergab, daß Einheit von Kultus und Verwaltung für den theologischen Wert von Union nicht viel bedeutete.

Und schließlich hat man ihr den Vorwurf gemacht, daß innerhalb dieses Kirchengebildes aus den Konfessionskirchen »Schulen«, theologische Schulen wurden und Kirchen also praktisch zu theologischen Geistesrichtungen degradiert wurden. Union, das sei ein Gebilde ohne Bekenntnis und darum mit Sicherheit keine Kirche.

II.

1. Die Kritik läßt sich erweitern. Sie läßt sich nicht dadurch aus der Welt schaffen, daß man sie für irrelevant oder für falsch hält. Sie muß in vielen Punkten gehört und verarbeitet werden. Man hat ihr geantwortet mit Hinweis auf die positiven Erscheinungen, die mit der Union für die Gesamtkirche und die Gesellschaft verbunden werden sollten und sicher auch verbunden waren. Dazu gehörte die Förderung der Toleranz, der Gewissensfreiheit und der Glaubensfreiheit. Im nachhinein erscheint es fast rührend, wie diese Erwartungen auch auf elementare Beziehungen zwischen Gemeindegliedern angewendet werden sollten: »Menschen, die in einem Dorf, in einer Stadt, in einem Lande zusammenleben, und jetzt durch die Konfession geschieden und getrennt sind, vereinigt die Union und bringt sie in Eintracht zusammen. Die Union verstärkt intensiv und extensiv die Kirche durch die Vereinigung beider Konfessionen, sie erleichtert die Prediger-

wahlen, sie vermehrt das Vermögen der Gemeinden, in denen sie es konzentriert, sie fördert die Verpflegung und Unterstützung der Armen und bringt in das gottselige Werk der Hülfe Einheit und Zusammenhang, sie vereinfacht die Behörden und erhöht Kraft und Wirkung. Die Union verbindet viele Ehen, lutherischer und reformierter Konfession, durch Verschmelzung beider inniger, bringt Eheleute und Kinder auf einen Weg und befreit dadurch das häusliche und Familienglück von den Störungen verschiedener Kirchen- und Seelsorger. Der Segen der unierten Eintracht, die nach einem trachtet, ist unermeßlich groß und wird wie Gottes Sonne mit jedem neuen Morgen neu über das Haus, die Kirche und den Staat aufgehen« (so der Verfasser der Unionsurkunde, Wuhlemann Friedrich Eylert, zitiert nach: Klaus Wappler, der theologische Ort der preußischen Unionsurkunde vom 27. 9. 1817, Berlin 1978, Seite 111). Man wird sich dabei vergegenwärtigen müssen, daß Trennungen zwischen lutherischen und reformierten Gemeinden damals fast annähernd so unüberwindlich waren, wie in manchen Gebieten heute die Trennung zwischen evangelisch und römisch-katholisch. Das hatte in der Tat Auswirkungen auf die Beziehung von Gemeindegliedern. Der Verfasser ist im Besitz eines Briefes aus der eigenen Familie, der in der Mitte des vergangenen Jahrhunderts geschrieben wurde. Der Briefschreiber – ein angehender Lehrer – teilt sehr höflich einem von ihm auserwählten Mädchen mit, er sei nun doch nicht in der Lage, sie zur Ehefrau zu nehmen, da er dem reformierten und sie dem lutherischen Bekenntnis angehöre und die Auffassung vom Abendmahl sie trenne, das sei keine geeignete Grundlage für eine Lebensgemeinschaft.

2. Der Widerspruch gegen die Kritik kann nicht – nur – darin bestehen, daß die Verdienste der Union aufgelistet werden. Ein Blick über die eigenen Grenzen hinaus öffnet vielleicht ein Verständnis für die Einheit der Kirche, das in der innerprotestantischen Unterscheidung der Konfessionen nur schwer zu erkennen ist.

Wer als ein Freund der Ökumene die Augen und Ohren offen hält für die Entwicklungen, die dort nach dem Krieg eingesetzt haben, wird so etwas feststellen können wie einen Trend zur Union, einen Trend zur Kirchengemeinschaft, zu Bund, zu Einigungen, zu Vereinigungen. Es geht hier nicht um die Begriffe, sondern um das Phänomen, daß Kirchen in der Ökumene mehr und mehr sich dem Gedanken öffnen, daß die Trennung der Kirchen ein »Skandal« (Karl Barth) ist. Selbstverständlich gibt es dabei, wie bei den Unionen im vergangenen Jahrhundert, eine Fülle von historischen, säkularen und persönlichen Motiven, die im einzelnen nicht auseinander zu halten sind. Aber sie fallen zusammen mit theologischen Erkenntnissen, und alle gemeinsam zwingen zu der Überlegung, ob das Gebot der Einheit und die Verheißung der Einheit der Kirche bisher nicht vernachlässigt und übersehen wurden. Es gibt Fragen der Effizienz, den Druck der Situation, den Überlebenswillen einer Minderheit als Motiv, über Einheit nachzudenken. Aber es gibt auch das Motiv der theologisch richtigen Erkenntnis, daß die Trennung der Kirchen nicht euphorisch als »Vielfalt« der Erscheinung von Glauben und Kirche dargestellt werden kann, sondern eine »Last« (Ordnung der EKU, Artikel 1, 4) ist und als solche auch empfunden werden muß. Bei dem energischen Bemühen und dem erklärten Willen, sich dem Gebot der Einheit zu stellen, werden Einsichten wieder wach, die im Grunde als Theorien immer schon gegolten haben, aber deren praktische Bedeutung so wenig sichtbar wird.

Dazu gehört die protestantische Erkenntnis, daß Bekenntnissen ein Charakter der Vorläufigkeit eignet. Sie sind zeitgebunden. Sie geben Antwort auf eine ganz spezielle, so kaum sich wiederholende Herausforderung. Sie gehören zur Tradition der Kirche, sie formulieren Erkenntnisse, die unverzichtbar sind. Aber sie tun es in einer Weise, die den zeitlich begrenzten Erkenntnisstand sichtbar macht. Sie sind deshalb in irgendeiner Weise immer auch defizitär. Sie sagen nicht alles, sie können es gar nicht sagen. Deshalb werden die Bekenntnisse der Väter und Mütter der Kirche weder aufgehoben, noch gestrichen, noch für ungültig erklärt. Deren Bekenntnisse sind so wenig aufhebbar, wie die Geschichte der Kirche aufhebbar ist. Und was an neuen Bekenntnissen formuliert wird, baut auf den Vorgängern auf. Das Beispiel der Ökumene zeigt, daß Überraschungen in der Weise möglich sind, daß Einheit, Union, Vereinigung denkbar ist, gar vollzogen wird, ohne daß die letzten Kontroversen alter Bekenntnisformulierungen ausgetragen sind. Union im Vollzug, das ist das praktische neue Bekenntnis. Dieser Vollzug macht ernst damit, daß Bekenntnisformulierungen immer einen situativen Charakter haben. Das Gebot, zur Einheit der Kirche zu kommen, kann nicht deshalb unerfüllt bleiben, weil ständig nach dem »Bekenntnisstand« (was ist das?) gefragt wird. »Barmen« war – gewollt oder ungewollt – eine Union im Vollzug. Zu fragen ist, ob mit der Besinnung auf dieses Ereignis die überall angelaufenen Gespräche in ihrem vorwärtsweisenden Charakter noch verstärkt werden und die Sorge um den Besitzstand der Bekenntnisse nicht vermindert werden kann.

Wo solche Unionen oder Vereinigungen in der Ökumene in Gang kommen, da wächst Platz und Freiheit, neue Bekenntnisse zu formulieren. Viele von diesen Bekenntnissen sind inzwischen bekannt geworden. Sie beziehen sich zu einem guten Teil direkt auf die reformatorischen Bekenntnisse, zu einem anderen Teil wagen sie neue Formulierungen. So sind die Hinweise auf den Glauben der Väter und Mütter nicht mehr die Anzeige von Grenzen, sondern die dankbare Erinnerung an die, die im Glauben vorangegangen sind. Das Bekenntnis ist – in seiner formulierten Fassung – an die zweite Stelle gerückt, also an die Stelle, an die es gehört. Es bleibt bezogen auf die Schrift, auf den Glauben, es bleibt so relativ. So kann es aber auch neu gewagt werden und ist frei von Fragen, die gestern wichtig waren.

Wenn also Kirchen erkennen, daß das Gebot der Einheit existiert, wenn pragmatisch gesehen Tendenzen, mindestens Bemühungen zu Unionen und Vereinigungen in der Ökumene erkennbar sind, wenn Provinzialität verboten und ökumenisch aufeinander hören geboten ist, dann ist zu fragen, ob nicht für zukünftige Überlegungen »Barmen« eine Hilfe sein kann.

III.

»Die Kirche der Union hat sich niemals auf ein neues Bekenntnis berufen, hat sich niemals als Consensusunion verstanden. Auch die Barmer Erklärung hat diese Bedeutung nie gewonnen, hat sie vielleicht nie gehabt« (Maurer a.a.O., Seite 102). Vielleicht sollte man einschränkend sagen: Sie hat bisher die Funktion eines Unionsbekenntnisses nicht gehabt. Könnte sie diese Bedeutung erhalten? Es gibt einige Gründe, die dafür sprechen.

1. Die Barmer Erklärung ist uniert zustande gekommen. Die Kritik, die von Anfang an die Union aus dem konfessionellen Lager begleitet hat, hat in Barmen und danach zwar zu der wiederholten und sich wiederholenden Bemerkung geführt, »Barmen« sei kein Unionsbekenntnis. Aber diese Feststellung hat nicht verhindern können, daß sich damals in einer brisanten Situation schließlich Union eingestellt hat, vielleicht gegen den Willen ihrer Kritiker, aber auch mit ihrer Hilfe, weil sie letztendlich zu jenen erlaubten Konzessionen bereit waren, die die Annahme der Barmer Erklärung ermöglichten. Was bedeutet die Tatsache, daß damals Union gelebt wurde, theologisch? Oder hat dieses Faktum keinen theologischen Charakter? »Barmen« ist ein Unionsdokument, wenn es auch als solches nicht geplant war, wenn es auch erst im nachhinein mit dieser Bezeichnung belegt und – sogleich konfessionell kritisiert wurde. Aber warum sollte »Barmen« nicht heute noch als ein »Wunder« gelten? Das wäre nicht eine Bezeichnung für das schlechthin Abnorme, das man nicht zur Regel machen darf. Es wäre die Bezeichnung für etwas neues, überraschendes, nicht von Menschen gemachtes, sondern aus der Hand Gottes für diese Kirche angeboten. Immerhin hat das »Wunder« von »Barmen« eine Gemeindewirklichkeit wenn nicht herbeigeführt, so doch verstärkt, die den Rückschritt in die konfessionelle Unterscheidung nicht mitmacht oder mitmachen würde.

2. Das Bekenntnis ist generell ein Akt der Kirche, »eine aufgrund gemeinsamer Beratung und Entschließung zustande gekommene Formulierung und Proklamation ... die Diskussion und das aus ihr resultierende Ergebnis muß dadurch die breiteste mögliche Basis bekommen, daß man so viele wohl unterrichtete und dem Bekenntnis verpflichtete Mitbekenner findet, wie irgend möglich« (Karl Barth, Dogmatik I/2 § 20). »Barmen« ist von einer Synode angenommen worden, die Basis ist breit. »Die Barmer Bekenntnissynode ist – ein historisches Faktum! – jedoch ein Zeugnis dafür, daß es ›in Deutschland einmal eine Theologie‹ gab, ›die mit der Gemeinde und eine Gemeinde, die mit der Theologie hören und reden durfte und wollte‹« (Ernst Wolf, Barmen, Seite 163). War also diese Synode nicht Kirche? Wenn sie es nicht war, warum war sie es nicht? Ihr diesen Charakter zu verweigern aufgrund der Tatsache, daß die angeblichen Bekenntnisunterschiede angeblich nicht ausgetragen sind, hieße eine Norm anlegen, die weder aus den reformatorischen Bekenntnisschriften noch aus der biblischen Verkündigung zu erheben ist.

3. »Barmen« ist nicht territorial eingegrenzt, weder landeskirchlich, noch konfessionell, noch politisch. Es ist in jeder Beziehung ein grenzüberschreitendes Dokument. Der Inhalt von »Barmen« und die Erfahrung mit dieser Erklärung sind ein Beleg dafür, daß die damalige Situation im besten Sinne exemplarisch war. Eben dieser exemplarische Charakter wird den Bekenntnissen der Reformation zugeschrieben. Daß sie längst aus ihrer konfessionellen, landeskirchlichen oder politischen Verengung herausgetreten sind, macht sie würdig, heute als Bekenntnis zu gelten. Sie sind heute wichtig weit über die Grenzen der Gruppen hinaus, die sie einmal formuliert haben. »Barmen« hat diesen Weg auch schon hinter sich.

4. »Barmen« hat sich historisch bewährt. Nichts von dem, was dort formuliert war, hätte wenige Jahre später zurückgenommen oder korrigiert werden müssen, als sich die Situation eher noch verschärft hatte. Wenn heute »Barmen« bedrück-

ten Kirchen in Südafrika und Korea eine Hilfe ist, dann gewiß auch deshalb, weil manches dort vergleichbar ist mit der Barmer Situation. (»Wir erklären, daß unser eigenes Bekenntnis mit dem Apostolikum, dem Nizänischen, dem Chalkedonensischen, dem Augsburgischen, dem Helvetischen und dem Westminster-Bekenntnis, der Barmer Erklärung und den Zwölf Artikeln der Koreanischen Presbyterianischen Kirche übereinstimmt«, Neues Bekenntnis 1972, nach L. Vischer, Reformiertes Zeugnis heute, S. 37). Selbst die Kritiker der Union gestehen das zu, daß »Barmen« richtig war und durch kein anderes Dokument in den Schatten gestellt wurde. Und umgekehrt wird man kritisch sagen dürfen: Die Bekenntnisschriften der Reformation haben damals nicht ausgereicht, Christen und Kirchen vor tödlichen Irrtümern zu bewahren, wobei gleichgültig ist, ob die Kirche selbst ihre Bekenntnisschriften von damals nicht lebendig genug erhalten hat oder ob es daran lag, daß diese Bekenntnisschriften für diese historische Situation wenig hergaben. Die Lutheraner haben sich nicht mit der Confessio Augustana und die Reformierten haben sich nicht mit dem Heidelberger Katechismus gewehrt. Beide haben mit »Barmen« gemeinsam das Wort gefunden, das gesagt werden mußte. CA und Heidelberger Katechismus haben sich an anderer Stelle bewährt und tun es noch heute.

5. Längst hat sich wirkungsgeschichtlich erwiesen, daß »Barmen« nicht durch feierliche Erklärungen, sondern durch seine Rezeption und seinen Gebrauch zu einem Bekenntnis geworden ist. Offiziell gilt »Barmen« in der Evangelisch-reformierten Kirche (Synode evangelisch-reformierter Kirchen in Bayern und Nordwestdeutschland) vom 9. Juni 1988: »Als Urkunden des Bekenntnisstandes der Evangelisch-reformierten Kirche (Synode evangelisch-reformierter Kirchen in Bayern und Nordwestdeutschland) gelten die altkirchlichen Bekenntnisse (Apostolicum, Nicaeno-Constantinopolitanum, Athanasianum), der Heidelberger Katechismus und die Theologische Erklärung von Barmen vom 31. Mai 1934. In diesen Bekenntnisschriften sieht die Evangelisch-reformierte Kirche (Synode evangelisch-reformierter Kirchen in Bayern und Nordwestdeutschland) – vorbehaltlich weiterführender schriftgemäßer Glaubensbekenntnisse – maßgebliche Zeugnisse für ihre kirchliche Verantwortung.« In anderen Kirchenordnungen wird sie so erwähnt, daß man an den Formulierungen erkennen kann, wie wenig daran gefehlt hat, sie den reformatorischen Bekenntnissen gleichzustellen. So wie sie heute weltweit gebraucht und zitiert wird, ist die Barmer Erklärung ein Bekenntnis geworden, über alle Konfessionsgrenzen hinweg. Sie hat mit dafür gesorgt, »daß zumindesten die Mitgliedskirchen des Ökumenischen Rates in mehr als einer Hinsicht de facto in einer Union leben« (Lukas Vischer, Neues Bekenntnis und neues Bekennen, in: Union und Ökumene, Berlin 1969, Seite 57).

6. Die Barmer Erklärung bringt das, was die Mitte jedes Bekenntnisses sein muß und ist, den Ruf zu Christus. Dieser Ruf ist kirchengründend, nicht ein »Bekenntnisstand«. Dieser Ruf war und ist der Anfang der christlichen Kirche, auf ihn hat sich alles mit Recht nach innen und nach außen zugespitzt, wenn die Situation innerlich und äußerlich bedrängend wurde. Es mag sich dann aus diesem Bekenntnis und seiner Auslegung – und jedes Bekenntnis ist auslegungsbedürftig – ergeben, was die christliche Kirche an einem bestimmten Ort und zu einer bestimmten Zeit und zu einer bestimmten Herausforderung noch zu sagen hat. Aber am Anfang der Bestimmung ihrer selbst und ihres Auftrages kann nichts anderes stehen als der Ruf zu Christus. Hier kann und wird es auch keine konfessionellen Grenzen geben.

7. Zunehmende Säkularisierung macht die Antwort auf völlig neue Fragen nicht leichter, sondern schwieriger. Die christologisch bestimme Ethik, wie sie »Barmen« (These II) formuliert hat, ist zugleich Bestimmung der Bindung und der Freiheit, eine von Christus bestimmte Antwort zu suchen auf weltweite Grundfragen, »die wesentlich ethische Grundentscheidungen mit einschließen und deswegen für die Kirchen eine unmittelbare Herausforderung und Verpflichtung zu Zeugnis und Dienst sind. Da diese Fragen ›grenzüberschreitend‹ sind, stellt sich neu die Suche nach Möglichkeiten ›grenzüberschreitender‹ Gemeinsamkeit zwischen den Kirchen ein, um von der gemeinsamen Botschaft her zu gemeinsamen Entscheidungen und Handlungen zu kommen« (Günter Bransch, Die Einheit der Kirche in der Verschiedenheit des politischen Handelns, in: Unio und Confessio, Seite 94). Man wird die Herausforderung der »politischen Grundfragen« nicht eng sehen dürfen. Sie betreffen nicht nur Fragen der gesellschaftlichen Organisation, des Verhältnisses zum Staat, der Wirtschaft, sondern auch private Situationen. Und es handelt sich um Fragen, die in ihrer Qualität bisher niemals gestellt waren. Die Möglichkeit etwa, daß die Menschheit sich selbst und alle Lebensmöglichkeiten für immer unwiederbringlich zerstören kann, war bisher undenkbar. Sie ist es nicht mehr. Atomtechnik, Gentechnik, generell medizinische Technik, Kommunikationstechnik, Wirtschaftsethik, Weltraumforschung – das sind Fragen, die – möglicherweise – neues Bekennen erfordern.

8. »Barmen« hat nirgendwo jenen ausgrenzenden Charakter, der einzelnen Formulierungen der Bekenntnisschriften der Reformation zu einem guten Teil anhängt (CA X: ». . . et improbant secus docentes«, gemeint waren die Reformierten. – Heidelberger Katechismus Frage 81: »Und ist also die Messe im Grunde nichts anderes, denn eine Verleugnung des einigen Opfers und Leidens Jesu Christi und eine vermaledeite Abgötterei«, gemeint waren die Katholiken. Der Text ist heute gestrichen.) Sie haben sich von einem anderen Teil der christlichen Kirche absetzen wollen, diese Bekenntnisse waren nicht Gesamtausdruck des christlichen Glaubens, sondern: »Konfession ist – welche Ironie! – mit einem Mal der terminus technicus für eine partikulare Kirche geworden« (Lukas Vischer, a.a.O.). So sind sie auch Zeugnisse einer theologischen Auseinandersetzung innerhalb des protestantischen Lagers, die uns heute nicht mehr weiterhelfen. »Barmen« nimmt auf diese Kontroversen keinen Bezug, es gibt keine Gelegenheit dazu, es gibt auch keinen Zwang dazu, im Gegenteil, diese Bezugnahme wäre antiquiert gewesen. Und »Barmen« konnte auch nicht erst dann gesagt werden, nachdem die alten konfessionellen Streitereien beendet waren. Es stellte sich – historisch gesehen – heraus, daß diese Streitereien angesichts einer neuen Herausforderung einen marginalen Wert erhielten. »Barmen« hat diese Kontroversen nicht zu Ende geführt, aber nebensächlich gemacht und dadurch vielleicht mit dazu beigetragen, daß später »Arnoldshain« und »Leuenberg« möglich wurden. Hans Asmussen hatte noch auf der Barmer Synode in seinem Vortrag gesagt: »Eine frühere Zeit hat meinen können, daß die zwischen uns noch unerledigten Fragen unwesentlich seien. Wir erachten es als ein Geschenk Gottes, daß wir in den letzten Jahren gelernt haben, wie wesentlich diese Fragen sind. Es seien nur einige dieser Fragen genannt. Wie kann und soll etwa das vor mehr als 300 Jahren abgebrochene Gespräch zwischen Lutheranern und Reformierten über das Heilige Abendmahl, über die Lehre von Christus, über die Erwählung wieder aufgenommen werden?« (Carsten Nicolaisen, Der Weg nach Barmen, Seite 118).

Unabhängig davon, daß zumindest seine Frage nach dem Verständnis des Abendmahls inzwischen durch die Arnoldshainer Abendmahlsthesen beantwortet ist, wäre ein geradezu stolzer Hinweis auf die nach wie vor wichtigen Unterschiede und Differenzen heute kaum noch denkbar.

IV.

Es gibt Kritiker der Union, die mit ihren Anfragen an den Realitäten vorbeifragen. Inzwischen hat die Union eine Geschichte hinter sich, die andere Kirchen ermutigt, das Ziel der Einheit der Kirchen, wo immer und wie immer möglich, ins Auge zu fassen. Von daher ergibt sich möglicherweise eine umgekehrte Fragerichtung auf diejenigen Kritiker hin, die dem Ziel der Einheit der Kirche – in welcher Form auch immer – skeptisch gegenüberstehen. Wer Einheit sagt und meint, sagt und meint damit noch nicht Uniformität und auch nicht Triumphalismus. Im Gegenteil: Es könnte sein, daß die Union mit ihrer »Last« der nach wie vor in ihr existierenden Unterschiede eher davor geschützt ist, sich im Besitz einer abgeschlossenen Wahrheit zu befinden und diese Wahrheit geschichtslos auf alle anderen anzuwenden, als diejenigen Kirchen, die ihren »Bekenntnisstand« zu ihrem Besitzstand machen. Also stellen wir einige Fragen, zu denen uns »Barmen« ermutigt und die im gehörigen Abstand zum historischen Datum in Würdigung dessen, was es inzwischen bewirkt hat, nötig sind.

1. Was bedeutet die Tatsache, daß sich das Gemeindebewußtsein durchweg eher auf »Barmen« hin, als von ihm wegbewegt hat? Was bedeutet es theologisch, daß weithin die Gemeinde die Theologische Erklärung von Barmen als ein Bekenntnis bezeichnet und benutzt? Sie wird ja unterstützt in dieser Auffassung durch die Formulierung der Präambel von »Barmen«: »Wir bekennen uns . . . zu folgenden evangelischen Wahrheiten.« Man hat das Wort »Bekennen« in Barmen eben nicht vermieden und die ständige negative Bestimmung, daß »Barmen« kein Bekenntnis sei, läßt immer die positive Bestimmung dessen, was ein Bekenntnis ist, was es konstitutiv charakterisiert, vermissen. In der Bestimmung des Bekenntnisses müßte dann eine Diginität zum Vorschein kommen, die weit über das hinausgeht, was »Barmen« geleistet hat. Jedenfalls hat die Gemeinde in ihrem Bewußtsein keine Probleme gehabt mit dem, was mit den Arnoldshainer Abendmahlsthesen oder mit der Leuenburger Konkordie ihr angeboten wurde. Für ihre alltägliche, allsonntägliche Praxis wurde in Arnoldshain und in Leuenburg beschrieben, was längst Wirklichkeit war. »Barmen« hat ein Verständnis von Einheit in der Gemeinde geweckt, das auch nach diesem Ereignis lebte und praktiziert wurde. Wenn man hinzu nimmt, daß »Barmen« in These III eine Bestimmung von Kirche anbietet, die die Reformation nicht leisten konnte, dann kann nicht ohne theologische Bedeutung bleiben, daß in der Kirche inzwischen die Einheit ohne Brüche praktiziert wird.

2. Wie reagiert die Kirche auf Anforderungen, die mit Hilfe der Bekenntnisschriften der Reformation nicht mehr zu bewältigen sind? Es ging damals um einen innerkirchlichen Streit, der falsche Lehre von der richtigen Lehre trennen sollte. In den Zeiten des Faschismus und danach hat sich gezeigt, daß man mit richtiger Lehre das falsche tun kann. Muß man nicht realisieren, daß die Anforderungen an das Bekennen heute andere sind als damals? Es geht nicht mehr um die Frage

nach richtigen oder falschen Formulierungen, sondern es geht um die Frage des richtigen oder falschen Handelns. Der Charakter der Bekenntnisanforderungen hat sich geändert. Heute sind Christen und Heiden nicht dadurch verwirrt, daß einem Christus ein Antichristus gegenüber steht, jedenfalls nicht vordergründig. Es geht um die Fragen des Überlebens der Menschheit, der Apartheid, der Gentechnik, der Energie, der Dritten Welt usw. »Barmen« hat uns dazu verholfen, diese Bereiche nicht sich selbst zu überlassen, sondern sie mit der I. und II. These unter Christus zu stellen. Diese Anforderungen haben mit konfessionellen Grenzen nichts mehr zu tun. Sie sind so nah, so untheoretisch, so lebenswichtig, und bringen zugleich in solche Unsicherheiten und Ängste, daß die Frage nach der Antwort des Glaubens, nach dem Christus Gottes und seiner Weisung die Kirchen in der weiten Welt bewegt. Viele Kirchen wissen inzwischen, daß diese Weisung eher gemeinsam, »uniert«, als getrennt erkannt und befolgt werden kann.

3. Gibt es so etwas wie einen theologischen Fortschritt, der durch Bekenntnis und Praxis unabweisbar geworden ist? Und wenn es ihn gibt, ist nicht auch »Barmen« ein Fortschritt, der uns erlaubt, einiges hinter uns zu lassen, weil es für die Existenz der Kirche unerheblich geworden ist? Selbstverständlich ist das nicht das Ende der Wahrheitsfrage, möglicherweise ihr Anfang in einer neuen Situation. Es könnte sein, daß sich die Frage nach der Wahrheit zwischen den protestantischen Konfessionen nicht mehr in der Form stellt, wie sie einmal wichtig war. Es könnte auch sein, daß der theologische Fortschritt nicht erst das Ergebnis sehr langer und mühevoller Gespräche ist, sondern sich aus einem Wirken Gottes an der Kirche ergibt, das nicht zu übersehen ist. Man muß jetzt nicht alle möglichen Argumente gegen die Geschichtstheologie auffahren. Aber man muß wohl – kritisch – erkennen, daß Gottes Wort nicht leer zurückkommt. Und unter dieser Verheißung könnte es einen solchen theologischen Fortschritt geben, der uns auf die Frage nach der Einheit der christlichen Kirche äußerst dringlich hinweist. »Barmen« ist dazu ein Beitrag. Wenn wiederholt durch Arnoldshain und Leuenberg festgehalten worden ist, daß die ursprünglichen Unterschiede der Konfessionen im 16. Jahrhundert nicht mehr kirchentrennenden Charakter haben, welchen Grund gibt es dann, auf Dauer Union, Einheit zu verweigern? Vielfach ist der Begriff der Kirchengemeinschaft gebräuchlich geworden. Was das definitiv bedeutet und welche praktischen Folgen es hat, ist kaum festgestellt. Könnte es sein, daß man mit diesem Begriff sich einen kleinen Vorbehalt noch bewahrt, der Distanz erlaubt? Was kostet Kirchengemeinschaft? Ist dieser Begriff so dicht, daß die an dieser Gemeinschaft beteiligten Kirchen ohne diese Gemeinschaft nicht mehr existieren könnten? Oder ist auch das nur eine Übereinkunft, die Einheit oder Union nicht erlaubt?

4. Was hindert daran, für eine unierte Kirche ein Bekenntnis zu formulieren? Es sei daran erinnert: längst haben Kirchen in der Ökumene diesen Versuch gewagt, und er ist geglückt. Mit unserer Begrifflichkeit geredet: es handelt sich also dort nicht um nur eine Verwaltungsunion oder nur eine Kultusunion, sondern es handelt sich um Kirche. Wo immer diese Union zustande gekommen ist, hat sie sich nicht an einen starren, statischen, ungeschichtlichen Begriff von Bekenntnis gehalten. Sie hat gefragt danach, was heute nötig ist und wie heute die Antwort des Glaubens lauten muß. Wenn also Union – nach Arnoldshain, nach Leuenberg, in einer zunehmenden Diasporasituation, in einem wichtiger werdenden ökumenischen Bewußtsein in Gemeinden und Kirchen – eigentlich nicht mehr verweigert

werden kann, kann man dann nicht – mit Hilfe von »Barmen« – das scheinbar Unmögliche zu denken versuchen: ein uniertes Bekenntnis?

Es ist gut, daß in der zweiten Hälfte unseres Jahrhunderts die Kenntnisse von und die Erfahrungen der anderen Kirchen in der Ökumene von niemanden mehr ausgeblendet werden können. Nur um den Preis der eigenen Provinzialität wird man sich die Fragen ersparen können, die mit der Existenz dieser anderen Kirchen, ihrem Einheitswillen, ihrer neuen Art von Bekenntnissen gestellt sind. »Barmen« hat weniger mit der Absicht der Verfasser, mehr noch mit seinem Text und seiner Geschichte Möglichkeiten eröffnet, dem Gedanken der Einheit der Kirchen in einer Weise näher zu treten, wie das vorher kaum der Fall war. Alles was dieser Einheit dient, muß ergriffen werden. Das bezieht sich nicht nur auf die mehr formalen Angebote von »Barmen«, die oben aufgezählt wurden. Das bezieht sich auch auf den theologischen Gehalt der Barmer Erklärung, die so, wie sie dort steht, gemeinsam, also uniert gesagt wurde. Damit war das sichtbar geworden, was damals nötig war und heute und in Zukunft nötig sein wird: der Schritt von der Bekenntniskirche hin zur bekennenden Kirche.

Thomas Müntzer – seine Botschaft für unsere Zeit

JOACHIM ROGGE

1. Zur Kulturerbe-Rezeption im allgemeinen und zum Müntzerbild im besonderen in der DDR

Die DDR ist intensiv dabei, sich mit der Akzeptanz von immer mehr Teilen der deutschen Geschichte zu beschäftigen. Der große Sammelbegriff dafür wird oft zitiert: »Kulturerbe-Rezeption«. Der hier etwa seit dem Reformationsjubiläum 1967 stattfindende Denkprozeß ist interessant und erfordert die Begleitung von Theologen, ja der ganzen Kirche. Die nun schon mehr als 2 Jahrzehnte virulente Welle der Aufarbeitung von Geschichte ist im lateinischen Sinne des Wortes eine Pro-Vokation, die auch Kirchenhistoriker zu neuen Sichten und Einsichten veranlassen könnte, so daß die Flut der Jubiläen, die in der Tat als Initialzündung für Neubeschäftigungen wirken, nicht zu Ermüdungserscheinungen, sondern zu verstärktem Forschungs- und Methodenaustausch, d. h. zur Versachlichung gemeinsam wichtiger Fragestellungen führt.

Die Meilensteine der Kulturerbe-Rezeption sind gut kenntlich. Einen bisher beispiellosen Zenit des gemeinsamen Fragens nach Geschichte des Staatswesens DDR brachte das publizistisch und veranstaltungsmäßig außerordentlich intensiv durchlebte Lutherjahr 1983, das das Gespräch zwischen Christen und Marxisten auf fast allen Ebenen kräftig beflügelt hat und besonders dort überaus begrüßenswert war, wo es kenntnisreich und qualifiziert von beiden Seiten her geführt wurde. Schon vor-läufig und jetzt immer weiter geführt gab und gibt es eine Beschäftigung mit preußischer Geschichte. Der höchste Orden der Nationalen Volksarmee ist der Scharnhorst-Orden. Die preußischen Reformen, am Ende des 18. Jahrhunderts vorbereitet und zu Beginn des vorigen Jahrhunderts durchgeführt, werden zunehmend wichtiger. Die Hugenotten-Rezeption in Brandenburg-Preußen wurde von der Akademie der Wissenschaften der DDR und von Kirchenleitungen veranstaltungsintensiv aus Anlaß der 300-Jahr-Feier des Potsdamer Edikts von 1685 begangen. Inzwischen gibt es auch eine spezifizierte Neuanalyse in bezug auf den Kanzler des Deutschen Reiches, der früher oft mit den Begriffen »Blut und Eisen« zusammengedacht worden war, Bismarck. Eine umfängliche Biographie dazu liegt vor[1], die zuerst in einem Verlag der Bundesrepublik Deutschland erschienen ist.

Lehrsätze, Dogmen in der Römisch-katholischen Kirche werden nicht zurückgenommen, sie werden definiert, interpretiert, entfaltet. Anders und doch wieder ähnlich gibt es auch unter marxistischen Historikern heute nicht die Möglichkeit, Geschichtseinsichten der Klassiker des Marxismus – etwa in Sachen Müntzer und Bauernkrieg wäre hier vornehmlich an Friedrich Engels zu denken[2] – einfach zurückzunehmen. Es wird interpretiert, entfaltet, modifiziert, aber unter Beibehaltung alter Trendaussagen. Immerhin geht, wie das Lutherjahr 1983 gelehrt hat,

1 E. Engelberg: Bismarck. Urpreuße und Reichsgründer, Berlin: Siedler Verlag 1985[1.2].
2 Fr. Engels: Der deutsche Bauernkrieg, in: Karl Marx – Friedrich Engels, Werke, Bd. 7, 1969[3], 327–413.

die Interpretationsbereitschaft sehr weit, bis hin zur Modifikation alter plakativer Aussagen, die besonders in vulgär-marxistischer, vielleicht klassisch-marxistisch nie ganz akzeptierter Weise bezüglich Luther vom Fürstenknecht und Bauernverräter sprechen.

Mit Luther hatte man es schwer in marxistischer Geschichtsschreibung früherer Zeiten; er war keinesfalls ein positives Thema. Müntzer allerdings war es immer[3], solange es marxistische Geschichtsforschung gibt. Vielleicht läßt sich etwas weitschichtig, aber nicht ganz unzutreffend bemerken: Das Lutherbild hat sich modifiziert, das Müntzerbild wurde präzisiert; und das Verhältnis beider zueinander, in vergangenen Jahrzehnten eindeutig zugunsten Müntzers ausgelegt, wurde neu bestimmt.

Wer zu der Meinung neigt, hier läge nur die Neusortierung des Verhältnisses einiger historisch zugegeben relevanter Persönlichkeiten vor, der übersieht, daß auch Geschichtswissenschaft als Waffe verstanden wird, daß hier Gegenwart und Zukunft eines deutschen Staates reflektiert wird; und somit ist der andere deutsche Staat mit betroffen und zum Mitdenken und Mitbestimmen von Vergangenheitsbewältigung, Gegenwart und Zukunft eingeladen. Jede Art konfrontativer Geschichtsbewältigung wäre genauso töricht wie die Sucht konturenloser Assimilationsbemühungen. Es geht um Akzente, die kennenzulernen und für die eigene Reflexion lernbereit mitzudenken sich lohnt, wenn man nicht einem zukunftsvergessenen Kulturpragmatismus verfallen will.

Es ist bemerkenswert, daß in der DDR-Öffentlichkeit das Müntzergedenken 1989 engagiert vorbereitet, unter staatlich höchster Ägide gesellschaftlich eingestuft, durch viele geplante Veranstaltungen hervorgehoben, durch viele wissenschaftliche Veröffentlichungen akzentuiert worden ist bzw. werden wird. Das Gespräch darüber ist unter marxistischen und theologischen Historikern im Gange. Wer darüber profiliert mitreden will, muß dazu gute Kenntnisse der Luther- und Müntzerforschung, auch was die Wirkungsgeschichte der beiden Reformatoren angeht, haben und dazu einiges aus der Entwicklung der Geschichtsbetrachtung in der DDR wissen, die im Jahr des Müntzer-Gedenkens 1989 vierzig Jahre alt wird und deshalb nicht als kurzlebiges Provisorium kulturgeschichtlich außer Betracht gelassen werden kann.

Führende Historiker der DDR, in der Leitung der betreffenden Arbeitsgruppe der Stellvertreter des Leiters des Forschungsbereiches Gesellschaftswissenschaften der Akademie der Wissenschaften der DDR, Adolf Laube, haben im Auftrag des Zentralkomitees der SED und des Staatsrates der DDR 14 Thesen ausgearbeitet, die inzwischen in einer Extrabroschur vorliegen[4]. Sie sind die staatsoffizielle Verlautbarung zum Müntzer-Gedenken, das unter Vorsitz des Staatsratsvorsitzenden Erich Honecker durch ein Komitee vorbereitet und durchgeführt wird. Die Thesen bieten in der Einleitung und im Schlußteil eine allgemeine stark DDR-wirklichkeitsbezogene Einschätzung der Lebensleistung Müntzers, bieten im Mittelteil sogar in Einzelheiten gehendes biographisches Material und wenden sich von These IX an ausführlich der Wirkungsgeschichte des Reformationstheologen zu, die verbreitet erst mit dem Entstehen einer Besinnung der sich formierenden

3 Dazu: M. Steinmetz: Das Müntzerbild von Martin Luther bis Friedrich Engels, Berlin 1971.
4 Thesen über Thomas Müntzer. Zum 500. Geburtstag, Berlin: Dietz Verlag 1988, 87 S.

Arbeiterklasse auf die Geschichte zu konstatieren ist.

Ein ausführliches Zitat aus dem Schlußteil obengenannter Thesen (XIV) signalisiert hinreichend, wie Geschichtsrezeption in das Gesamtgeschehen, auch in das Geschehen profiliert zitierter Parteitage, seitens der DDR-Führung eingehängt wird. Dabei ist die neue Verhältnisbestimmung zwischen den reformationsgeschichtlich zugegebenen Antipoden Luther und Müntzer ganz besonders signifikant: »Nach dem VIII. Parteitag der SED reiften in den siebziger Jahren im Zusammenhang mit der weiteren Gestaltung der entwickelten sozialistischen Gesellschaft neue Bedürfnisse heran. Es ging um den Nachweis der Verwurzelung der DDR in der ganzen deutschen Geschichte und um den Anteil aller gesellschaftlichen Klassen und Schichten sowie ihrer Repräsentanten am historischen Fortschritt, den heute die DDR als sozialistischer deutscher Staat verkörpert. Der 500. Geburtstag Martin Luthers 1983 wurde zu einem Höhepunkt der Beschäftigung mit dem historischen Erbe von Persönlichkeiten des Bürgertums, die zwar von ihrer gesellschaftlichen Bindung her den sozialen Kämpfen der werktätigen Klassen und Schichten fern standen, aber unter den Bedingungen ihrer Zeit und in Wechselwirkung mit den verschiedenen Klassenkräften revolutionäre, den historischen Fortschritt fördernde Wirkung erlangten. Dabei weitete sich auch der Blick für die gesellschaftliche Relevanz theologischer Auffassungen in einer Zeit, in der alle Weltanschauungen religiös geprägt waren. Das hatte auch Konsequenzen für das Müntzerbild, insbesondere für die Erkenntnis der theologischen Motivationen Müntzers. Von daher gelang es nicht nur, ein differenzierteres Bild vom historischen Erbe zu gewinnen, sondern insbesondere auch das Verhältnis von Luther und Müntzer und ihrer Theologie als das von Repräsentanten und Ideologen verschiedener Klassenlinien ein und derselben Revolution weiter auszuarbeiten: der bürgerlich-gemäßigten und der revolutionär-demokratischen Klassenlinie. Erich Honecker betonte 1983: ›Für das Geschichts- und Traditionsbewußtsein unseres Volkes im Sozialismus ist es von Bedeutung, Luther und Müntzer einander nicht als von vornherein unvereinbare Gegensätze gegenüberzustellen. Es gilt, sie dialektisch als die beiden großen Gestalten der ersten deutschen Revolution zu erfassen.‹ Beide, Luther und Müntzer, sind fest verankert in jenen Traditionen, denen sich die DDR verpflichtet fühlt.«[5]

2. Zur theologischen Wertung Thomas Müntzers

Mit den oben zitierten hochrangig an- und eingebundenen Thesen ist das Gespräch geradezu eröffnet. Die Akzeptanz Luthers und Müntzers für das Verständnis der DDR im Blick auf Zukunft ist beschlossene Sache, wobei Luther als der größere Realist gegenüber Müntzer als dem Real-Utopisten, Luther als der erscheint, der als der Wirksamere die frühbürgerliche Revolution eingeleitet habe[6]. Die Theologen, sicherlich nicht nur in der DDR, sind buchstäblich aufgefordert, den »Blick für gesellschaftliche Relevanz theologischer Auffassungen in einer Zeit« zu schärfen, »in der alle Weltanschauungen religiös geprägt waren«[7]. Die daraus resultierenden Konsequenzen für das Müntzerbild werden als selbst-

5 A.a.O., 54f.
6 A.a.O., 5.
7 A.a.O., 55.

verständlich angesehen, so daß neue theologische Arbeit nicht nur zugelassen und geduldet, sondern neudenkerisch inauguriert erscheint.

Wenn die Situation in der DDR im oben beschriebenen Sachfeld angemessen referiert sein sollte, wird man auf das künftige Gespräch gespannt sein und auch auf die in der DDR in Bälde erscheinende theologische Literatur, die ebenso das Diskutieren mit den marxistischen Kollegen verrät wie die Publikationen marxistischer Historiker das Gespräch mit den Theologen hier und da nicht verleugnen können. Daß bei diesem Prozeß theologische Literatur als theologisch kenntlich bleibt, ist nicht nur themenbezogen deutlich, sondern kann als durchweg gewährleistet betrachtet werden. Müntzers »Deutsche Evangelische Messe 1524« ist gerade erschienen[8]. Weiteres wird folgen[9].

Da die oben näher angeleuchteten DDR-offiziellen Thesen nicht nur den theologischen Beitrag zur Sache provozieren, sondern anerkennend feststellen, daß es in der DDR gelang, »eine gesamteuropäische Sicht auf diese Ereignisse (der verschiedenen vorausgehenden Reformationsjubiläen) zu gewinnen und in bedeutsamen Publikationen darzustellen«[10], ist den Kirchen und Theologen die Aufgabe förmlich zugewachsen, deutlicher als bisher zu artikulieren, welchen Stellenwert Müntzers Lebensleistung in den Kirchen der Reformation, ja welche Botschaft er für sie eigentlich habe, so wahr er in Annäherung, An- und Abgrenzung zu Luther auf Kriterien zu befragen ist, die die eigentlich reformatorischen sind.

Wenn es stimmen sollte, daß »Müntzer und Luther ... sich hauptsächlich durch ihr differentes Wort(gottes)verständnis«[11] unterscheiden, und wenn es stimmen sollte, daß Kirchengeschichte die Geschichte der Auslegung der Heiligen Schrift ist[12], und wenn es ferner richtig sein sollte, daß der Neuaufbruch in unseren Kirchen zur »Geistlichen Gemeindeerneuerung« verstärkt nach dem Wirken des Geistes Gottes fragt, dann kann die Frage nach Müntzers Wirkungsgeschichte nicht allein eine historische sein. Sie ist in differenziender Zuwendung und Kritik in buchstäblicher Aufarbeitung eines Theologen aktuell, der fast nur bearbeitete Predigten veröffentlicht hat, in denen ein bis heute beeindruckendes Bibelstellenreservoir deponiert ist. Das Destillat daraus könnte zur Summa einer Botschaft führen, die für die Kirche alles andere als irrelevant ist, führt sie doch die Kirche zu ihrer Sache, nämlich der Bibelauslegung, zurück, wenn auch mit theologischen Implikationen, die geprüft werden müssen.

---

8 Thomas Müntzer. Deutsche Evangelische Messe 1524. Hrsg. von S. Bräuer, Berlin: Evangelische Verlagsanstalt 1988.

9 Geplant sind: Der Theologe Thomas Müntzer. Untersuchungen zu seiner Entwicklung und Lehre. Hrsg. von S. Bräuer und H. Junghans mit einer Vielzahl von Aufsätzen zur Müntzerforschung; E. Wolgast: Thomas Müntzer. Ein Zerstörer der Ungläubigen. Beide Werke erscheinen im o. a. Verlag. Einen Aufsatzband und eine Schriftenedition hatte die Evangelische Verlagsanstalt schon aus Anlaß des Müntzer-Jubiläums 1975 herausgebracht.

10 Thesen über Müntzer, 54.

11 J. Rogge: Müntzers und Luthers Verständnis von der Reformation der Kirche, in: Thomas Müntzer. Anfragen an Theologie und Kirche. Hrsg. von Chr. Demke, Berlin 1977, 17.

12 G. Ebeling: Kirchengeschichte als Geschichte der Heiligen Schrift, Tübingen 1947.

3. Zur Müntzers Ekklesiologie

Müntzer lehrt uns, neu nach der Kirche zu fragen, allerdings nicht im Sinne der Bestätigung eines status quo, sondern mit dem der Gemeinde aufgetragenen Blick zurück nach vorn. Dem ohne Luthers Reformation nicht zu verstehenden Theologen Müntzer ging es um die Reformation der Kirche, ja um »Geistliche Erneuerung«, und zwar aus seinem Verständnis von dem bisherigen Weg der Kirche her[13]. Er steht in der Schärfe der Diktion hinter Luther keinesfalls zurück und äußert seine beißende Kritik bereits in dem ersten uns aus seiner Feder überlieferten größeren Schriftsatz, dem Prager Manifest vom November 1521: Er, Müntzer, »Finde, das nach dem tode der apostln schuler, dye unbeflecte, junffrawliche kirche ist dorch den geystlichen ebruch czur hurn worden der glerthen halben, dye do ummer wolln oben an sitczen, welchs dan Egesippus und nach ym Eusebius screybt am 4. buch am XXII capitel. Auch finde ich in keynem concilio dye warhafftige rechenschafft nach gstrackter lebendyger ordenungk des unbetricklichen Gots wort, es seyn eytel kinder teydungk gwesen. Dorch den vorhencklichen willen Gots ist dusz allsz czu glassen, auff das aller menschen werck mochten erfor kommen. Es sal abber, Got sey gbenedeygt, nunmehr also czu gheen, das dye pfaffen unde affen solten dye christliche kirche seyn, sundern es solln dye auserweleten freunde Gots wort auch lernen prophetien, wye Paulus lernet, das sye mugen warhafftig erfaren, wye freuntlich Got ach so hertzlich gerne mit allen seynen auserwelten redet.«[14]

Hier wird mehreres deutlich: Erstens: Müntzer sieht die Kirche als Institution mehr auf Abwegen als auf den Wegen Gottes. Schon sehr früh ist sie von Gottes Wort und Geist abgefallen, wie klassische Chronisten der Kirche es selbst beschreiben. Er nennt Egesipp und Euseb. Damit reiht sich Müntzer ein in die Reihe der Reformatoren und der Theologen vor der Reformation, die in immer neuen Klagen die »Verfallstheorie« im Blick auf die Kirche vortragen. Wenn Müntzer außerdem Konzilien und Pfaffen angreift, dann ist damit gewiß die Römisch-katholische Kirche in ihrer kirchenrechtlichen Struktur gemeint, aber keinesfalls nur. Pfäffisches Wesen kann Müntzer auch den Reformatoren vorwerfen, auch ihrem Gelehrtenstatus, dessen Kritik übrigens vom Verfasser nachträglich ins Manuskript eingefügt worden ist[15]. Das, worum es ihm wesentlich geht, ist außerdem über der Zeile nachgetragen. Ihm ist es zu tun um die Auserwählten Gottes, mit denen Gott freundlich redet, um das unbetrügliche Gotteswort, das »dye christliche kirche« allein zu beachten hat in Korrektur allen falschen pfäffischen und päpstlichen Kirchenwesens. Die Frage nach dem Wesen rechter Kirche war Müntzers Leitfrage, so daß man wohl darüber nachdenken kann, warum Eric Gritsch sein bedeutendes Müntzerbuch mit dem genial falschen oder zumindest mißverständlichen Titel versehen hat: »The Reformer without a Church«[16]. Sicher hat einer der führenden amerikanischen Reformationshistoriker, Lewis W. Spitz,

---

13 Siehe dazu die theologischen Leitlinien der Charismatischen Gemeinde-Erneuerung in der evangelischen Kirche, verabschiedet am 2. 3. 1976 in Würzburg vom Koordinierungsausschuß für charismatische Gemeinde-Erneuerung in der evangelischen Kirche.

14 Thomas Müntzer. Schriften und Briefe. Kritische Gesamtausgabe. Hrsg. von G. Franz, Gütersloh 1968, 494, 2–14.

15 A.a.O., 494, Anm. 34.

16 E. Gritsch: The Reformer without a Church, Philadelphia 1967.

recht, wenn er den Aussagetrend bei Müntzer schon in der Frühzeit folgendermaßen zusammenfaßt: »... he had showed enthusiastic (schwärmerische) tendencies, declaring that the believer had to experience the pangs of hell, then the mystical state of resignation, to be followed by a supernatural enlightenment of the heart. He was given to visions and phantastic scriptural exegesis.«[17]

Dem wäre jedoch hinzuzufügen, daß Müntzer leidenschaftlich nach der Begründung von Kirche fragt, die nach seinem Dafürhalten weder in der Ämterhierarchie noch in der Anhäufung von Buchgelehrsamkeit ihren adäquaten, d. h. wortgottes-entsprechenden Ausdruck finden kann. Müntzer fragte also bohrend nach Eigenbeteiligung am Glaubensgeschehen, nach Frömmigkeit und daraus resultierendem Engagement, nicht zuerst im sozialen, aber dann auch im sozialen Bereich, weil ihm Gottes Welt eine Einheit ist, die zwischen Kirche und Welt nicht deutlich unterscheidet. Müntzer fordert unmißverständlich dazu auf, nicht nur das eigene Denken, das eigene Eingebundensein, sondern auch das eigene Handeln in Kirche und Welt, die bei ihm so gar nicht auseinanderfallen, zu überprüfen. Luthers Zwei-Reiche-Theorie hat Müntzer nie akzeptiert, in ihrer Dialektik wohl auch nicht verstanden. Der Wittenberger Reformator predigte und lebte ja allerdings alles andere als einen staatstreuen Quietismus.

Daß wir im Prager Manifest ein Thema Müntzers in Permanenz vorgefunden haben, ist in den folgenden Schriften leicht zu belegen. Er äußerte sich gewissermaßen in einer Probepredigt im Juli 1524 vor seinen Landesfürsten. Diese Predigt wurde gedruckt, so daß man davon ausgehen kann, er habe sie als programmatisch verstanden. Ein apokalyptischer Text, die Vision in Daniel 2, liegt den Darlegungen zugrunde. Der Prediger setzt erneut ein mit der Charakteristik seiner Vision von Verfallstheorie des Christentums: »Es ist zu wissen, das der armen, elenden, zurfallenden christenheyt widder zu rathen noch zu helffen ist, es sey dann, das die fleissigen, unvordroßnen gottisknechte teglich die biblien treiben mit syngen, lesen und predigen. Aber domit wirt der Kopff der zarten pfaffen stetlich grosse stosse mussen leyden oder seins hantwercks abgehn. Wie sol man ym aber anders thun, dieweyl die christenheyt so jemerlich durch reyssende wolffe vorwustet ist? wie geschrieben ist Esaie 5, Psal. 79 vom weingarten Gottis. Und sant Paul leret, wie man sich in gotlichen lobsengen uben soll, Ephe. 5. Dann gleich wie zur zeyt der lieben propheten Jesaia, Hieremias, Ezechelis und der andern, die gantze gemein der außerwelten Gottis also gantz und gar in die abgöttische weise geraten war, das yr auch Got nit helffen mocht, sonder muste sie lassen gefangen wegfuren und sie unter den heiden so lange peinigen, biß das sie seynen heiligen namen widder erkanthen.«[18]

4. Gotteserkenntnis und Schriftexegese

Zu dem oben angemeldeten Thema des rechten Kirchenverständnisses kommt das Thema der rechten Gotteserkenntnis. Müntzer wandert für seinen Antwortversuch nicht nur von Bibelstelle zu Bibelstelle, sondern durchstreift von der babylonischen Gefangenschaft bis zu den Verhaltensweisen, den Denk- und Handlungs-

17 L. Spitz: The Protestant Reformation 1517–1559, New York 1985, 105.
18 Franz, a.a.O., 242, 8–22.

kategorien der Reformatoren in der ihm brennend heiß vorkommenden Gegenwart die Kirchengeschichte. Er wäre ganz und gar mißverstanden, wenn man seiner Theorie, die eben nicht nur eine solche ist, lediglich eine andere Theorie entgegensetzen würde. Müntzer will aus seiner vielleicht »phantastic scriptural exegesis«, aus seiner Geschichtstheologie Handlungsspielraum für die Christenheit eröffnen; und wer diese Art der Eröffnung so nicht wünscht, der kann nicht dadurch echappieren, daß er die Bibel anders auslegt oder topoi der Geschichte anders deutet. Er ist von Müntzer in den Sog geholt, die biblische Botschaft als Handlungslehre zu verstehen, die praktizierte Frömmigkeit, Neusicht und Umgestaltung der gesamten Lebensqualität und -wirklichkeit, Kirche und Welt einschließt und verbalisierte Bekenntnisse, intellektuelle Dauerbeschäftigung mit Theologie und Kirche lediglich als Voraussetzung für Gott und Menschen zugewandte Aktion betrachten kann.

Gewiß ist der Bogen weit gespannt, vielleicht sogar überspannt, wenn Müntzers Impuls durchaus fortgesetzt als interessant erscheint in einer neu in Gang gekommenen theologischen Generalreflexion darüber, ob die Zwei-Reiche-Lehre oder die Lehre von der Königsherrschaft Christi hier und heute prioritätenmäßige Berücksichtigung für den weiteren Weg der Kirche finden sollen. Die Empfehlung der von dem Rat der EKU – Bereich DDR – und der Kirchenleitung der VELK in der DDR eingesetzten Kommission zum Thema »Kirchengemeinschaft und politische Ethik« geht wie Müntzer von der einen Wirklichkeit Gottes für die Menschen aus, ohne Müntzers schwierige Randunschärfen zwischen Kirche und Welt mitzuvollziehen, wenn abschließend formuliert wird: »Die Zwei-Reiche-Lehre und die Lehre von der Köngisherrschaft Christi können als wechselseitig sich ergänzende und einander korrigierende Interpretationsmodelle für das Handeln der Kirche und der Christen im politisch-gesellschaftlichen Bereich verstanden werden. Gesellschaftlich relevantes Handeln bedarf der begleitenden theologischen Reflexion.«[19]

5. Gesellschaftsbezug und geistliche Gemeindeerneuerung

Der Überschritt Müntzers zum gesellschaftlich-politischen Handeln ist nicht die Voraussetzung, sondern die Folge eines Wort-Gottes- und Gottesverständnis, das den in jeder Hinsicht von dort her Engagierten zum ganzen Einsatz veranlaßte. Bereits im November 1521 verbindet der Theologe Müntzer seine Neusicht der Kirche mit der Bereitschaft zum eigenen Lebenseinsatz und mit der Forderung an alle Gottesfreunde, das Wort Gottes zu verteidigen, wenn er sofort nach der bereits oben zitierten Passage fortfährt: »Das ich solche ler mochte an tagk brengen, byn ich willick, umb Gots willen meyn leben czu opfern. Got wirt wunderlich dinck tun myt seynen auserweleten sunderlich yn dussem lande. Wan hyr wirdt dye new kirche anghen, dusz folck wirdt eyn spygel der gantczen welt seyn. Darumb ruff ich eynen itlichen menschen an, das er do czu helffe, das Gots wort mag vortediget werden.«[20] Der Mensch als der Verteidiger des Wortes Gottes, das ist Müntzers Vision! Jede Art von Lippenbekenntnis, anonymem

19 Kirchengemeinschaft und politische Ethik. Hrsg. von J. Rogge und H. Zeddies, Berlin 1980, 41.
20 Franz, a.a.O., 494, 15–20.

Christentum, Nikodemitismus, Überwinterungsthese der Kirche in schwierigen Zeiten für ihren äußeren Bestand und vieles andere im Kanon der Unverbindlichkeitspraxis vieler Menschen ist für Müntzer keine Möglichkeit.

Thomas Müntzer ist ein profilierter Vertreter der Forderung nach »Geistlicher Gemeindeerneuerung«[21] im 16. Jahrhundert. Damals wie heute hängen Segen und geistlicher Gewinn solcher Erneuerung an der inhaltlichen Füllung in diesem Zusammenhang wichtiger Leitbegriffe. Was ist Kirche, was ist Wort Gottes, was ist Geist Gottes? Alle drei Begriffe und viele andere dazu können nicht anders als in Spannung zueinander verstanden werden. Wird der neue Prophet, der neue Daniel, der neue Johannes (der Täufer)[22] sich selbst zum Text? Werden Text und Situation verschränkt, vertauscht? Wird die Gotteserfahrung zur Dauerepiphanie des Göttlichen im Handlungsfeld des einzelnen Christen und der Gesellschaft, die sich im 19. Jahrhundert weitestgehend christlich, im 20. Jahrhundert ebenso weitestgehend nichtchristlich versteht?

6. Zeitgeist und Geistbesitz

Etwas allgemein gefragt: Von welchem Geist wird der »Zeitgeist« beseelt? Müntzer konnte einen »Zeitgeist« gegenüber Gottes Geist nicht anerkennen. »Ich gebe dir, mein Gott, aufs neue Leib, Seel und Herz zum Opfer hin; erwecke mich zu neuer Treue und nimm Besitz von meinem Sinn. Es sei in mir kein Tropfen Blut, der nicht, Herr, Deinen Willen tut.«[23] Dieser Text eines Taufliedes aus dem 18. Jahrhundert wäre ganz und gar Müntzers eigenes Bekenntnis und die selbstverständliche Forderung für sich und alle Menschen. Er meint, Gott zu kennen und weiß, daß er mit ihm redet. Strittig bis zum totalen Zerwürfnis ist zwischen Luther und Müntzer das Wie der Rede Gottes zum Menschen bzw. das Kriterium des Erfülltseins mit Gottes Geist, den der vermeintliche neue Prophet mit Anspruch auf Autorität weitervermittelt. Die Auseinandersetzung mit dem Wittenberger Reformator führt Müntzer in seinen Schriften. Sie sind großenteils Antworten auf Luthers Invektiven[24]: »Vil unnutz gespayß und spot machet er (= Luther) auß götlichem wort und spricht, ich hayß es eyn hymmelische stymme und die engel reden mit mir etc. Antwort, was der almechtig Gott mit mir machet oder redet, kann ich nit vill rumens von; dann allayn was ich durchs gezeugnüß Gottes dem volck auß der heyligen schrifft vorsage, und will, ob Got will, meinen dunckel nit predigen.«[25]

Müntzer will sich also an Gottes Wort halten. Er überspielt willentlich nicht die Offenbarungsurkunde Heiliger Schrift; in ihr spricht sich Gott für den Menschen verbindlich aus, aber dem so Angesprochenen bleibt das Wort nicht wirkungslos, sondern löst nicht nur Antwort, sondern das neue verbindliche Wort für Kirche und Welt aus. Das hat sich über Jahrhunderte hin in der Römisch-katholischen Kirche ekklesiologisch-hierarchisch bis hin zur Infallibilität des Lehramtes ver-

---

21 Vgl. die Thesen dazu a.a.O., siehe oben Anm. 13.
22 Franz, a.a.O., 257, 19f.; 296, 31f.
23 EKG 152, 5.
24 Dazu WA 15, 211, 25.
25 Franz, a.a.O., 338, 17–22.

dichtet[26], das hat sich bei Müntzer im Prophetenanspruch des prophetisch begabten Einzelnen verdichtet, das hat sich in der Gegenwart in dieser oder jener Gruppe in Ansetzung von Wunderheilgottesdiensten verdichtet.

Im Grunde geht es um die immer neu gestellte und zu stellende Frage, welches »das richtige hermeneutische Prinzip«[27] ist, »wobei Anerkennung und Ablehnung Heiliger Schrift nicht die Fragepunkte zu sein hätten«. Eine Hochschätzung der Bibel liegt bei Müntzer zweifelsfrei vor. Jeder Pfarrer, der Müntzertexte kennt, hat eine Fundgrube für Gemeindeabende, um mit der danebenliegenden Bibel die Berechtigung von Müntzers Schriftauslegung zu reflektieren.

Müntzer möchte nicht über die Bibel hinaus, sie ist unverzichtbare Beispielgabe, wie Gott mit Menschen geredet hat, aber dieses Reden ist nicht zu Ende! Dieser sehr richtige Satz bedarf nur auf der ganzen Strecke der Auslegung. Für Müntzer selbst rutscht buchstäblich die Geschichte, nicht als Verlaufsgeschichte, sondern als undifferenziert aufgeladener Präsenzort Gottes, zusammen, so daß Jesaja, Daniel, Johannes der Täufer, ja vielleicht auch Christus gleichzeitig werden mit dem geistbegabten Gotteszeugen, der das ewige Wort, den Willen Gottes jetzt wie einst vermittelt. Der Geistträger bewirkt die Geistergriffenheit der Gemeinde: »Darumb muß eyner auffstehen, der die menschen weyse auff die offenbarung des gotlichen lemblyns, im urteyl des ewigen worts vom vatter abgehend. Du sihest allhie wol, daß das volck ein urteyl hette daruber, das Zacharias also lang im tempel war.«[28] (siehe auch Lk 1,9 u. passim)

7. Theologie und Revolution

Bibelauslegung und immer wieder Bibelauslegung war Müntzers Sache. Nach der sachlichen Berechtigung seiner Exegese wäre also zuerst und immer wieder zu fragen. Statt dessen gibt es in allen Teilen der Welt unausgesetzt die Fragerichtung unter Einbeziehung von Theologie und Revolution. In einer in England erscheinenden Vierteljahresschrift heißt es in der Vorrede zur englischen Übersetzung von Müntzers Schrift von dem gedichteten Glauben (1524): »Müntzer is now acknowledged as fully and truly theologian and revolutionary. And those two natures are generally acknowledged to subsist in the one person without any essential contradiction.«[29] Statt dessen wäre verstärkt zu fragen, welcher Revolutionsbegriff sich aus Müntzers Schriftexegese und aus seinem Kirchengeschichts- und besonders Mystikverständnis ergibt, und dieses wäre einzuhängen in seine »aufrührerische Tätigkeit«[30] seiner letzten Lebensmonate. Die Problematik »Theologie und Revolution« ist für Müntzers Antwortfindung offenbar immer noch nicht ausreichend erforscht und definiert worden. Bernhard Lohse, Thomas Nipperdey, früher Karl Holl und viele andere reflektieren bzw. reflektierten

26 Denzinger-Schönmetzer: Enchiridion Symbolorum, Herder-Verlag 1967[34], 601.

27 J. Rogge: Wort und Geist bei Thomas Müntzer, in: Die Zeichen der Zeit 4/1975, 131.

28 Franz, a.a.O., 297, 8–15.

29 J. M. Stayer (Canada): Imaginary faith, in: Evangelical Review of Theology, England: The Paternoster Press, Vol. 8, Nr. 2, 1984, 202 f.

30 Dazu Franz, a.a.O., 329, 27–29.

darüber wiederholt[31]. Eine Verselbständigung einer Revolutionstheorie bei Müntzer ist keinesfalls zu beobachten. Nipperdey kann der klassenmäßigen Eingebundenheit Müntzers sogar energisch widersprechen: »Das Niedervolk wird, das ist gegen die Marxisten zu sagen, nicht wegen, sondern allenfalls trotz seines Klasseninteresses zum Träger eines endgeschichtlichen Auftrages.«[32] Lohse tritt dem entgegen und erkennt wohl einen »Zusammenhang zwischen Theologie und Revolution«.

8. Müntzers Wirkungsgeschichte

Müntzer hat nicht allein in der Geschichtswissenschaft neue Beachtung gefunden. Auch das belletristische und dramatische Schaffen zieht ihn als Deuter der Zeit im Blick auf Zukunft mit ein. Dieter Forte hat in seinem vielbeachteten Stück »Martin Luther & Thomas Müntzer oder Die Einführung der Buchhaltung«[33] Müntzers Eintreten für die Gequälten seiner Zeit in den Vordergrund gehoben. In einem fingierten Gespräch läßt der Autor Müntzer sagen: »Sollte man sich nicht direkt an die Bauern, an die Arbeiter und an die Bürger wenden? Sie machen mit. Sie sind auf unserer Seite, und um sie geht es doch.« Luther entgegnet: »Es geht um Theologie. Müntzer: Das sehe ich anders. Luther: Dir fehlt der Blick. Müntzer: Das mag sein. Aber wozu Theologie, wenn draußen Menschen verhungern.«[34] Dagegen ist zu sagen: Auch Müntzer ging es um Theologie, auch Luther ging es um den leidenden Menschen.

Wer Müntzer verstehen will, muß seine Texte lesen und die Zeit studieren, in der er lebte. Beides ist ein mühseliges Geschäft, aber es lohnt sich; denn der Reich-Gottes-Theologe besonderer Observanz hat eine Botschaft überliefert, die gerade in unserer Zeit ihre besondere Unerläßlichkeit bekommt, auch wenn solche Botschaft mehr wichtige Fragen auslöst als schon richtig beantwortet. Dazu gehören etwa folgende Gedanken:

9. Versuch einer Zusammenfassung

9.1 Müntzer ist bereit, seinen Willen ganz Gottes Willen unterzuordnen.

9.2 Er stellt die Frage nach Werden und Wesen der Kirche neu und findet dazu unaufgebbare Leitbegriffe.

9.3 Er ringt um das richtige Verständnis von Prophetie, die er nicht als historisch erledigt, gewissermaßen »auf Flaschen gezogen« als erledigt betrachten kann.

9.4 Seine Hochschätzung der Bibel fordert geradezu, ihn dort aufzusuchen und abzuhorchen, wo er zu Hause war, nämlich in der Heiligen Schrift.

9.5 Da für Müntzer die Bibel exemplarisch-paradigmatische Bedeutung hatte,

---

31 Erneut mit entsprechenden Belegen zitiert bei B. Lohse: Evangelium in der Geschichte, Göttingen 1988, 114f.

32 Bei B. Lohse, a.a.O.

33 Berlin 1971.

34 A.a.O., 34.

stellt sich die Frage nach dem vorhergehenden, begleitenden und nachfolgenden Geist-Gottes-Besitz, mit dem der Auserwählte rechnen darf.

9.6 Die zeitweilig geschichtswirksame und bis zur Selbstaufgabe starke Solidarisierung Müntzers mit der Sache der Bauern vom Sommer 1524 bis zum Frühjahr 1525 darf nicht außer acht lassen, daß der Prophet sich nicht ganz verstanden wußte und sein Auftreten für die Durchsetzung des Willens Gottes wegen des Eigennutzes auf Kosten der göttlichen Wahrheit als gescheitert betrachtete (an die Gemeinde zu Mühlhausen am 17. Mai 1525): »Nachdem es Got also wolgefelt, daß ich von hinnen scheyden werde in wahrhaftiger erkenthnis gottlichs namens und erstattung etzlicher mißbreuch vom volk angenommen, mich nicht recht vorstanden, alleyne angesehen eygen nutz, der zum undergang gottlicher warheyt gelanget, bin ichs auch herzlich zufriden, das es Got also vorfuget hatt...«[35]

9.7 Müntzer wollte nicht nur interpretieren, er wollte verändern. Er hat Frömmigkeit mit Handlungsbereitschaft um Gottes und der Menschen willen gleichgesetzt. Wer all diese Begriffe und damit gesetzte Akzente neu sortieren will, muß sich nach seinem Kriterienkatalog dafür genauso befragen lassen wie wir Müntzer jetzt zur Sache befragt haben.

35 Franz, a.a.O., 473, 7–11.

»Kirche im Sozialismus« – Anmerkungen zu Zeugnis und Dienst Evangelischer Kirche in der Deutschen Demokratischen Republik –

MANFRED STOLPE

1. Wie politisch darf die Kirche sein?

Die Evangelische Kirche in der Deutschen Demokratischen Republik erlebt gegenwärtig zwei ganz unterschiedliche Bewegungen. Beide verstehen sich noch als Teil der Kirche, und beide sind der Überzeugung, die richtige Weise christlicher Existenz darzustellen. Da ist einmal der Aufbruch zur Weltverantwortung und da ist zum anderen die charismatische Sammlung.

Der Aufbruch zur Weltverantwortung ist vor allem durch Impulse aus der internationalen Ökumene, vornehmlich dem Weltkirchenrat, angeregt, die zunächst Ende der siebziger Jahre in der kirchlichen Jugendarbeit aufgefangen und für den eigenen Lebensbereich konkretisiert wurden. Die kirchlichen Jugendgruppen, häufig mit einem hohen Anteil bisher kirchenfremder Jugendlicher, erfahren die biblische Botschaft als Anstoß zum Handeln in der Welt. Angesichts globaler und lokaler Ungerechtigkeit sowie bleibender Friedensbedrohung sehen nicht nur junge Menschen die zwingende Konsequenz aus Jesu Orientierung, sich persönlich einzuschalten, mit Wort und Tat den Gefahren entgegenzuwirken. Viele Nichtchristen, die neu zu den kirchlichen Gruppen kommen, bringen ihre Erwartung an eine bessere Welt mit ein und erleben in kirchlichen Gruppen die einzige Möglichkeit, innerhalb der DDR ihre Vorstellungen voranzubringen. Christen wiederum erleben, wie die Aussagen des Alten und des Neuen Testaments zu Gerechtigkeit und Frieden in der konkreten Auseinandersetzung zu leuchten beginnen, Kraft entwickeln und auch Nichtglaubende bewegen können. Meditationen, Symbole und Aktionen werden dabei die bestimmenden Handlungsweisen. Die Kirche in Gestalt von Gemeindekirchenräten und Kirchenleitungen wird als leisetretend empfunden; ihnen sei die selbstsüchtige Konfliktvermeidung wichtiger als das rigorose Bekenntnis zur Wahrheit. Ein lebhafter prophetischer Impuls hat unsere Kirche erfaßt, der die Christen zum politischen Handeln im Hier und Heute fordert.

Die charismatische Bewegung ist durch Verbindungen in die Niederlande, die Bundesrepublik und die Schweiz angeregt, sich neu auf das Wesen des christlichen Glaubens zu besinnen. Danach ist das Verhältnis des einzelnen zu Gott das allein wichtige. Der Christ soll sich Gott voll anvertrauen, seine Seele mit ihm ins Reine bringen und kann dabei Gottes Gnadengaben empfangen. Nicht die Welt, sondern Gottes Heil ist das Thema des Glaubenden. Statt kirchlicher Veranstaltungen zu politischen Themen, werden Lobpreisgottesdienste durchgeführt, in denen der Glaubende im Zungenreden und in Krankenheilungen das Wirken des Geistes Gottes spüren und froh werden kann. Aus dieser Glaubenserfahrung wird das weltliche Geschehen zur Nebensächlichkeit. Ja, es wird eher als Unglaube empfunden, sich Sorge um Gerechtigkeit und Frieden in der Welt zu machen. Schließlich ist es Gottes Entscheidung, ob und wann er die Menschheit zum Gericht ruft. Vielleicht sind die erkennbaren Bedrohungen der Menschheit bereits die Vorzeichen des Endes, dem niemand entgegenwirken kann. Um so dringlicher wird es für den Glaubenden, seine Beziehung zu Gott zu klären. Die Kirche wird in ihren traditionellen Gemeindegottesdiensten als lau und ohne Glaubenskraft empfunden. Kirchliche gesellschaftliche Aktivitäten erscheinen als Untreue zu Gott. Liberales Verhalten nicht weniger Christen im sexual-ethischen Bereich wirkt als Anzeichen des Glaubensverfalls. Eine harte Anfrage, durchaus mit Separierungstendenzen, mahnt die Kirche, sich auf ihre Sache zu besinnen und die politischen Irrwege zu verlassen.

Zwei radikale Bewegungen mit gegenläufigen Tendenzen, aber beide entschlossen, mit der Orientierung Jesu auf ihre Weise ernst zu machen. In der Bergpredigt, wie sie der Evangelist Markus aufgezeichnet hat, fordert Jesus von Nazareth seine Anhänger auf, ihr Leben zu ändern und gibt ihnen dafür die Grundorientierungen der Versöhnung und der Verantwortung. Zur Versöhnung und Feindesliebe fordert der Herr der Kirche mit den eindringlichen Erwartungen:

Versöhne dich mit deinem Bruder!
Liebet eure Feinde!
Segnet, die euch fluchen!
Tut wohl denen, die euch hassen!
Bittet für die, so euch beleidigen und verfolgen.

Ein verantwortungsbewußtes Leben in Wahrheit und Gerechtigkeit fordert Jesus mit den Worten:

Häuft keine Schätze!
Sorget nicht für euer Leben!
Mäßigt euch! Zügelt eure Begierden!
Redet wahr und eindeutig!
Seht eure eigenen Fehler!
Geht gerecht miteinander um!

Otto von Bismarck hielt bekanntlich Bergpredigt und Politik für unvereinbar. Damit lag er ganz auf einer Linie lutherischer Reformation, die auch in Brandenburg-Preußen zu einer quasi – Arbeitsteilung zwischen der Kirche und dem Staat geführt hatte. In der vom Landesherrn geleiteten Staatskirche ging es um das Seelenheil. Weltliche Geschäfte besorgte der Kurfürst, später König, und aus ihnen hielt sich die Kirche heraus. Erst vor siebzig Jahren zerbrach in der Novemberrevolution 1918 mit der Monarchie auch die preußische Staatskirche, und die Kirche war genötigt, sich auf ihre Sache neu zu besinnen.

Ein erster Ansatz findet sich in der Verfassungsurkunde der Altpreußischen Union von 1924. Im Artikel 1 wird festgeschrieben, daß die Kirchengewalt ausschließlich der Kirche zusteht und sie ihre Angelegenheiten selbständig ordnet. Nach dieser Entscheidung zur formalen Selbständigkeit war die Weiche auch nach der inhaltlichen Eigenständigkeit der Kirche nur noch eine Frage der Zeit.

Das Verhältnis von Kirche und Welt verschärfte sich im Nazisystem, als Hitlers

Führungsanspruch auch auf die Kirche ausgedehnt werden sollte und gröbste Verletzungen des Rechts und der Menschenwürde aufschrecken ließen. Im rheinischen Barmen wurde in einer Sternstunde deutscher Kirchengeschichte 1934 eine Theologische Erklärung formuliert, die inzwischen in allen deutschen evangelischen Kirchen Bekenntnischarakter und ihre Aktualität nicht verloren hat. In der Bedrohung ihrer Substanz angesichts der Gleichschaltungsabsichten der Nazis und unter der Herausforderung offenkundigen Unrechts an Menschen besann sich die evangelische Kirche neu auf ihren Auftrag. Nach fast vier Jahrhunderten evangelischer Staatskirche war das ein neuer Anfang. Wir haben ihn festzuhalten und zu bewähren. Drei Einsichten der Barmer Theologischen Erklärung möchte ich hier besonders hervorheben:

1. Nur Jesus Christus ist der Herr der Kirche. Die Kirche hat nur einen Herrn. Sie hat Jesus Christus zu vertrauen und zu gehorchen. Er allein soll die Orientierung für das Handeln der Christen geben.
2. Die Verantwortung der Christen endet nicht an der Kirchentür. Gottes Anspruch richtet sich auf das ganze Leben der Christen. In allen Bereichen des Lebens ist der Christ Gott zu eigen und bedarf seiner Rechtfertigung. Gott weist die Christen zum Dienst an allen seinen Geschöpfen.
3. Die Kirche hat einen eigenständigen, unvertretbaren und unverwechselbaren Auftrag. Die Kirche hat die Botschaft von der Gnade an alle Menschen weiterzugeben. Sie darf sich nicht in den Dienst fremder Pläne stellen, und sie soll sich nicht staatliche Aufgaben aneignen.

Bergpredigt und Barmen lassen keine religiösen Reservate zu, sondern binden den Christen in seinem ganzen Leben. Sie verwehren ihm, sich ausschließlich um sein eigenes Seelenheil zu mühen, sondern weisen ihn an, in Jesu Sinn auf andere Menschen zuzugehen. Die Christen sollen in allen Bereichen ihres Lebens die Erwartungen Jesu einbringen. Es gibt keine Bereiche, in denen das nicht gilt, auch nicht in der sogenannten Politik, also dem gesellschaftlichen Zusammenleben der Menschen. Gerade die Fragen des Zusammenlebens der Menschen bringen wachsende Herausforderungen an die Christen: Was sagt die Kirche, wie verhalten sich die Christen gegenüber der Überlebensbedrohung durch Superrüstung und Umweltvernichtung oder angesichts des Massensterbens in den Entwicklungsländern?

In den christlichen Kirchen ist es heute weltweit unstreitig, daß Kirche und Christen diese Fragen etwas angehen, denn nach der biblischen Botschaft gehen uns die Menschen etwas an. Gerechtigkeit, Frieden und Bewahrung der Schöpfung sind Aufgaben, in denen Christen heute ihren Glaubensgehorsam zu bewähren haben. Es ist ein nicht zu übersehendes Signal, daß nach Jahrhunderten der Trennung evangelische und katholische Christen im Auftrage ihrer Kirchen sich diesen Herausforderungen stellen und in Ökumenischen Versammlungen ihre Erwartungen an Kirchen und politisch Verantwortliche, aber auch an den einzelnen Christen und sich selbst konkret darlegen. Der Glaube weist an die Welt und gibt die Freiheit, die Probleme in ihrer ganzen Schärfe zu nennen und dennoch statt Resignation Hoffnung zu verbreiten. Die Kirche ist heute von ihrem eigenen Auftrag unvermeidlich politisch. Doch sie bleibt dabei gebunden.

Politisches Handeln der Kirche steht in einer Bindung in der Substanz und einer Bindung in der Form.

Die Bindung in der Substanz ergibt sich aus der Notwendigkeit des biblischen Bezuges. Kirche muß sich ihrer Legitimation zur Äußerung im gesellschaftlichen Bereich vergewissern. Sie muß über Jesu Willen reflektieren und herausfinden, ob und wie sie gefordert ist. Christliche Mitverantwortung in den Fragen der Welt darf nicht zum inflationären Mitreden oder Nachreden werden, sondern muß sich der Unvertretbarkeit und Unverzichtbarkeit ihres Wirkens sicher sein. Bindung in der Substanz heißt auch, daß alle gesellschaftlichen Fragen in der Hoffnung des christlichen Glaubens an die Wiederkunft des Herrn relativiert werden. Das Streben der Christen kann sich nicht im Streben nach den Werten dieser Welt erschöpfen. Es hat noch eine andere Dimension. Gottes Gerechtigkeit ist mehr als die Gerechtigkeit zwischen den Menschen. Gottes Gerechtigkeit ist seine Rechtfertigung und Gnade, die auch um die Unzulänglichkeit und Unvollkommenheit alles menschlichen Strebens weiß. Gottes Frieden ist mehr als der Frieden zwischen den Menschen und Staaten. Gottes Frieden kann erst in seinem Kommen erschlossen werden. Das Wissen um diese Dimension entbindet Christen nicht von ihrer Mitverantwortung für Gerechtigkeit und Frieden, doch es gibt ihnen eine tragende Hoffnung, Gelassenheit und Geduld.

Bindung des politischen Handelns der Kirche in der Form erfordert Unverwechselbarkeit. Äußerungen und Handlungen der Kirche im gesellschaftlichen Bereich sollen den Bezug zur Sache der Kirche erkennen lassen. Sie werden deshalb nicht darauf verzichten können, ihren konkreten Bezugspunkt zur biblischen Botschaft zu benennen. Sie müssen erkennen lassen, warum sie vom Glauben gefordert sind. Bindung in der Form bedeutet subsidiäres Wirken der Kirche. Das politische Handeln der Kirche wird fällig, wenn es wegen der Dringlichkeit der Frage zusätzlich zu anderen Bemühungen erforderlich ist. Das kann heute in den drei Überlebensfragen vorausgesetzt werden. Politisches Handeln der Kirche wird auch dann fällig, wenn zu wichtigen Fragen der Menschen andere Kräfte nicht handeln oder nicht handeln können.

Bindung in der Form heißt auch, daß das politische Handeln der Kirche vom Versöhnungsgebot ihres Herrn bestimmt sein muß. Kirchliches Handeln muß Feindesliebe praktizieren, andere gegenteilige Meinungen verständnisvoll zu überwinden suchen, sachlich bleiben, Geduld einbringen.

Bei alledem wird die Kirche nicht außer Acht lassen, wie es Barmen V und VI herausstellen, daß sie die Aufgabe hat, Menschen zum Glauben zu führen und sie zu befähigen, aus dem Glauben in der Welt zu handeln. Das Wirken der Kirche in den Fragen der Welt wird von daher vor allem ein indirektes Wirken über das orientierende Wort an die Gläubigen sein müssen. Es ist eine Versuchung unserer Zeit, daß Kirche mit Hilfe der Medien die direkte Einwirkung in die Gesellschaft wahrnehmen kann. Kirche wird sich nicht vor den Medien verstecken müssen. Sie wird daher gerade bei deren Inanspruchnahme ihre Bindung in Substanz und Form beachten müssen.

2. Zum Verhältnis von Staat und Kirche in der Deutschen Demokratischen Republik

Das Verhältnis von Staat und Kirche in der DDR wird vor allem durch drei Faktoren bestimmt:

Das unausweichliche, tagtägliche Zusammenleben mehrerer Millionen Christen und Kommunisten in einem engen, kleinen Lande.
Die Weltlage, insbesondere das Ost-West-Verhältnis.
Die unterschiedlichen Grundpositionen von Atheisten und Gottgläubigen.

Die unterschiedlichen Grundpositionen von Atheisten und Gottgläubigen sind nicht auszuräumen. Es ist wirklich weder philosophisch oder theologisch noch lebenspraktisch oder emotional miteinander vereinbar, ob Gott als Ursprung und Ziel aller Dinge angesehen wird oder für ihn kein Platz im Weltbild eingeräumt werden kann. Dieser Gegensatz wird zwischen deutschen Theologen und deutschen marxistischen Philosophen auch zu Recht mit Akribie gepflegt. Die deutschen marxistischen Philosophen halten mit großer Treue an gewissen Aussagen von Marx und Lenin fest, wonach Religion unwissenschaftlich, falsch und der Atheismus ein untrennbarer und unaufgebbarer Bestandteil des Marxismus-Leninismus ist. Die deutschen Theologen befestigen geradezu diese Position, indem sie die Marx-Engels-Lenin-Texte mit ihrer Exegese überziehen und mit wissenschaftlichem Eifer auch noch den letzten verborgenen Gegensatz freilegen. Auch der zarte Versuch einiger marxistischer Philosophen, durch die Herausarbeitung des Doppelcharakters der Religion nach Marx – als der Widerspiegelung gesellschaftlicher Zustände und als Protest gegen sie – die Weltanschauungsfrage in gesamtgesellschaftliche Zusammenhänge einzuordnen, findet den entschlossenen Widerstand von Theologen. Sie weisen sogleich nach, daß Marx ganz sicher keine positive Dimension an der Religion gesehen haben kann. So sind die deutschen Wissenschaftler und so werden sie bleiben. Auch eine Relativierung des Gegensatzes Gottglaube und Atheismus aus dem sozialökonomischen Ansatz der Befreiungstheologie oder kybernetischen Deutungsansätzen hat bei ihnen keine Chance.

Aber die Deutschen sind auch in der Regel keine Fanatiker. Trotz des gepflegten prinzipiellen Gegensatzes von Gottglaube und Atheismus ist es nicht zu einem Glaubenskrieg zwischen Christen und Kommunisten in der DDR gekommen. Es hat Fälle gegeben, in denen Kirchenvertreter den Unglauben verteufelten und zum entschlossenen Widerstand gegen ihn aufforderten. Aber das waren Ausnahmen. Es hat vielfach administrative Maßnahmen marxistischer Funktionäre in Schulen, Ausbildungsstätten, auch Betrieben gegen Christen gegeben. Dieser Mißbrauch der Gewalt hat sich als böser Bumerang erwiesen, indem er vielen Menschen die Integration in den Staat DDR erschwerte, ja sie nicht selten zur inneren oder äußeren Emigration brachte. Doch insgesamt ist kein breiter Glaubenshaß aufgekommen. Vielmehr lebt man im Wohngebiet, im Beruf nebeneinander bis miteinander. Es kann auch nicht übersehen werden, daß die tatkräftige Mitarbeit der Christen, vor allem im produktiven Bereich der Gesellschaft, die DDR mitgeschaffen hat und miterhält. Der ausgebliebene Glaubenskrieg liegt nicht an der Lauheit der gläubigen Christen oder der überzeugten Kommunisten. Er liegt einmal darin, daß das weltanschauliche Verhältnis nicht zusätzlich durch soziale Spannungen befrachtet wird. Denn es gibt keine Klassengegensätze, noch nicht einmal Klassenunterschiede zwischen Christen und Kommunisten. Zum anderen haben deutscher Protestantismus und deutscher Marxismus eine gewisse Affinität zur Toleranz. Die Evangelischen haben unter dem Stock brandenburgischer Kurfürsten und preußischer Könige lernen müssen, mit Andersdenkenden zu leben. Das haben sie bisher wissenschaftlich nicht verarbeitet, sondern beginnen erst neuerdings, über die Menschenrechtsfrage sich vorsichtig an das große Thema Toleranz heranzuarbeiten. Die Kommunisten haben siebzig Jahre Geschichte mit manchen falschen Fronten aufzuarbeiten begonnen und über die Notwendigkeit des außenpolitischen Dialogs und die Gesprächsfähigkeit der Sozialdemokratie neue Formen des Umgangs mit Andersdenkenden vom Erdulden über das bewußte Aushalten bis zur Suche nach gemeinsamen Grundwerten begonnen.

Bei den sechs Millionen Christen und den vier Millionen Kommunisten in der DDR setzt sich langsam die Einsicht durch, daß sie in vier Jahrzehnten zweierlei nicht begriffen haben:

Sie sind unausweichlich aufeinander angewiesen. Ein Gegeneinander verträgt der europäische Friede nicht. Für ein Nebeneinander ist das Land zu klein.

Zweitens sind Christen und Marxisten nicht allein im Lande DDR. Sie waren und sind zum Teil noch viel zu stark aufeinander fixiert und übersehen, daß mehr als sechs Millionen DDR-Bürger, also die größte Gruppe im Lande, weder Kirchenmitglieder noch parteilich gebundene Kommunisten sind. Sie fühlen sich vom Gegensatz Christen und Marxisten nicht direkt betroffen – höchstens indirekt belastet. Was denken sie? Was wollen sie? Wie können sie für ein menschenfreundliches, gemeinsames Staatswesen DDR interessiert werden?

Die Weltlage und insbesondere das Ost-West-Verhältnis spielt für das Verhältnis von Staat und Kirche in der DDR eine wichtige Rolle. Die DDR-Innenpolitik kann nicht die globalen Entwicklungen außer Acht lassen. Einst der Kalte Krieg und heute die europäische Entspannungspolitik haben ihre direkten Auswirkungen auf Leben und Möglichkeiten von Christen und Kirchen in der DDR.

Zeiten der politischen Konfrontation sind keine guten Zeiten für Christen in der DDR. Sie geraten zwischen die Fronten oder werden schnell zu Gegnern abgestempelt, müssen Mißtrauen und Nachteile erwarten, werden verunsichert und verängstigt.

Zeiten der politischen Entspannung sind gute Zeiten für Christen in der DDR. Ihre Wirkungsmöglichkeiten können erweitert werden, ihre grenzüberschreitenden Beziehungen sind gefragt, die Gemeinden werden ermutigt, und Vorsichtige lassen sich wieder häufiger bei der Kirche sehen. Entspannungszeiten sind direkte Hilfe für die Christen in der DDR und erleichtern insgesamt das Zusammenleben im Lande.

In den letzten Jahren haben auch die globalen, lebensbedrohlichen Herausforderungen das Verhältnis von Kirche und Staat, Christen und Marxisten in der DDR bestimmt. Denn ein nukleares Begräbnis würde für alle ohne Unterschied der Weltanschauung stattfinden, die Naturzerstörung trifft jeden, auch wenn manche marxistischen Zweckoptimisten etwas länger weggesehen haben, und die soziale Katastrophe in den Entwicklungsländern betrifft uns alle schon heute moralisch und spätestens übermorgen existentiell. Diese harten Tatsachen bestreitet heute kein Experte in Ost und West, und jedes genaue Prüfen und Bedenken läßt die Sorge noch wachsen. Diese harten Tatsachen relativieren und hinterfragen lokale Gegensätze, erfordern den Interessenausgleich, wo immer er möglich ist. Das wird auch das Verhältnis von Kirche und Staat in der DDR mehr und mehr bestimmen müssen.

Die Evangelische Kirche in der DDR versucht, die Erkenntnisse von Barmen zu leben und sich den neuen Herausforderungen dieser veränderten Gesellschaft zu stellen. Sie hat die großen sozialen Umbrüche der Eigentumsverhältnisse in Landwirtschaft und Industrie und damit die Schaffung sozialistischer Produktionsverhältnisse respektiert und ihre Hoffnung ausgedrückt, daß damit mehr soziale Gerechtigkeit möglich wird. Die Kirche hat aber auch Härten und Ungerechtigkeiten bei diesen Umwälzungen widersprochen und ist immer wieder für Rechtssicherheit und Menschenwürde eingetreten. Die Kirche hat die Menschen aufgefordert, im Lande zu bleiben, Chancen wahrzunehmen, negativen Entwicklungen zu widersprechen und mitzuhelfen, die sozialistische Gesellschaft zu verbessern.

Die Kirche hat schließlich ihr eigenes Verhältnis zu Staat und Gesellschaft der DDR geregelt und beschrieben. Sie hat mit ihrer gesamtkirchlichen Organisation durch die Trennung von der Evangelischen Kirche in Deutschland und der Bildung des selbständigen und unabhängigen Bundes der Evangelischen Kirchen in der Deutschen Demokratischen Republik die historische Notwendigkeit des Staates DDR anerkannt.

Der Bund der Evangelischen Kirchen in der DDR hat in den siebziger und achtziger Jahren in mehreren Synodalerklärungen Zeugnis und Dienst in der sozialistischen Gesellschaft beschrieben und insbesondere in Schwerin 1973 den Auftrag einer Kirche im Sozialismus definiert:

»Kirche im Sozialismus wäre die Kirche, die dem christlichen Bürger und der einzelnen Gemeinde hilft, daß sie einen Weg in der sozialistischen Gesellschaft in der Freiheit und Bindung des Glaubens finden und bemüht sind, das Beste für alle und für das Ganze zu suchen. Kirche im Sozialismus wäre eine Kirche, die auch als solche, in der selben Freiheit des Glaubens, bereit ist, dort, wo in unserer Gesellschaft menschliches Leben erhalten und gebessert wird, mit vollem Einsatz mitzutun und dort, wo es nötig ist, Gefahr für menschliches Leben abwenden zu helfen. Es kann sich, wie sich gezeigt hat, ergeben, daß wir Christen im Lichte der Verheißung Gottes und unter seinem Gebot Probleme und Nöte in Welt und Gesellschaft anders sehen, als sie von anderen Voraussetzungen aus gesehen werden, oder Fragen hören, die andere nicht so hören. Wir haben dann unsere Anfragen geltend gemacht.«

Das ist auch heute die geeignete Formel, die Position evangelischer Kirche in der sozialistischen Gesellschaft im theologischen Ansatz, im pastoralen Auftrag und in der gesellschaftlichen Mitverantwortung zu beschreiben. Selbstverständlich darf der Gebrauch einer Formel nicht auf die jeweilige Konkretisierung einschließlich der ökumenischen und globalen Bezüge verzichten. »Kirche im Sozialismus« darf nicht als Leerformel erschöpft werden, sondern muß als Arbeitsauftrag auch in veränderten Bedingungen gelebt werden. Dabei werden gerade veränderte Herausforderungen und wechselseitige Belastungen im Verhältnis von Kirche und

Gesellschaft, die neue Ansätze, neues Denken und neue Lösungen brauchen, in der Formel »Kirche im Sozialismus« eine hilfreiche Ausgangsbasis finden.

Belastungen zwischen Staat und Kirche ergeben sich aus den Veränderungen, in denen beide stehen. Die Evangelische Kirche hat in den letzten Jahrzehnten große Veränderungen in ihrem Aufgabenverständnis und in ihrer Gestalt erfahren. In ihrer äußeren Gestalt bewegt sie sich seit dem Ende der Staatskirche, in der nahezu alle Staatsbürger zugleich evangelisch waren, von einer Gesamtbevölkerungskirche auf eine Freiwilligkeitskirche zu. Die Staatsbürger werden heute nicht mehr automatisch in die Kirche hineingetauft, Christsein bringt keine Vorteile und nur, wer sich bewußt entscheidet, gehört zur Kirche. Noch sind einige reifere Jahrgänge aus der bevölkerungskirchlichen Situation stark in der Kirche vertreten. Aber es zeichnet sich deutlich ab und entspricht auch der internationalen ökumenischen Normalität, daß eine Freiwilligkeitskirche, wenn sie gut und anziehend ist, kaum mehr als 20 % der Bevölkerung als regelmäßige zahlende Mitglieder erfassen wird. Das sagt nichts über ihre Wirkung, und schon heute wissen wir, daß auch bei vielen Nichtkirchenmitgliedern zahlreiche Sympathisanten, aber auch große konkrete Erwartungen in persönlichen und gesamtgesellschaftlichen Fragen gegenüber der Kirche vorhanden sind. Doch Organisationsform, Gebäude- und Personalbestand sind von der Mitgliederzahl bestimmt. Die Kirchenleitungen wissen um ihre Zugzwänge. Aber wer gibt schon gern die alte preußische EKU auf – zumal wenn die getreuen Freunde im Rheinland und in Westfalen dazugehören – auch wenn alle ihre Aufgaben durch den Bund der Evangelischen Kirchen erledigt werden können. Und wer gibt schon gerne Gebäude auf – zumal niemand genau weiß, welchen Wert und welche Bedeutung sie in 20 Jahren haben werden – auch wenn sie gegenwärtig in Unterhaltung und Nutzung eine totale Überlastung bedeuten. Und wer verzichtet schon auf Stellenbesetzungen – zumal noch Nachwuchs zu gewinnen ist – auch wenn eigentlich unumstritten ist, daß mehr nebenamtliche Mitarbeiter gewonnen werden müssen. Die Evangelische Kirche in der DDR ist mitten in einer Strukturkrise, die sie allerdings bisher geschickt verborgen hält.

Noch radikaler ist die Veränderung in den Inhalten der Verkündigung. Die Anerkennung der Mitverantwortung für die Gerechtigkeit, den Frieden und die Bewahrung der Schöpfung, als einer unmittelbar aus dem Glaubensgehorsam folgenden Aufgabe, hat viele Gemeinden ergriffen. Es genügt ihnen nicht mehr, darüber zu reden. Gemeinden und Gruppen wollen in ökumenischer Verbundenheit mit anderen Christen durch Fürbitten und Aktion die Welt und ihre Gesellschaft verbessern. Die Christen sind aus Glaubensüberzeugung in Lebensfragen offensiver geworden.

Diese veränderte, strukturell labilere und substantiell offensivere Kirche lebt in einer Gesellschaft, die auch ihrerseits in Veränderungen steht. Die ökonomischen Herausforderungen durch die unabdingbare Entwicklung der Hochtechnologie und weitere Innovationszwänge sind gewaltig. Die neue Technik erfordert eine stärkere Mitwirkung und Motivation der Menschen, die zugleich infolge der neuen Öffnungen und Begegnungen höhere Erwartungen an ihre Gesellschaft haben. In der Ideologie schließlich muß spätestens seit Gorbatschow manches neu bedacht oder anders gesehen werden. Alles schwerwiegende Fragen, die weitreichende Veränderungen unvermeidbar machen. Wie kann man sie ohne Turbulenzen vollziehen? Wie vermeidet man den Effekt des 10. Juni 1953, der Verkündung eines radikalen Neuen Kurses, die der wesentliche Auslöser des 17. Juni war? Dialektik von Kontinuität und Wandel heißt die wohl richtige Formel, mit der die DDR-Gesellschaft verändert werden soll.

Kirche und Gesellschaft in der Deutschen Demokratischen Republik bewegen sich. Berührungen und Anstöße wurden unvermeidbar. Auffällige Einzelvorgänge werden von den Medien beobachtet und gelegentlich auch dramatisiert.

Doch Turbulenzen führen nicht weiter. Kirche und Christen in der DDR sind bereit zum Dialog mit den Kommunisten, um für die anstehenden globalen Herausforderungen, aber auch für die Probleme des Inlandes gemeinsam Lösungen zu suchen. An der Dialogbereitschaft und der Dialogfähigkeit von Staat und Kirche in der DDR wird in der nächsten Zeit eine Zukunftsweiche gestellt.

3. Durch Mitverantwortung Zukunft erhalten

Zeugnis und Dienst Evangelischer Kirche in der DDR ist auf die Menschen in diesem Lande gerichtet. Doch dieses Land ist in die großen globalen Fragen einbezogen, für die bisher keine Lösungen erkennbar sind. Die Kirche wird deshalb die Menschen, die sie zum Glauben ruft und im Glauben stärkt, noch mehr auf ihre Mitverantwortung aus christlichem Glauben ansprechen müssen. Denn die drei großen Menschheitsbedrohungen – die Selbstvernichtung durch den nuklearen Krieg, die Zerstörung der natürlichen Lebensgrundlagen und die soziale Explosion aus dem wachsenden Elend der armen Länder – sind nur durch ein Umdenken der Menschen aufzuhalten. Den Christen gibt ihr Glaube einen Vorlauf zur Umkehr, zum Neuanfang. Sie müssen es wissen. Die Verkündigung der nie verlöschenden Liebe Gottes im Alten und Neuen Testament zwingt Christen heute mehr denn je, die Umsetzung der Botschaft in ihr eigenes Leben und Handeln zu beginnen. Das zweitausend Jahre alte Denken Jesu ist das neue Denken, das die Menschheit retten kann. Es bedarf weniger der Formulierung oder Propagierung eines neuen Ethos. Es bedarf des neuen Handelns. Nicht das Warten, was irgendwo die großen Staaten oder die großen Politiker tun werden, sondern die vielen kleinen Schritte der vielen kleinen Leute sind nötig. Die Kirchen müssen diese Haltung ihren Gläubigen vermitteln. Nicht um Gottes Reich des Friedens und der Gerechtigkeit auf Erden errichten zu wollen, sondern um die vom Glauben gebotene Mitverantwortung für die Erhaltung des Lebens und ein gerechtes Zusammenleben wahrzunehmen. Weltweit ist es heute vordringliche Aufgabe christlicher Kirche, die Glaubenden zu bewegen, aus den alten bekannten Orientierungen der Bibel die heute endgültig fälligen Konsequenzen im eigenen Leben zu ziehen.

»Kirche im Sozialismus«, evangelische Kirche in der Deutschen Demokratischen Republik, steht als eine Kirche in der ökumenischen Weltgemeinschaft der Christenheit vor der Aufgabe, unter den Bedingungen der sozialistischen Gesellschaft der DDR Menschen zum Glauben zu gewinnen, Menschen im Glauben sicher zu machen und Menschen zum Leben im Glauben anzuhalten.

Die Grundaufgabe der Kirche ist und bleibt der Missionsbefehl. Er bedeutet für unsere Kirche die Notwendigkeit, sich gegenüber einer nicht kirchlich gebundenen und kirchlich unerfahrenen Bevölkerungsmehrheit verstehbar zu machen. Allen Menschen, auch den bisher Nichtglaubenden, auch den atheistischen Kommunisten, muß vermittelt werden, daß für sie die Botschaft Jesu Christi außerordentlich wichtig, außerordentlich nötig und außerordentlich hilfreich ist. Die Erkenntnis der Kirche, daß die Wahrnehmung von Verantwortung für Gerechtigkeit, Frieden und die Erhaltung der Natur aus dem Glauben erwachsende Aufgaben sind, bringt unsere Kirche deutlich näher an die Menschen heran. Die Wende zur Welt und ihren Gefahren ist auch eine Wende zum einzelnen und seinen Nöten. Gerechtigkeit und Frieden sind nicht nur in globalen Dimensionen, sondern auch im kleinen, grauen Alltag des Mitmenschen relevant. Ja, die in universaler Dimension betrachteten kleinen Belastungen des einzelnen drängen und bestimmen ihn mehr als die Weltprobleme. Sie machen ihn aber zugleich sensibler.

Die Wahrnehmung der Weltverantwortung hat die evangelische Kirche in der DDR den Menschen des Landes näher gebracht, neue Hörbereitschaft für ihre Botschaft geweckt. Die Kirche kann Denkanstöße an die Menschen geben. Einen bisherigen Höhepunkt hat diese Impulsfunktion evangelischer Kirche im gemeinsamen Wirken der christlichen Kirchen in der DDR in der Ökumenischen Versammlung gefunden. In ihren Texten wird Glaubensverantwortung konkret beschrieben, und in ihrem Meinungsbildungsprozeß mit vieltausendfacher Beteiligung aus dem ganzen Lande wird eine Bewegung für neue Verantwortung deutlich. Die Aufgabe der Kirche ist es jetzt, diese Denkanstöße festzuhalten und den Denkprozeß weiter zu bewegen.

Die zweite große Aufgabe der Kirche besteht darin, die Menschen in ihrer Glaubensüberzeugung sicher zu machen. Die Kirche muß den Christen helfen, die Herausforderung des Atheismus zu bestehen. Die Freidenkerbewegung wird diese Herausforderungen verstärken und den nötigen, ernsthaften Streit führen. Der philosophische Atheismus ist nicht philosophisch zu überwinden, aber er muß keine Glaubensverunsicherung sein. Die anstehenden Debatten können hilfreich sein. Denn Sichermachen im Glauben heißt auch, die Bereitschaft zu wecken, seine Glaubensüberzeugung erkennbar zu machen, sich zu stellen, Rückfragen und vielleicht sogar Benachteiligungen nicht zu fürchten. Christen mußten in der DDR lernen, daß das Festhalten an Glaube und Kirche keine Vorteile bringt und keine Karrieren eröffnet. Christen konnten aber auch die Freiheit erfahren, die der Glaubende in seiner Bindung an Gott hat und die ihn das sonst Ungewöhnliche denken und aussprechen läßt. Glaubensgewißheit kann zum aufrechten Gang helfen. In der sozialistischen Gesellschaft mit einer Favorisierung des Atheismus und einer Mehrheit der Menschen, die nicht Angehörige der Kirche sind, beginnt das Bekenntnis zum Glauben mit dem Geständnis, Christ zu sein, zur Kirche zu gehören. Nur zu verständlich ist es, daß viele Gemeindeglieder in Schule, Ausbildung, Armee und Beruf große Scheu haben, von ihrer Glaubensüberzeugung wissen zu lassen, sich als Christen zu erkennen zu geben. Es ist Aufgabe der Kirche, dazu Mut zu machen, und es ist Pflicht der Kirche in allen ihren Veranstaltungen, vom Gottesdienst bis zum Gemeindeseminar, die Christen zu befähigen, den dann auf sie zukommenden, überwiegend neugierig-freundlichen, aber auch hin und wieder hämisch-bösartigen Fragen gewachsen zu sein.

Die dritte Aufgabe der Kirche ist die schwerste und zugleich die entscheidende:

Die Kirche muß die Christen anhalten, ihren Glauben in der Welt zu leben. Hiervon sind wir in der DDR noch weit entfernt. Die Forderungen sind bekannt, überzeugend und zwingend. Sie heißen teilen, verzichten, sich bescheiden, die eigenen Grundbedürfnisse reduzieren und nach dem künftig im Weltzusammenhang Möglichen zu orientieren. Eigentlich sind ja in der DDR die Voraussetzungen für eine Kultur der Askese gut: Die Christen leben nicht im Überfluß, die Kunst, das Mögliche und Machbare zu nutzen, ist ausgeprägt. Doch nur zahlenmäßig geringe und bisher nicht weiter wirkende Vorbilder einzelner und mancher Gruppen bringen Ansätze, den erzwungenen Verzicht zum bewußten Verzicht aus Glaubensgehorsam werden zu lassen und damit natürliche Ressourcen zu bewahren, weltweite Gerechtigkeit einzuüben und Versöhnung zu leben. Wird der Herr uns Gnade schenken, seine Wahrheit als seine Zeugen vorzuleben? Können Christen das Salz im Boden einer sozialistischen Gesellschaft sein? Wird die Botschaft Jesu Christi durch uns leuchten können? Unsere Aufgabe ist es! Gott stehe uns bei.

Gott setzt immer wieder Zeichen der Hoffnung – eine kleingewordene Kirche baut

Eberhard Völz

Eigentlich soll vom kirchlichen Bauen in einer Gliedkirche in der DDR, stellvertretend und damit vergleichbar, geredet werden. Aber ohne vorgesetzte geschichtliche Anmerkungen sind Besonderheiten nicht zu verstehen. Deshalb also ein kirchengeschichtlicher Exkurs, nicht von einem Schlesier, sondern von einem Vertreter derer, die die Oberlausitz als Heimat kennen und lieben. Das hat zur Folge, daß deutlicher als bisher anderswo die Geschichte einer kleiner gewordenen Kirche in den historischen Kontext gerückt wird, der für die heutige Evangelische Kirche des Görlitzer Kirchengebietes mindestens genauso prägend war, wie die geschichtlichen Wurzeln zum früheren Schlesien.

So merkt also der historisch gebildete Leser, daß in den folgenden Ausführungen die kirchliche Entwicklung in der Oberlausitz einen Schwerpunkt hat. Die jetzige Evangelische Kirche des Görlitzer Kirchengebietes hat nur 130 Jahre schlesische Geschichte (1815 bis 1945), vorher und danach ist es eine kirchengeschichtliche Entwicklung im Bereich der Oberlausitz und das heißt auch, ein eigener Weg der Kirche in diesem Gebiet durch Jahrhunderte.

- Kirchenprovinz Schlesien in der Evangelischen Kirche der Altpreußischen Union,
- Evangelische Kirche von Schlesien,
- Evangelische Kirche des Görlitzer Kirchengebietes –

drei Bezeichnungen, unter denen diese Kirche bekannt wurde und wo sich mit jeder Namens- und Geschichtsperiode konkrete Vorstellungen, Erinnerungen und das Gedenken an Einzelpersönlichkeiten verbindet.

Es ist aber nicht ganz leicht, von dieser Kirche, besonders in ihrer geschichtlichen Entwicklung zu sprechen, denn die Identität von Raum, staatshoheitlichen Größen und Kirchengebilden im Rechtssinne wechseln im Laufe der Zeit und machen eine Standortbestimmung kompliziert.

Trotzdem, wenn ich von Geschichte unserer Kirche rede, meine ich das Gebiet, das seit seiner Zugehörigkeit zu Preußen als Ober- und Niederschlesien einschl. der sogenannten preußischen Oberlausitz zusammenzufassen ist. Ich beginne mit der Zeit vor der Reformation, wiewohl wir uns dessen bewußt sein dürfen, daß es christliche Kirche schon 500 Jahre vorher auf dem Boden unserer Heimat gegeben hat. Gründung des Bistums Breslau im 1. Viertel des 11. Jahrhunderts, das älteste Gotteshaus in der Umgebung von Görlitz, in Jauernick, bis in die Zeit vor der Jahrhundertwende zurückreichend. Daran merkt man auch, daß der genannte Raum erst im 10. und 11. Jahrhundert kolonisiert und christianisiert wurde – Franken, Schwaben und zunehmend auch Mitteldeutsche aus dem Thüringer Reich kamen, oft gerufen, in das Gebiet und brachten Kultur ebenso wie die Botschaft von Christus. Ein dünn besiedeltes Gebiet mit heidnisch-slawischer Bevölkerung nahm die Kolonisten auf und ging in ihnen auch weitgehend auf – allerdings ein Prozeß, der nach Osten zu in dieser Form abnahm.

Doch zurück zur Geschichte in der Vorreformationszeit: Nach den verheerenden Hussitenkriegen gab es keine sonderliche Sympathie für die Lehre von Johann Hus; trotz Kritik an der eigenen Kirche wollte man doch »rechtgläubig« bleiben. Ja, man wandte sich Männern zu, die massenpsychologisch wirkten und so Menschen in Bewegung brachten, wie der Franziskanerbußprediger Johann Capistrano wie dem Dominikanermönch Tetzel oder man öffente sich dem Großmutter-Jesu-Kult (Annenkirchenbau, u. a. in Görlitz eine der größten Privatkirchen eines Bürgerlichen auf deutschem Boden). Ausdruck dieser übersteigerten Frömmigkeit ist auch die Anlage des Heiligen Grabes in Görlitz, das in seiner komplexen Einbeziehung von Stadt und Landschaft und in erstaunlicher Originaltreue des im 15. Jahrhundert in Jerusalem Vorfindlichen ein einmaliges Denkmal von kultur-, kunst- und religionsgeschichtlichem Rang bis auf den heutigen Tag ist.

Reformation wurde in Breslau (1520) wie auch in anderen Städten, so u. a. in Görlitz (1525) eingeführt. Um 1520 waren 90 % der Bevölkerung der schlesischen Fürstentümer und der Oberlausitz evangelisch. Die Reformation hatte sich in unserem Lande bedächtig und behutsam durchgesetzt. Radikalismus lag der konservativen Bevölkerung nicht. Alles, was nicht unbedingt den neuen, aus der Schrift gewonnenen Glaubenserkenntnissen widersprach, wurde noch lange Zeit beibehalten, z. B. die Beichte, die Amtskleidung der Geistlichen, die Vielzahl der Altäre u. a. Die Reformation war auch stärker als anderswo Sache des ganzen Volkes geworden, obwohl natürlich auch eine Reihe von bedeutenden Einzelpersönlichkeiten aus der Reihe der Territorialfürsten, so Friedrich II. von Liegnitz und der Hohenzollern-Markgraf Georg der Fromme von Ansbach, mit vielen Besitztümern in Oberschlesien, große Förderer waren. Eine weitere Besonderheit – durch die geographische Lage wußte sich die Bevölkerung als Vermittlerin evangelischen Glaubensgutes an die slawisch sprechenden Bewohner im eigenen Land und in den Nachbarländern Polen und Böhmen.

Von 1635 an ging die kirchengeschichtliche Entwicklung in Schlesien und der Oberlausitz für fast 200 Jahre getrennte Wege. Die Oberlausitz fiel an das lutherische Kurfürstentum Sachsen und blieb so lutherisch. Der Queis, 25 km östlich der Neiße, war die Grenze zwischen den schlesischen Fürstentümern und der Oberlausitz.

Schlesien unterstand der Habsburger Krone und wurde während und nach dem 30jährigen Krieg gewaltsam rekatholisiert. Die Gegenreformation war eine schwere Leidenszeit für unsere Kirche im schlesischen Gebiet, aber brachte auch viele Zeichen der opferbereiten Glaubenstreue. Die Gegenreformation war Machtpolitik des Staates gegen das Volk, die Jesuiten Helfershelfer. Verheerend war die Wegnahme von Kirchen, auch solcher, die erst nach der Reformation gebaut wurden. 3 »Friedenskirchen« in Schweidnitz, Jauer und Glogau durften dank kaiserlicher Gnaden gebaut werden – reine Fachwerkbauten ohne Turm, doch eindrucksvolle Zeugen protestantischen Glaubens. Für die treuen evangelischen Gemeindeglieder ging es um geduldiges Ertragen aller Leiden oder man mußte auswandern, meistens in die benachbarten lutherischen Territorien der sächsischen und brandenburgischen Lausitz oder nach Polen, einen Hort religiöser Toleranz. Um des Gottesdienstes willen ging man tagelang auf Reisen, in sogenannte Grenzkirchen in den genannten Gebieten. Eine davon haben wir noch nördlich von Rothenburg, in Podrosche, einem heute fast vergessenen kleinen Dorf an der Neiße.

Wesentliche Hilfe wurde den evangelischen Gemeinden durch die Bestimmungen in der Altrandstädter Konvention von 1707, in der Karl XII. von Schweden vom Habsburger Kaiser die teilweise Rückgabe von Kirchen, den Neubau von 6 Gnadenkirchen (Teschen, Hirschberg, Sagan, Landeshut, Militsch und Freystadt) und die Möglichkeit der Abhaltung von Religionsunterricht erreichte. Trotzdem, aus dem fast rein evangelischen Land war ein konfessionell gemischtes geworden; beide Konfessionen waren etwa gleichstark, so ist es bis 1945 geblieben.

Die Zeit Friedrich II., des Großen verdient besondere Erwähnung. Mit der Eroberung und der Einverleibung Schlesiens in Preußen beginnt eine neue Epoche. Gleichberechtigung der Konfessionen wurde garantiert. Dank königlicher Konzessionen wurden viele Kirchen neu gebaut, sogenannte fridericianische Bethäuser. Er schuf auch eine einheitliche evangelisch-lutherische Kirche in Schlesien (3 Konsistorien). Man predigte deutsch, polnisch, tschechisch und nach 1815, als auch erhebliche Teile der Oberlausitz an Preußen kamen, auch sorbisch an den Sonntagen im Gottesdienst.

Tiefe, bis in die Gegenwart reichende Wirkung auf das Frömmigkeitsbewußtsein der Menschen sind vom Pietismus ausgegangen. Hier waren es Männer, die von der Oberlausitz nach Schlesien hinein wirkten – Zinzendorf, Melchior Schäffer in Görlitz und Johann Christoph Schwedler in Nieder-Wiesa bei Greiffenberg. Bereits im 17. und 18. Jh. war die große Zeit der schlesischen Kirchenliederdichtungs-Männer, deren Lieder bis heute Gemeingut der evangelischen Christenheit in Deutschland geblieben sind, z. B.
Martin Möller, Görlitz;
Martin Behm, Lauban;
Johann Heermann, Köben/Oder;
Knorr von Rosenroht, Steinau;
Heinrich von Bogatzki, Militsch.

Von 1815 (für den Kreis Hoyerswerda ab 1825) gehen die östliche Oberlausitz und Schlesien wieder einen gemeinsamen Weg. Im 19. Jahrhundert hat die Erwekkungsbewegung einen erheblichen Einfluß in unserer Kirche gewonnen. Als Frucht ist das starke diakonische Engagement zu verzeichnen, das sich vielerorts in der Errichtung von Vereinen und Einrichtungen der IM zeigte. Besonders Wichern hat in den sozialen Spannungs- und Katastrophengebieten Oberschlesiens und des Eulengebirges tatkräftig Hilfe organisiert. Von der Größe der sich entfaltenden Arbeit der Inneren Mission in Schlesien legt noch heute der bedeutende Umfang diakonischer Aktivität im Gebiet unserer jetzigen Kirche Zeugnis ab.

Verweilen wir nur noch an ein paar kirchengeschichtlichen Brennpunkten unserer Kirche:

Der Einbruch nationalsozialistischen Gedankenguts in die Kirche war auch bei uns wie in den anderen Kirchen tief und machte natürlich auch vor Synode und Konsistorium nicht halt. Doch gab es in Schlesien sehr früh unter Pfarrern und Gemeindegliedern, u. a. auch in Gemeindekirchenräten, Kräfte, die sich der deutschchristlichen Überfremdung der Kirche entgegenstellten. Die Bekennende

Kirche war stark und entschlossen im Widerstand, doch es sei erwähnt, daß es 1936, in einer Zeit starker Anfechtung, zu einer Spaltung der Bekennenden Kirche kam – Schlesische Synode der Bekennenden Kirche (Tagungsort Christopherie Kirche in Breslau) und die Schlesische Bekenntnissynode (Naumburg am Queis). Probleme waren unterschiedliche Auffassung von Zeugnis und Ordnung der Kirche und eine unterschiedliche Beurteilung der Haltung von Bischof Dr. Zänker. Diese Spaltung hat viel Schaden angerichtet und noch über 1936 hinaus nachgewirkt. 1945 – Beginn der Zerstörung der Kirche trotz Ansätzen neuen geistlichen Lebens 1945–1947 mit oft neutestamentlichen Zügen in polnisch besetzten Gebieten – Geschenk der Gnade für viele Gemeindeglieder.

1945 Breslau – im Januar verläßt das Konsistorium Breslau. Das Gebäude blieb erhalten, obwohl Breslau Festung und schwer umkämpft wurde. Übergabe erfolgt am 4. Mai 1945. Der Bruderrat der Bekennenden Kirche übernahm die Leitung der Schlesischen Kirche. 250 bis 300 Pfarrer kamen zurück oder waren im Land geblieben. Lektorendienste wurden zahlreich übernommen – ein Ruhmesblatt geistlichen Dienstes von Laien in dieser Kirche bis in die 50er Jahre.

Was war und was blieb? 920 Pfarrstellen ohne Provinizialpfarrstellen in rund 900 Gemeinden, ein reiches Gemeindeleben und breite Arbeit der Inneren Mission – heute 74 Gemeinden mit 85 Pfarrstellen, dazu 4 Provinzialpfarrstellen.

Mit den Anmerkungen zur Geschichte unserer Kirche brechen wir ab. Die Evangelische Kirche von Schlesien, wie sie sich nach 1948 (Kirchenordnung vom 11. November 1951) nannte, war auf den historischen Bereich des verbliebenen Teiles der preußischen Oberlausitz beschränkt.

Wenn wir uns jetzt dem Baugeschehen in diesen Jahren – stellvertetend – zuwenden, dann muß es am Anfang einen doppelten kurzen geschichtlichen Hinweis geben. In unserer Kirche gibt es Kirchengemeinden, die in der Regel mehrere Dörfer umfassen, aber es gibt nur ein »Pfarrdorf« mit Kirche und Pfarrhaus – ein gutes Erbe unserer Vorväter! Die Kriegsereignisse im Jahre 1945 bedeuteten zwar für die Stadt Görlitz eine Verschonung von unmittelbaren Zerstörungen, aber Dörfer, Städte und damit auch Kirchengemeinden nördlich von Görlitz und nach Westen gehend, wurden in die letzten Kämpfe am Kriegsende einbezogen und durch Schäden schwer belastet. Diese Feststellung ist der Ausgangspunkt für die nachfolgenden Ausführungen.

Bauen in der verbliebenen restschlesischen Kirche nach 1945 war zunächst und ganz intensiv Wiederaufbau.

Die Gemeinden gingen mit einem erstaunlichen Engagement daran, durch Kriegseinwirkungen beschädigte oder wesentlich zerstörte Kirchen zu reparieren bzw. aufzubauen. Dabei wurde durch die Gemeinden ganz konservativ an die Herrichtung des Gotteshauses als gottesdienstliche Versammlungsstätte der Gemeinde herangegangen. Gemeindliche Nebenräume sind noch nicht im Blick. Man lebt volkskirchlich in den Gemeinden und man hofft, diese Struktur festhalten zu können. Einen besonderen Einsatz bringen die Gemeindeglieder, die als sogenannte Umsiedler eine neue Heimat in unserer Gegend suchen – ihre Liebe gehört der Kirche und sie stärken das gemeindliche Leben der vorfindlichen Kirchengemeinden. Sie helfen auch materiell durch Spenden, Hilfseinsätze und Bereitstellung von Naturalien, damit die Kirchen wieder aufgebaut und in alter Schönheit erstehen können. Bemerkenswert ist bereits in dieser Zeit der Einsatz der Mitarbeiter des zuständigen Institutes für Denkmalpflege, die raten, helfen und kirchlich-gemeindlich mitdenken. Das ist bis heute geblieben! So werden Kirchen gerade im dörflichen Bereich nicht nur wiederaufgebaut, sondern neu gestaltet. Schöne und geistlich motivierende Innenausstattungen des Mittelalters werden restauriert und sind bis heute Anziehungspunkte für Besucher und hoffentlich auch Gemeindeglieder. Nicht nur die Gemeindeglieder, sondern auch die Pfarrer der Gemeinden sahen, daß die Wiederherstellung der Kirchengebäude die erste Aufgabe dieser Zeit war. Das heißt, daß die Wiederherstellung beschädigter oder zerstörter Pfarrhäuser an die zweite Stelle rückte. Die Gemeinden brachten alle Kraft auf, um die Kirchen als ihre Versammlungsstätten wiederherzustellen. Dazu wurden viele bis heute nicht genügend beachtete Opfer gebracht. Wir sollten diese Generation von Gemeindegliedern und Pfarrern, die in der Zeit des Nationalsozialismus, durch den Krieg, aber auch durch die Ereignisse nach 1945, z. B. durch die Umsiedlung stark belastet waren, nicht vergessen. Die heutige Generation hat ihnen viel zu danken.

Wiederaufbau hatte seine Zeit – in den 60er Jahren wendet man sich stärker der Rekonstruktion der Gebäude zu, bei denen nicht der Krieg, sondern der Zahn der Zeit die Schäden verursacht hatte. Kirchentürme drohen einzustürzen. Gerüste fehlen. Kleine, aber leistungsfähige Baubetriebe gehen im Zuge neuer wirtschaftspolitischer Maßnahmen ein. So stagniert das kirchliche Baugeschehen und auf Synoden wird weniger über das berichtet, was geschehen konnte, als über das, was notwendig und unerledigt ist. Enttäuschung und Resignation greift besonders in den Gemeinden um sich, die ganz aktiv Bauprobleme lösen wollen. Trotzdem ist in einigen Gemeinden die Arbeit an der Kirche oder der Einbau von Gemeinderäumen im Pfarrhaus oder in Nebengebäuden möglich. Dabei wird nicht genügend von der Leitung der Kirche gesehen, daß mit dem Auszug der Gemeinde aus der Kirche in kleinere, fast wohnliche Räume einem momentanen Bedürfnis der Gemeindeglieder Rechnung getragen wird – kleingewordene Gemeinden rücken so zusammen – dabei aber die Erhaltung der Kirchen zu einer Grundsatzfrage wird. Die kirchliche Bausubstanz ist sehr umfangreich und in der Unterhaltung eine echte Last. Wenn die Frage nach Abgabe von Gebäuden (an wen?) steht, muß es auch Prioritäten dafür geben. Die Konferenz der Evangelischen Kirchenleitungen gab dazu einen Studienauftrag, der 1973 erarbeitet wurde und sowohl von der Konferenz wie von den Gliedkirchen des Bundes der Evangelischen Kirchen in der DDR zustimmend zur Kenntnis und damit als Grundlage für weitere Beratungen und Entscheidungen angenommen wurde. Schon der Titel der Studie ist programmatisch: »Alternativen für die Erhaltung und Nutzung von Kirchen«.

Es geht um den möglichen Erhalt von kirchlichen Gebäuden, insbesondere Kirchen. Die Abgabe von Gotteshäusern soll die Ausnahme bleiben. Mit dieser Grundsatzverabredung wird den Kirchengebäuden in Stadt und Land eine besondere Aufgabe auch für die Zukunft zuerkannt: nicht nur Versammlungsstätte einer christlichen Gemeinde, sondern auch durch ihr Vorhandensein und ihren äußeren Zustand Zeichen für die Präsenz der christlichen Gemeinde in unserem Lande zu sein, einladend und zum Hören von Gottes Wort geöffnet. Jahrhunderte haben in den meisten Kirchen Denkmale der Frömmigkeit hinterlassen, die es heute anzunehmen und zu bewahren gilt. So können Kirchen missionarische Begegnungsstätten werden – eine dringliche Aufgabe für Gegenwart und Zukunft.

Es soll an dieser Stelle erwähnt werden, was dem Verfasser aus eigenem Erleben immer wieder sehr eindrücklich war. Gemeinden zusammen mit ihren Pfarrern wandten sich mit großem Eifer bei allen Belastungen der ersten Jahrzehnte nach dem Zusammenbruch 1945 dem Wiederaufbau und der Restaurierung der Kirchen zu. Wirklich Großes wurde geleistet! Doch wohnten die Pfarrer und kirchlichen Mitarbeiter bescheiden, oft ärmlich in alten, überbelegten Pfarrhäusern, ohne Komfort und Bequemlichkeit, wie sie auch in diesen Jahren üblich waren. Ich denke, es war ein hilfreiches Zeichen der Generation von Pfarrern, die durch die harte Schule einer inneren Auseinandersetzung mit dem Nationalsozialismus gegangen waren, die den Krieg und die schweren Jahre danach mitgemacht und zum Teil durchlitten hatten, und die um so fester bei ihrem Auftrag blieben: Gottes Wort zu verkündigen, zu trösten, zu mahnen, zu unterweisen und durch die Sakramente die Gemeinde zu stärken und zu festigen. In manchem Pfarrhaus war oft Kummer und ein stilles Erdulden, aber es ging auch viel Segen aus unseren Pfarrhäusern in die Gemeinden. Das sollten wir heute nicht vergessen, vielmehr in Dankbarkeit daran erinnern.

In den 70er Jahren zeichnet sich im kirchlichen Baugeschehen eine Veränderung ab. Es wird möglich, die so dringend benötigten Baugerüste durch Kauf im Inland oder als Geschenk der Kirchen der EKD zu erwerben. Kirchtürme, besonderes Wahrzeichen der Dörfer und Städte, können saniert werden. Da es nur wenig Baubetriebe gibt, die diese Aufgaben übernehmen können, werden sogenannte »Feierabendbrigaden« gewonnen und eingesetzt. Arbeit nach Feierabend, durch staatliche Gesetzgebung durchaus gefördert, wird zu einem wesentlichen Faktor kirchlichen Bauens in den Gemeinden. An den Nachmittagen bis zur Dunkelheit und am Sonnabend herrscht auf den Gerüsten an Kirchen und vermehrt auch an den Pfarrhäusern reges Leben. Organisatorische Probleme sind zu lösen, die früher von Baubetrieben übernommen wurden. Die Beschaffung von Baumaterial bleibt kompliziert. Erfreulich ist, daß Gemeindeglieder und Pfarrer ihre Bauvorhaben voll und mit viel Kräfteeinsatz begleiten und fördern. Handlangerarbeiten werden in unentgeltlichen Gemeindeeinsätzen geleistet, die Verpflegung der Handwerker wird von Frauen aus der Gemeinde übernommen, der Pfarrer ist Bauorganisator – das alles belastet, aber es schafft auch Gemeinschaft. So freut sich eine ganze Gemeinde, wenn die Kirche oder das Pfarrhaus fertiggestellt, ein sichtbarer Glanzpunkt des Ortes wird. Oft werden Gemeindefeste als Abschluß einer solchen Bautätigkeit gefeiert, und es gibt dabei viel zu danken: Für praktische Mithilfe, für Spendenbereitschaft und für betende Hände.

1973 wird durch eine Grundsatzentscheidung der Regierung der Deutschen Demokratischen Republik im Zusammenhang mit dem vorgesehenen Wiederaufbau des Berliner Domes ein Sonderbauprogramm für die Evangelischen Kirchen in der DDR ermöglicht. Die finanziellen Mittel dafür werden in großzügiger Weise durch die Gliedkirchen der Evangelischen Kirche in Deutschland aufgebracht. Wer was baut, wird von den Gliedkirchen des Bundes der Evangelischen Kirchen in der DDR entschieden. So kann diese Hilfe als Zeichen brüderlicher Verbundenheit in aller Freiheit und Dankbarkeit angenommen werden. Dieses Sonderbauprogramm schafft Möglichkeiten, große Kirchen so zu rekonstruieren und zu gestalten, daß sie heute den Gemeindezwecken besser dienen. Beachtliche Ergebnisse liegen nach 15 Jahren vor. Drei spezielle Publikationen geben davon Zeugnis und legen auch Rechenschaft ab. Wer so empfängt wie unsere Kirchen, sollte auch nachweisen, wie in Verantwortung mit den zugewandten Mitteln umgegangen wird – auch das gehört zu christlicher Haushalterschaft. Dem Sonderbauprogramm wird ein weiteres Programm hinzugefügt:

Neue Kirchen für neue Städte! Dort, wo bislang unter bedrückenden äußeren Verhältnissen eine christliche Gemeinde in Neubaugebieten zusammenkommen konnte, können jetzt Kirchen und Gemeindezentren gebaut werden. Diese Möglichkeit, neu zu bauen, ist eine Herausforderung für Gemeinden und Architekten. Jedem Neubau muß eine von der Gemeinde erarbeitete innere Konzeption für ihr künftiges Gemeindeleben vorausgehen. Das ist ein komplizierter Prozeß, an dem sich erfreulich viele Gemeindeglieder, aber auch interessierte Vertreter aus der nichtchristlichen Bevölkerung beteiligen. Wesentliche Erkenntnis ist, daß Gemeinden einen Sakralraum für gottesdienstliche Feiern haben wollen. Er soll durch seine Gestaltung von den übrigen Gemeinderäumen abgehoben sein. Der früher gern angestrebte Allzweckraum braucht heute Alternativen. Damit gibt es ein Angebot für christliche Künstler, durch Gestaltung von Altar, Taufe und Kanzelpult Beispiele kirchlicher Kunst zu geben. Neu ist sicherlich auch, daß dazu ein Gespräch zwischen Gemeinde und Künstlern wesentliche Voraussetzung für deren Gestaltung ist.

Natürlich sind bei so einem Neubeginn kirchlichen Bauens, bei dem nicht das Erbe der Väter bearbeitet wird, sondern eigene Entwürfe Gestalt gewinnen sollen, eine Reihe von Problemen zu bewältigen, und Fehler bleiben nicht aus. Der kreative Umgang mit neuen Formen, neuem Material und komplizierter Technik stellen Herausforderungen an Architekten und Baufachleute dar. Aber so werden auch Ideen inspiriert und das Leistungsvermögen gefördert. Es ist ein gutes Zeichen dafür, wie die Gemeinden umgestaltete Kirchen oder neue Gemeindezentren annehmen. In ihnen vollzieht sich gemeindliches Leben in vielfältiger Weise – gibt es eine bessere Bestätigung für alle Beteiligten?

Neben den großangelegten Bauprogrammen wird natürlich auch in den Gemeinden dort gebaut, wo es notwendig und möglich ist. Die gemeindlichen Aktivitäten nehmen wieder zu; man hat Hoffnung und will als christliche Gemeinde auch nach außen hin von dieser Hoffnung etwas deutlich machen. Vermehrt und unbedingt erforderlich wird jetzt die Sanierung und Modernisierung der Pfarrhäuser. Eine neue Pfarrergeneration meldet ihre berechtigten Ansprüche an. Das Wohnen in Pfarr- und Gemeindehäusern ist dem heutigen Lebensstandard der Bevölkerung anzupassen. Das zu realisieren, ist ein mühevoller und mitunter nicht widerspruchsfreier Prozeß. Es gilt auch hier, das rechte Maße zu finden. Erfreulich ist, daß trotz zunehmender Schwierigkeiten auf dem Bausektor in der DDR der Wille der Gemeinden, ihre Kirchen und Pfarrhäuser so herzurichten, daß bei sorgfältiger Pflege ein guter Zustand für Jahrzehnte sichergestellt ist, nicht nachgelassen hat. Mit dieser Entschlossenheit, die wohl nur aus dem Glauben an den Herrn der Kirche kommen kann, werden auch zunehmende Schwierigkeiten überwunden. Dafür ist jedes fertiggestellte Vorhaben wie auch jede empfangene Hilfe der uns brüderlich verbundenen Kirchen eine Ermutigung.

Wenn wir als Kirche heute noch bauen wollen und müssen, dann geschieht das eindeutig für die Gemeinden. Dabei sind in die Konzeption die Möglichkeiten kirchlichen Lebens ebenso einzubeziehen, wie wirtschaftliche, energetische und ökologische Aspekte. Das ist noch ein weites Lernfeld! Beim kirchlichen Bauen ist auch das gesellschaftliche Umfeld zu beachten – eine Kirche, ein Gemeindezentrum oder ein Pfarrhaus sind Blickpunkte in der Öffentlichkeit und sollten missionarisch einladende Orte sein.

Wenn Kirche baut, dann geschieht das in der Gewißheit, daß Gottes Wort das rettende Angebot für diese Welt ist und so Menschen Raum haben müssen, damit dieses Wort gesagt und weitergegeben werden kann.

3. Kirchliche Finanzen

Die Finanzverfassung der Nordelbischen Kirche – Anregungen für einen Finanzausgleich der Gliedkirchen der EKD –

Klaus Blaschke

Das Charakteristikum der Finanzverfassung der Nordelbischen Kirche ist der »Finanzausgleich«. Der Begriff taucht erstmals Ende des 19. Jhdt.s in der Schweiz auf[1]. Der preußische Finanzminister Popitz verstand unter Finanzausgleich »die finanziellen Beziehungen unter den in einem Einheitsstaat oder einer Staatenverbindung vorhandenen Gebietskörperschaften«[2]. Diese einschränkende Definition, die im Finanzausgleich nur die Problematik der Einnahmeseite sah, ist vom Begriff her verständlich. Heute wird allerdings dieser Begriff in einem sehr umfassenden Sinne gebraucht: »Im Finanzausgleich werden die Aufgaben, die Ausgaben- und die Einnahmeverteilung zwischen einzelnen Körperschaften geregelt.«[3]

Das zentrale Problem des Finanzausgleichs besteht darin, »den relativen Reichtum bzw. die relative Bedürftigkeit mit Hilfe eindeutiger Kriterien zu bestimmen. Dabei bereitet weniger die Bestimmung der Finanzkraft, als vielmehr die Bestimmung des Finanzbedarfs die größten Schwierigkeiten«[4]. Die Notwendigkeit kirchlichen Finanzausgleichs wird um so dringlicher, je föderalistischer eine Gliedkirche organisiert ist. Auch die kirchliche Finanzwirtschaft gliedert sich wie die des Staates in aller Regel in viele »horizontal und vertikal miteinander verbundene Haushaltswirtschaften: Vertikal im Sinne von vor- und nachgeordneten Gebietskörperschaften und horizontal im Sinne von gleichgeordneten Gebietskörperschaften«[5]. Diese Haushaltswirtschaften sind in ein Beziehungsgeflecht zu setzen, damit der Auftrag der Kirche von den in der Verfassung genannten Körperschaften wahrgenommen werden kann. Nach Art. 113 Verfassung der Nordelbischen Kirche ist »ein ausgewogener Finanzausgleich zwischen den Kirchenkreisen zu gewährleisten«. Aufgabe der Kirchenkreise ist es, den Finanzbedarf der Kirchengemeinden durch Zuweisungen zu decken.

Für das Verständnis der Finanzverfassung der Nordelbischen Kirche ist es nicht unerheblich, sich die historische Entwicklung zu vergegenwärtigen. Die Finanzverfassung der ehemaligen Landeskirche Schleswig-Holstein läßt sich in zwei Perioden einteilen. Bis 1973 wurde ein Umlagesystem mit einem immer stärker

1 Fischer-Menshausen, Art. »Finanzausgleich II, Grundzüge des Finanzausgleichs«, in: HdWW, München 1980, S. 636–662; Peffekoven, Art. »Finanzausgleich I, Wirtschaftstheoretische Grundlagen«, in: HdWW, S. 608–636; Ehrlicher, Art. »Finanzausgleich III, Finanzausgleich in der Bundesrepublik Deutschland«, in: HdWW, S. 663–688.

2 Popitz, Art. »Der Finanzausgleich«, in: Handbuch der Finanzwissenschaft, Bd. II, Tübingen 1927[1], S. 343.

3 Peffekove, a.a.O. (Anm. 1), S. 608.

4 Hedtkamp, Klassifikation der öffentlichen Einnahmen, in: Haller, Neumark, Andel (Hrsg.), Handbuch der Finanzwissenschaft – HdF, Bd. I, Tübingen 1980, S. 62.

5 Hedtkamp, a.a.O., S. 56.

ausgeprägten »landeskirchlichen Lastenausgleich«[6] praktiziert. In den 50er Jahren wurde es immer dringlicher, einen »landeskirchlichen Lastenausgleich« durchzuführen[7]. Die zweite Periode der Finanzverfassung in Schleswig-Holstein beginnt mit dem KG über den Finanzausgleich, das am 1. Januar 1973 in Kraft trat[8].

Damit ging eine fast 100jährige Finanzgeschichte auf der Grundlage des Umlagesystems zu Ende. Der Ertrag aus der Kircheneinkommen-(lohn)steuer und aus der Mindestkirchensteuer wird unabhängig vom örtlichen Aufkommen und unbeschadet der Kirchensteuerhoheit der Kirchengemeinden nach Maßgabe des Kirchengesetzes verteilt. Die Umgestaltung der Steuerverteilung ist das augenfälligste Merkmal der Finanzverfassung der ehemaligen Landeskirche Schleswig-Holsteins[9].

Die Finanzverfassungen der ehemaligen Landeskirchen Eutin, Hamburg und Lübeck[10] sollen hier nicht im einzelnen dargestellt werden. Es zeigen sich ganz erhebliche Gemeinsamkeiten, die sich wie folgt zusammenfassen lassen: Es herrscht das Landeskirchensteuerprinzip. Die gesamten Dienstbezüge und Versorgungsleistungen für die Pfarrer werden von der Landeskirche aufgebracht. Zur Finanzierung des laufenden Aufwandes erhalten die Kirchengemeinden Zuweisungen. Die Mittelinstanz, die Propstei, ist diesen Landeskirchen fremd. Auf die einzelnen Unterschiede des Bedarfsdeckungsprinzipes braucht zum Verständnis der Finanzverfassung der Nordelbischen Kirche nicht eingegangen zu werden.

Die Verfassung der Nordelbischen Kirche und somit die Finanzverfassung waren nach § 5 des Vertrages über die Bildung der Nordelbischen ev.-luth. Kirche von der Verfassungsgebenden Synode gem. den in der Anlage zu diesem Vertrag niedergelegten Grundsätzen und Leitsätzen auszuarbeiten und zu beschließen[11].

Die Grundzüge der Finanzverfassung der Nordelbischen Kirche sind in den Art. 110 bis 115 der Verfassung i.V.m. den §§ 38 bis 45 des Einführungsgesetzes festgelegt. Die Finanzverfassung ist inzwischen durch das Finanzgesetz der Nordelbischen Kirche[12] konkretisiert, das am 1. Januar 1979 in Kraft getreten ist. Die

---

6 KG, betreffend die Erhebung der landeskirchlichen Umlage, KGVOBl. 1925, S. 27; Bericht über die Verhandlungen der 20. ordentlichen Landessynode der Ev.-Luth. Landeskirche Schleswig-Holsteins v. 24.–28. November 1958 in Rendsburg, S. 16, wo auf die erheblichen Unterschiede im Pro-Kopf-Aufkommen 1957 hingewiesen wurde, in den leistungsschwachen Propsteien lag dieses bei 5,30 DM, in den reicheren bei 41,90 DM.

7 Vgl. Bericht über die Verhandlungen der Schleswig-Holsteinischen Landessynode.

8 KG über den Finanzausgleich in der Ev.-Luth. Landeskirche Schleswig-Holsteins v. 18. März 1972, KGVOBl. S. 131, i.d.F. v. 13. November 1975, KGVOBl. 1976, S. 1 nebst AusführungsVO zum Finanzausgleichsgesetz v. 29. September 1972, KGVOBl. S. 163.

9 Amtliche Begründung, in: Bericht über die Verhandlungen der 42. ordentlichen Landessynode, 1. Tagung der Ev.-Luth. Landeskirche Schleswig-Holsteins in Rendsburg v. 25.–29. Oktober 1971, S. 30 ff. Abweichend vom Finanzgesetz der Nordelbischen Kirche wurden die Mittel zur Deckung des Pfarrbesoldungs- und Pfarrversorgungsbedarfs aus dem gesamten Kirchensteueraufkommen vorweg bereitgestellt. Verteilmaßstab war die Zahl der Gemeindeglieder. Eine Gewichtung war nicht vorgesehen.

10 Bauer, Aktuelle Probleme des kirchlichen Finanzausgleichs, Finanz-Archiv N.S. 36 (1977) S. 270 Anm.

11 Zur Geschichte über die Grundsätze für die Nordelbische Finanzverfassung ausführlich Bauer, a.a.O., S. 271 ff.

12 KG über die Finanzverteilung in der Nordelbischen Ev.-Luth. Kirche (Finanzgesetz) v. 28. Mai 1978, GVOBl. S. 155 = ABl. EKD S. 394; RVO über die Unterverteilung der Schlüsselzuweisungen nach dem Finanzgesetz v. 4. Dezember 1979, GVOBl. 1980, S. 79; Amtliche Begründung, vgl. Bericht über

Geschichte der Finanzverfassung läßt sich in zwei Abschnitte einteilen, wobei interessant ist, daß bereits der Beginn des dritten Abschnitts einer neuen Finanzverfassung gesetzlich festgelegt ist.

Auf den ersten Abschnitt soll nur kurz eingegangen werden. Es ist die Periode des Übergangs und des Zusammenführens der verschiedenen Haushaltssysteme, Finanzverfassungen und Steuergesetze der ehemaligen vertragsschließenden Kirchen. Das Einführungsgesetz sah Überleitungsbestimmungen in den §§ 38 ff. Einführungsgesetz vor, die zu einer Haushaltsplangestaltung in den Jahren 1977 und 1978 führten, die als kirchliche Haushaltskuriositäten anzusehen sind.

Es war das Ziel der Nordelbischen Kirche, diese Übergangszeit so schnell wie möglich zu beenden, da nur eine einheitliche Finanzverfassung das Zusammenwachsen der vertragsschließenden Kirchen fördern konnte.

Der zweite Abschnitt beginnt mit dem Erlaß des KG über die Finanzverteilung der Nordelbischen Kirche vom 28. Mai 1978. Die Grundzüge dieses Finanzgesetzes und damit die Grundzüge der Finanzverfassung der Nordelbischen Kirche lassen sich wie folgt umreißen:

a) Grundlage für die Verteilung der Einnahmen ist ein Mischsystem als reale Lösung zwischen dem Trenn- und Verbundsystem[13]. Nach dem Trennsystem[14] sind die kirchlichen Körperschaften zur Erfüllung ihrer Aufgaben autonom, sich die notwendigen Mittel durch Besteuerung zu beschaffen. Nach Art. 111 der Verfassung werden deshalb den Kirchengemeinden und Kirchenkreisen die Steuerquellen zugewiesen, das Recht zur Erhebung von Kirchensteuern. Diesem System steht das Verbundsystem[15] diametral gegenüber; denn mit der Aussage über die Steuerquellen ist noch keine Entscheidung über den Steuerertrag getroffen. Wie bereits dargelegt, wird der Ertrag der Kirchensteuer aus der Einkommen-(Lohn-) Steuer zwar von den Kirchenkreisen erhoben, anschließend aber treuhänderisch nach dem Finanzgesetz durch die Nordelbische Kirche verteilt.

b) Die Verteilung dieses Kirchensteueraufkommens wird durch Beschluß der Synode festgelegt, allerdings mit der Maßgabe, daß der Anteil der Nordelbischen Kirche und der der Kirchenkreise für mindestens drei Jahre im voraus bestimmt wird[16].

c) Die Nordelbische Kirche erhält unter Berücksichtigung des Bedarfs der Kirchengemeinden und der Kirchenkreise nach Art. 112 der Verfassung i.V.m. § 5 Finanzgesetz zur Erfüllung ihrer Aufgaben einen Anteil aus dem Aufkommen an den Kirchensteuern. Damit ist die Möglichkeit eines vertikalen Finanzausgleichs zwischen der Gesamtkirche und den Kirchenkreisen vorgesehen.

d) Mit der Verteilung des Kirchensteueraufkommens nach festen Anteilen für die Nordelbische Kirche auf der einen Seite und die Kirchenkreise auf der anderen

---

die Verhandlungen der 4. ordentlichen Synode der NEK in Rendsburg v. 17.–19. Februar 1978, S. 150und 509, und Bericht über die Verhandlungen der 5. ordentlichen Synode der NEK in Rendsburg v. 26.–28. Mai 1978, S. 78 und 285; vgl. Anm. 1.

13 Fischer-Menshausen, a.a.O., (Anm. 1), S. 650.

14 Vgl. Anm. 13.

15 Vgl. Anm. 13.

16 § 3 Finanzgesetz, § 24 Kirchensteuerordnung.

Seite schafft die Nordelbische Kirche gleichberechtigte Partner der Finanzwirtschaft und der Finanzplanung. Ein Mehr- und Minderaufkommen ist nach Art. 112 IV der Verfassung sowohl von den Kirchenkreisen als auch von der Nordelbischen Kirche gemeinsam zu tragen.

e) Herzstück der Finanzverfassung der Nordelbischen Kirche ist das Postulat eines ausgewogenen Finanzausgleichs zwischen den Kirchenkreisen nach Art. 113 der Verfassung. Dadurch wird der horizontale Finanzausgleich institutionalisiert. Ziel dieses Finanzausgleichs ist es, die Leistungsfähigkeit der Kirchenkreise zu sichern und die unterschiedliche Aufgabenbelastung auszugleichen, wobei der Finanzbedarf der Kirchengemeinden zu berücksichtigen ist. Zur Deckung ihres eigenen Bedarfs und des Bedarfs der Kirchengemeinden erhalten die Kirchenkreise Schlüsselzuweisungen. Abweichend von der bisherigen Praxis sind die Dienstbezüge der Pastoren und Kirchenbeamten sowie die Vergütungen und Löhne der anderen Mitarbeiter im Dienst der Kirchengemeinden und Kirchenkreise dem Bedarf der Kirchenkreise zuzurechnen. Gleiches gilt für die Sicherung der Versorgung (Art. 112 II). Grundlage der Schlüsselzuweisungen an die Kirchenkreise ist eine Gewichtung der maßgeblichen Gemeindegliederzahl nach § 7 Finanzgesetz, wobei für die Gesamtheit der ganz oder teilweise auf Hamburger Staatsgebiet gelegenen Kirchenkreise und die Kirchenkreise Lübeck, Eutin und Eiderstedt die maßgebliche Gemeindegliederzahl bei 120 liegt, die der übrigen Kirchenkreise bei 100. Die Gewichtung der Gemeindegliederzahl war als Grundsatz, als Sollbestimmung in § 44 Ziff. 7 Einführungsgesetz festgelegt. Ihr lag folgende finanzwirtschaftliche Überlegung zugrunde, daß »mit zunehmender Gemeindegliederzahl der durchschnittliche kirchliche Aufwand pro Person zuerst abnimmt, in einem bestimmten Größenbereich ein Minimum erreicht und danach wieder merklich ansteigt«[17]. Dieses Verteilkriterium war einer der Verfassungsgrundsätze. Es sollte damit eine »größere Einheitlichkeit der finanziellen Ausstattung der Kirchenkreise erreicht«[18] werden; denn Propstei ist nicht gleich Propstei. Die »Bedarfsstrukturverschiedenheiten«[19] zwischen den großstädtischen Kirchenkreisen und den ländlich-großflächigen sollten berücksichtigt werden. »Ein kirchliches Schlüsselzuweisungssystem muß dem Fundamentalprinzip einer Ausgewogenheit der geistlich-kirchlichen Lebensverhältnisse Rechnung tragen.«[20] Die nach § 7 Finanzgesetz vorgenommene Gewichtung ist als ein Kompromiß anzusehen. Sie mag in vollem Umfang nicht zu befriedigen und entspricht sicher nicht dem Verfassungsauftrag, ist nur annähernd mit den Grundvorstellungen des Verfassungsgebers in Einklang zu bringen[21].

Wenn die Synode trotzdem ihre Zustimmung zu dieser Form der Gewichtung gab, so hat das seinen Grund in dem Umstand, daß die entscheidenden Bestimmungen des Finanzgesetzes nach Ablauf von fünf Jahren nach § 18 II zu revidieren sind[22]. Ob die in § 44 Ziff. 7 Einführungsgesetz niedergelegte finanzwirtschaftliche Grundüberlegung vom Ansatz her richtig ist, soll hier nicht erörtert werden.

17 Bauer, a.a.O., S. 285.
18 Bauer, S. 283.
19 Bauer, S. 283.
20 Bauer, S. 283.
21 Göldner-Blaschke, Verfassung der Nordelbischen Evangelisch-Lutherischen Kirche, Erläuterungen, Kiel 1978, S. 307.
22 Vgl. Anm. 12.

Grundlage für diese Überlegung ist das sog. Brechtsche Gesetz, ein Tatbestand, der eine »progressive Parallelität von Ausgaben und Bevölkerungsmassierung« beinhaltet[23].

f) Das Finanzgesetz der Nordelbischen Kirche beinhaltet ein kombiniertes Zuweisungsverfahren[24]. Die Elastizität des Finanzausgleichs ist allein durch Schlüsselzuweisungen nicht erreichbar[25]. Deshalb können nach Art. 113 der Verfassung die Schlüsselzuweisungen in besonderen Fällen mit Einzelbedarfszuweisungen kombiniert werden. Sie werden gewährt, wenn die Schlüsselzuweisungen nicht ausreichen zur Deckung des laufenden Haushalts (§ 10 Finanzgesetz).

g) Das Finanzgesetz sieht darüber hinaus entsprechend dem Verfassungsgrundsatz, der in § 44 Ziff. 12 des Einführungsgesetzes niedergelegt ist, ein System von Ausgleichszahlungen vor, die insbesondere den ehemaligen Landeskirchen gewährt werden sollen, um zu verhindern, daß diese Kirchenkreise beim Ausgleich ihres Haushalts in Schwierigkeiten geraten. Durch die Ausgleichszahlungen soll die Zeit des Übergangs gemildert werden.

h) Zum Verständnis des kombinierten Zuweisungsverfahrens gehört die Bildung eines Sonderfonds[25] nach Art. 112 der Verfassung zur Unterstützung der Kirchengemeinden und Kirchenkreise für einen zeitlich begrenzten Sonderbedarf. Entsprechend dem Einführungsgesetz gelten als Sonderbedarf nach Art und Höhe außergewöhnliche Belastungen durch Grunderwerb, dringliche Neubau-, Umbau- und Bauunterhaltungsmaßnahmen sowie Aufwendungen für den damit zusammenhängenden Schuldendienst. Auch zur Strukturanpassung können Mittel aus dem Sonderfonds gewährt werden.

Unmittelbar nach Erlaß des Finanzgesetzes wurde die Vereinbarkeit des § 7 Finanzgesetz mit der Verfassung in einem Normenkontrollverfahren[26], angestrengt vom Kirchenkreis Husum-Bredstedt, überprüft. Die Vereinbarkeit des Finanzgesetzes mit der Verfassung ist in diesem Verfahren festgestellt.

Das Kirchengericht hat im einzelnen festgelegt, daß kein Verstoß gegen das verfassungsrechtliche Gebot eines ausgewogenen Finanzausgleichs schon darin zu erblicken ist, daß durch Schlüsselzuweisungen allein der Finanzbedarf eines Kirchenkreises nicht gedeckt werden kann. Auch in Zukunft werden wir diese Ausgleichsmodalitäten neben den Schlüsselzuweisungen haben müssen, und zwar Einzelbedarf und Sonderfonds.

In § 18 Absatz 2 Finanzgesetz war festgelegt, daß dieses Kirchengesetz nach fünf Jahren zu überprüfen ist. Nach eingehender Beratung auf der Synode vom 16.–20. Januar 1985[27] wurde eine Änderung des Finanzgesetzes beschlossen. Auf der Synode konnte nach einer fünfjährigen Bewährungszeit festgestellt werden, dieses Finanzgesetz mit seinen Finanzausgleichsmodalitäten hat sich im Grundsatz bewährt. »Neben den Schlüsselzuweisungen auf der Grundlage der gewichteten

---

23 Hedtkamp, a.a.O., S. 70; Wittmann, Einführung in die Finanzwissenschaft, Stuttgart 1975², S. 17.

24 Bauer, a.a.O., S. 282.

25 Kirchengericht der Nordelbischen Ev.-Luth. Kirche, Urteil v. 5. November 1979 – KG-NELK 7/78, ZevKR 25 (1980) S. 274 (276) mit Anm. v. Blaschke.

26 Vgl. Anm. 25.

27 Bericht über die Verhandlungen der 13. ordentlichen Synode der 2. Legislaturperiode der NEK v. 16.–20. Januar 1985 in Rendsburg, S. 76.

Gemeindeglieder waren in den vergangenen Jahren lediglich rd. 2 % der Verteilmasse notwendig, um einen angemessenen Finanzausgleich innerhalb der Nordelbischen Kirche zu gewährleisten. Einzelbedarfszuweisungen an Kirchenkreise zur Deckung des laufenden Bedarfs waren jährlich in 5–7 Fällen in unterschiedlicher Höhe zwischen 100 000,– DM und 2,4 Mio DM im Einzelfall erforderlich. Ziel des Finanzgesetzes muß es sein, in hohem Maße die Gewährung von Einzelbedarfszuweisungen durch besondere Gewichtungsmodalitäten zu verhindern.«[28] In der Synodalberatung zeigte sich zwar, daß nicht alle mit der Änderung des Finanzgesetzes zufrieden waren. Zu Recht hat der Synodale Floerke darauf hingewiesen, daß ein solches Finanzgesetz nicht zur »Vermehrung des Geldes beiträgt. Es kann nur helfen, das Geld, das vorhanden ist, zu verteilen.«[29]

Kernstück der Änderung des Finanzgesetzes war § 7, der eine Änderung der Gewichtung vorsieht. Eine Reihe von Modellberechnungen waren Grundlage für diesen Vorschlag. Die Auswertung der Finanzstatistik und anderer Fakten waren Maßstab für die Neuordnung der Gewichtung. Ausgehend von der Erkenntnis, daß sich das bisherige Gewichtungsverfahren bewährt hat und andere Modalitäten keine befriedigende Alternative boten, sind im Rahmen der Novellierung lediglich Korrekturen und Akzentverschiebungen der einzelnen Gewichtungskriterien vorgenommen worden. »Gewichtungsmodalitäten auf der Basis wesentlich anderer Kriterien – standardisierte Grundausstattung einer Kirchengemeinde, Gebäudebestand, Pfarr- und Mitarbeiterstellen, zentralörtliches System, Verhältnis von ev. Gemeindegliedern – zu Einwohnerzahl auf NEK- oder Sprengelebene – haben sich als nicht geeignet erwiesen, abgesehen von erheblichen Schwierigkeiten bei der Ermittlung von Grunddaten.«[30] Die Differenzierung erfolgte in den Ballungsbereichen der Kirchenkreise auf Hamburger Staatsgebiet, den sonstigen Großstadtbereichen mit den Kirchenkreisen Kiel, Lübeck und Pinneberg sowie den Kirchenkreisen, die eine unterdurchschnittliche Bevölkerungsdichte aufweisen, wie die Kirchenkreise Angeln, Eiderstedt, Husum-Bredstedt und Südtondern. Dieses Kriterium fand sich schon in § 44 Ziff. 7 des inzwischen aufgehobenen Einführungsgesetzes. Ein weiteres Gewichtungskriterium für besondere denkmalpflegerische Aufgaben ist zusätzlich aufgenommen worden. Dadurch erhalten die Kirchenkreise Eiderstedt, Lübeck und Alt-Hamburg eine zusätzliche Gewichtung von 10 %. § 7 Absatz 1 Finanzgesetz erhielt nunmehr folgende Fassung:

(1) Grundlage der Schlüsselzuweisungen an die Kirchenkreise nach § 6 ist eine Gewichtung der maßgeblichen Gemeindegliederzahl, indem die Gemeindegliederzahlen

a) für die Gesamtheit der ganz oder teilweise auf Hamburger Staatsgebiet belegenen Kirchenkreise als Ballungsbereich um 20 v. H.,
b) für die Kirchenkreise Kiel, Lübeck und Pinneberg als Großstadtbereich um 10 v. H.,
c) für die Kirchenkreise Angeln, Eiderstedt, Husum-Bredstedt und Südtondern mit unterdurchschnittlicher Bevölkerungsdichte um 10 v. H.,

28 Amtliche Begründung zum Entwurf eines neuen Finanzgesetzes.
29 Bericht über die Verhandlungen der Synode, a.a.O., S. 76.
30 Amtliche Begründung zum Entwurf eines neuen Finanzgesetzes.

d) für die Kirchenkreise Eiderstedt, Lübeck und Alt-Hamburg mit besonderen denkmalpflegerischen Aufgaben um 10 v. H.

erhöht werden.[31]

Mit dieser Neuregelung des Finanzgesetzes sollte erreicht werden, den Kreis der Einzelbedarfsberechtigten, d. h. der Kirchenkreise, die ihren Haushalt mit Schlüsselzuweisungen nicht ausgleichen können, zu reduzieren. Dieses Ziel ist erreicht.

Wie sieht diese abstrakte Darstellung nun praktisch aus? Die Kirchensteuer ist für die Nordelbische Kirche die wichtigste Finanzquelle. Seit Bestehen des Finanzgesetzes hat sich die Kirchensteuer in Nordelbien wie folgt entwickelt:

Kalenderjahr	NEK KISt-Soll lt. HH-Beschluß Mio. DM	NEK KISt-Ist Mio. DM	Abweichungen Soll / Ist %
1979	442 607 800	445 271 658	+ 0,60
1980	463 453 000	464 177 347	+ 0,16
1981	443 407 200	443 407 299	+ 0,00
1982	443 407 200	443 407 200	–
1983	449 329 800	449 640 200	+ 0,07
1984	465 337 400	455 477 320	– 2,11
1985	493 315 400	499 054 500	+ 1,16
1986	497 339 700	501 902 049	+ 0,92
1987	516 053 000	524 661 270	+ 1,67
1988	502 000 000	542 608 160	+ 8,09
1989	540 811 000	–	–

Die Auswertung der Ist-Einnahmen der Nordelbischen Kirche in den Rechnungsjahren 1979 und 1984 hat ergeben, daß die Kirchensteuern prozentual bezogen auf die Gesamteinnahmen

1979 = 64,3 %
1984 = 52,1 %

ausmachten.

Bei den Personalausgaben bezogen auf die Gesamtausgaben ist eine leichte Steigerung zu verzeichnen:

1979 = 51,2 %
1984 = 55,4 %

Die Nordelbische Kirche erhält aufgrund des Haushaltsbeschlusses nach § 4 Finanzgesetz zur Erfüllung ihrer Aufgaben einen Anteil aus dem Kirchensteueraufkommen

Durch Beschluß der Synode hat die Nordelbische Kirche zur Wahrnehmung ihrer Aufgaben als Anteil 30 % des Kirchensteuer-Aufkommens erhalten. Lediglich in den Jahren 1983 und 1984 wurde dieser Anteil auf 30,6 bzw. 30,3 % festgesetzt. In den Jahren 1979 bis 1982 lag der Anteil geringfügig unter 30 %.

31 GVOBl. 1985, S. 73.

Zu den Aufgaben der Nordelbischen Kirche gehören u. a. die Finanzierung der: Synode, Kirchenleitung, des Nordelbischen Kirchenamtes, der Dienste und Werke – wie beispielsweise Diakonisches Werk, Missionswerk –, die gesamte Öffentlichkeitsarbeit sowie die Umlagen für EKD, VELKD, Kirchlichen Entwicklungsdienst, Berufsgenossenschaft, Versicherungen, Versorgung der Pastoren und Kirchenbeamten...

Die unveränderte Beibehaltung des Prozentsatzes für den Anteil der Nordelbischen Kirche bringt eine Reihe von Problemen mit sich. Die Umlagen der EKD und VELKD, die Beiträge zur Berufsgenossenschaft und zu den Sammelversicherungsverträgen, die Aufbringung der gesamten Versorgungslasten der Pastoren und die Bereitstellung der Mittel für den Kirchlichen Entwicklungsdienst beinhalten Ausgabepositionen, die als Rechtsverpflichtungen nicht von der Nordelbischen Kirche beeinflußbar sind. So konnte denn der Teilhaushalt der Nordelbischen Kirche auch nicht in allen Haushaltsjahren ohne Entnahme aus den Rücklagen ausgeglichen werden. Bei einer Neuordnung des Finanzgesetzes wird dies ein zu lösendes Problem sein. Das Finanzgesetz der westfälischen Kirche kann hier eine Hilfe für weitere Überlegungen sein[32].

Das dem Haushaltsplan 1989 zugrundeliegende Kirchensteueraufkommen liegt bei 540,8 Mio DM. Es verteilt sich wie folgt:

Gesamtkirchlicher Bedarf	:	162 240 000 DM	=	30,00	v. H.
Einzelbedarfszuweisungen	:	2 000 000 DM	=	0,370	v. H.
Schlüsselzuweisungen	:	363 560 000 DM	=	67,226	v. H.
Sonderfonds	:	13 000 000 DM	=	2,404	v. H.

Zur Finanzierung des nordelbischen Teilhaushalts für gesamtkirchliche Aufgaben stehen 191,6 Mio DM zur Verfügung. Dabei machen die Umlagen der EKD und VELKD, die Beiträge zur Berufsgenossenschaft und zu den Versicherungsverträgen, das Meldewesen, die Versorgungslasten, der Kirchliche Entwicklungsdienst einen festen Betrag von 102,4 Mio DM aus.

Die nachstehende Übersicht (S. 145) zeigt, wie der Anteil der Kirchensteuern sich aufgrund der Gewichtung auf die einzelnen Kirchenkreise verteilt: Für den Finanzausgleich aufgrund der Gewichtung wird ein Volumen von ca. 37,0 Mio DM (6,8 % vom Kirchensteueraufkommen) bewegt. Die Beträge für den Einzelbedarf konnten nach der Änderung des Finanzgesetzes weiter zurückgenommen werden. Das zeigt die nachstehende Übersicht (S. 146):
Mit der Neuordnung des Finanzgesetzes wurde gleichzeitig ein weiteres Problem gelöst. Nach § 4 Absatz 2 Finanzgesetz wird den Kirchenkreisen die Höhe der Schlüsselzuweisungen nach dem Haushaltsbeschluß garantiert. Für diese Garantie der Schlüsselzuweisungen nach dem Haushaltsbeschluß wurde eine Rücklage bei der Nordelbischen Kirche zur treuhänderischen Verwaltung durch ds Nordelbische Kirchenamt gebildet. Diese soll mindestens 1 %, höchstens 3 % der durchschnittlichen jährlichen Höhe der Schlüsselzuweisungen der abgelaufenen drei Jahre betragen (Bestand der Garantierücklage = 9,98 Mio DM).

Sinn und Zweck dieser Neuregelung ist es, die kirchlichen Körperschaften können

32 Finanzgesetz über den Finanzausgleich in der Ev. Kirche von Westfalen v. 15. Oktober 1969, i.d.F. v. 18. Oktober 1971, KABl. 1969, S. 165 und KABl. 1972, S. 238.

Kirchenkreis	Gemeinde-glieder 1988	Gewichtung nach § 7 Finanzgesetz: Ballungs-bereich + 20 %	sonst. Großstadt-bereich + 10 %	geringe Be-völkerungs-dichte + 10 %	denkmal-pflegerische Aufgaben + 10 %	Insgesamt	Soll-zuweisung 1989
Angeln	60 375			6 038		66 413	8 247 822
Eckernförde	62 813					62 813	7 800 739
Eiderstedt	14 975			1 498	1 498	17 971	2 231 816
Flensburg	94 579					94 579	11 745 754
Husum-Bredst.	56 252			5 625		61 877	7 684 497
Norderdithm.	44 712					44 712	5 552 778
Rendsburg	98 592					98 592	12 244 128
Schleswig	54 914					54 914	6 819 763
Süderdithm.	64 215					64 215	7 974 853
Südtondern	54 422			5 442		59 864	7 434 503
Eutin	87 090					87 090	10 815 696
Kiel	169 717		16 972			186 689	23 184 884
Lauenburg	96 620					96 620	11 999 226
Lübeck	154 128		15 413		15 413	184 954	22 969 415
Münsterdorf	59 772					59 772	7 423 077
Neumünster	134 890					134 890	16 751 973
Oldenburg	62 890					62 890	7 810 301
Pinneberg	75 848		7 585			83 433	10 361 534
Plön	75 266					75 266	9 347 275
Rantzau	80 681					80 681	10 019 764
Segeberg	79 463					79 463	9 868 500
Alt-Hamburg	302 146	60 429			30 215	392 790	48 780 542
Altona	51 388	10 278				61 666	7 658 293
Blankenese	92 815	18 563				111 378	13 832 020
Harburg	87 809	17 562				105 371	13 086 012
Niendorf	118 152	23 630				141 782	17 607 889
Stormarn	310 686	62 137				372 823	46 300 846
Insgesamt	2 645 210	192 599	39 970	18 603	47 126	2 943 508	365 553 900*

* (363,5 Mio. DM + zurückgeflossene Soldatenkirchensteuer)

Kirchenkreis	Einzelbedarfszuweisungen					
	1984	1985	1986	1987	1988	1989
Angeln						
Eckernförde						
Eiderstedt	657 000	657 000	755 000	715 000	828 000	931 000
Flensburg						
Husum-Bredst.	260 000					
Norderdithm.						
Rendsburg						
Schleswig						
Süderdithm.						
Südtondern	450 000					
Eutin		500 000	400 000	300 000		
Kiel	1 740 000					
Lauenburg						
Lübeck	218 000					
Münsterdorf						
Neumünster						
Oldenburg						
Pinneberg	2 495 000	826 000	849 000	685 000	546 000	540 500
Plön						
Rantzau						
Segeberg						
Alt-Hamburg	596 700					
Altona						
Blankenese						
Harburg						
Niendorf						
Stormarn						

ihre Haushaltsplanung und -abwicklung auf der Basis garantierter Schlüsselzuweisungen gestalten. Bei einem Minderaufkommen wird dann im darauffolgenden Haushaltsjahr ein Ausgleich vorgenommen. Die Garantierücklage ist dann wieder aufzufüllen.

So ist denn auch dieses Instrumentarium als eine Hilfe für die Kirchenkreise anzusehen.

Die Verfassung enthält keine inhaltlichen Bestimmungen über die Finanzausstattung der Kirchengemeinden. In Artikel 113 Absatz 2 der Verfassung heißt es, daß die Kirchenkreise den Finanzbedarf der Kirchengemeinden durch Zuweisungen decken. Dabei können die Einnahmen der Kirchengemeinden berücksichtigt werden. Die Ausstattung der Kirchengemeinden mit Finanzmitteln ist demnach Sache der Kirchenkreise. Die Verteilung wird durch die Finanzsatzungen[33], die von den Kirchenkreissynoden zu erlassen sind, geregelt. Der Mindestinhalt dieser

33 Göldner-Blaschke, a.a.O., S. 151.

Finanzsatzungen wird in § 12 Finanzgesetz vorgeschrieben. Diese Finanzsatzungen enthalten sehr unterschiedliche Maßstäbe, nach denen die Verteilung an die Kirchengemeinden vorgenommen wird. Auch hier wird ein kombiniertes Zuweisungssystem praktiziert, um einen ausgewogenen Finanzausgleich unter den Gemeinden zu garantieren. Dabei werden zusätzliche Kriterien, wie Pfarr- und Mitarbeiterstellen, Gebäudebestand, Verhältnis von Einwohnerzahl zu Gemeindegliedern als Verteilmaßstab herangezogen.

Neben dem Einzelbedarf können aus einem Sonderfonds für einen zeitlich begrenzten Sonderbedarf Mittel bereitgestellt werden. Nach § 13 Absatz 2 Finanzgesetz gelten als zeitlich begrenzter Sonderbedarf außergewöhnliche Belastungen durch Grunderwerb, dringliche Neubau-, Umbau- und Bauunterhaltungsmaßnahmen sowie Aufwendungen zur Strukturanpassung. Antragsberechtigt sind die Kirchenkreise. Die Mittel werden durch den Hauptausschuß – Haushaltsausschuß der Nordelbischen Kirche – vergeben. Die Höhe der Sonderfondsmittel schwankt in den einzelnen Haushaltsjahren:

Haushaltssollansätze Sonderfonds 1977–1989

1977	:	8 600 000 DM
1978	:	6 200 000 DM
1979	:	3 000 000 DM
1980	:	2 120 000 DM
1981	:	5 000 000 DM
1982	:	2 254 500 DM
1983	:	2 995 000 DM
1984	:	4 230 000 DM
1985	:	4 230 000 DM
1986	:	8 360 000 DM
1987	:	9 480 000 DM
1988	:	5 380 000 DM
1989	:	13 000 000 DM

Neben den Bauunterhaltungsmaßnahmen, die den Schwerpunkt der Unterstützung der Kirchenkreise bilden, hat es auch Strukturanpassungshilfen gegeben.

Abschließend sei noch eine Besonderheit erwähnt: Die Zahlung der Dienstbezüge der Pastoren erfolgt zentral durch Umlage aufgrund eines vom Nordelbischen Kirchenamt festgestellten Durchschnittsbetrages je besetzter Pfarrstelle – 1989 = 77 100 DM. Die Mittel werden von den Kirchenkreisen dem Nordelbischen Kirchenarmt zur Verfügung gestellt. Um die Zahlung der Dienstbezüge zu garantieren, gibt es eine Pfarrbesoldungsrücklage, die die notwendigen Schwankungen in einem Haushaltsjahr ausgleichen kann.

Von der Natur der Sache her sind Finanzausgleichsgesetze nie etwas Endgültiges. Es ist daher sinnvoll, daß auch das novellierte Finanzgesetz wiederum nach fünf Jahren, d. h. 1990 überprüft werden soll. Nach dem Wunsch des Gesetzgebers wird der Finanzausgleich ein ständiges Neuüberdenken beeinhalten.

Seinem Wesen nach soll der Finanzausgleich eine »Ausgleichsfunktion«[34] wahr-

---

34 Kasch, Geld und Glaube, S. 48, in: Kasch (Hrsg.), Geld und Glaube, München 1979.

nehmen. Der Finanzausgleich gerät immer wieder »in den Strudel« seiner »Determinanten, der Wirklichkeitsbereiche also, zwischen denen er« vermitteln soll[35]. Entscheidendes Kriterium ist zunächst einmal die Aufgabenverteilung. Diese war in den Anlagen A bis C zu den §§ 16, 127 und 40 des Einführungsgesetzes festgelegt. Der Gesetzgeber hatte also eine Aufgabenverteilung zwischen Kirchenkreisen und Gesamtkirche vorgenommen. Dieses Beziehungsgeflecht von Zuständigkeiten ist jedoch ständig in Bewegung.

Ausgangspunkt für diese Aufgabenverteilung ist das »Subsidiaritätsprinzip«, wonach »die Aufgabenkompetenzen grundsätzlich der Gebietskörperschaft unterster Ebene zuzusprechen sind«[36]. Die Dezentralisierung entspricht dem Auftrag der Kirche, entspricht der Verfassungsstruktur der Nordelbischen Kirche. Diese Orientierung von der Kirchengemeindeebene her darf erst verlassen werden, wenn nach Artikel 43 der Verfassung aus fachlichen, personellen, wirtschaftlichen oder organisatorischen Gründen eine eigenständige übergemeindliche Arbeitsweise für die Arbeit der Kirche erforderlich ist. Dieses ausbalancierte Verhältnis von Zuständigkeiten zur Erfüllung kirchlicher Aufgaben wird immer wieder durchbrochen, denn die Kirchengemeinde, der Kirchenkreis oder die Gesamtkirche versuchen, einzelne Aufgaben zur Finanzierung auf die nächst höhere Ebene abzuwälzen. Diese Tendenz ist von Popitz als das »Gesetz von der Anziehungskraft des größten Etats«[37] beschrieben worden. Anlaß für die Abwälzung von Aufgaben sind die sogenannten Spillover-Effekte[38], d. h. bei der Wahrnehmung kirchlicher Aufgaben treten »externe Effekte«[39] auf, die über die betreffende Gebietskörperschaft hinausreichen, andere Kirchengemeinden ziehen aus der Erfüllung kirchlicher Aufgaben den Nutzen, ohne zu den Kosten beizutragen. Dieser Umstand, der eigentlich für den Entscheidungsträger nur Anlaß für eine Kostenbeteiligung der Nutznießer des sogenannten Spillover-Effektes sein sollte, wird allzugerne als Begründung und Nachweis herangezogen, um darzulegen, daß die Aufgabe beser auf der nächsthöheren Ebene erfüllt werden kann. Das Abwälzen von Aufgaben ist verständlich, es ist der Versuch, mangels Einnahme Aufgaben loszuwerden, um neue Aufgaben übernehmen zu können. Dabei wird allerdings übersehen, daß die Haupteinnahmequelle der Kirche entsprechend dem Prinzip der kommunizierenden Röhre zu einer Verengung der Finanzierungsmöglichkeiten beim Kirchenkreis oder der Gesamtkirche führen muß. Dieser Tendenz muß entgegengewirkt werden. Die Überprüfung des Finanzgesetzes ist eine Möglichkeit, dem Rechnung zu tragen. Die konsequente Einhaltung des Subsidiaritätsprinzips gewährt eine optimale Aufgabenverteilung.

Ein besonderes Problem ist der Finanzbedarf der einzelnen kirchlichen Körperschaften. Einigkeit besteht in der finanzwissenschaftlichen Literatur[40], daß der Finanzbedarf objektiv nicht ermittelbar ist. Eine »objektive Nutzenbewertung und damit ein objektiver Maßstab der Dringlichkeit eines bestimmten Bedarfs«[41] gibt

35 Kasch, a.a.O., S. 49.
36 Pfeffekoven, a.a.O., S. 610.
37 Hedtkamp, a.a.O., S. 57.
38 Pfeffekoven, a.a.O., S. 612.
39 Pfeffekoven, a.a.O., S. 612.
40 Fischer-Menshausen, a.a.O., S. 658.
41 Bickel, Finanzwirtschaftliche Beziehungen zwischen öffentlichen Körperschaften – Der Finanzausgleich –, in: Handbuch der Finanzwissenschaft, Gerloff und Neumarkt (Hrsg.), Bd. 2, 1965, S. 738.

es nicht. Die Praxis sieht daher so aus, daß die tatsächlichen Ist-Einnahmen und Ist-Ausgaben Anhaltspunkt für den Finanzbedarf kirchlicher Körperschaften sind. Der Nachteil besteht in dem Fortschreiben von Aufgaben, die nicht immer vom Auftrag der Kirche her als sinnvoll und wirtschaftlich betrachtet werden können. Im Finanzgesetz der Nordelbischen Kirche ist die Gemeindegliederzahl als »Lasten verursachender Grundtatbestand«[42] Indikator für die Berechnung und Feststellung des herkömmlichen Finanzbedarfs. Die praktische Anwendung des Finanzgesetzes der Nordelbischen Kirche hat denn auch deutlich werden lassen, daß mit dem Finanzgesetz nur begrenzte Lenkungsfunktionen ausgeübt werden können. Das Selbstverwaltungsrecht der kirchlichen Körperschaften steht in einem Spannungsverhältnis zu den gesamtkirchlichen Überlegungen. Trotzdem kann festgestellt werden, daß mit den Strukturanpassungshilfen aus dem Sonderfonds oder den Einzelbedarfszuweisungen ein Umstellungsprozeß der Finanzstruktur der Kirchenkreise eingeleitet werden konnte.

Beachtet werden muß schließlich, daß die Kirchenkreise sich verhältnismäßig schnell auf die Gegebenheiten eines neuen Finanzgesetzes einstellen. Das bedeutet, die in jedem Finanzgesetz erkennbaren Schwächen werden ausgenutzt.

Das Funktionieren des Finanzausgleichs in der Nordelbischen Kirche – in den einzelnen Gliedkirchen der EKD – gibt immer wieder Anlaß zu der Frage, ob es nicht möglich ist, auch unter den Gliedkirchen der EKD zu einem ausgewogenen Finanzausgleich zu kommen. Die jährlich veröffentlichte Übersicht über das Aufkommen an Kirchensteuern ist ein weiterer Anlaß, diese Frage aufzuwerfen. Das Kirchensteueraufkommen der Gliedkirchen der EKD ist sehr unterschiedlich. Das gesamte Ist-Aufkommen an Kirchensteuern der Gliedkirchen der EKD betrug 1988 = 6,4 Mrd. DM. Das durchschnittliche Pro-Kopf-Aufkommen lag bei 251,99 DM. Die Bremische Kirche mit einem Pro-Kopf-Aufkommen von 189,37 DM, die Württembergische Kirche mit einem solchen von 298,84 DM zeigen die erheblichen Unterschiede. Auch die Nordelbische Kirche gehört mit einem Pro-Kopf-Aufkommen von 205,87 DM zu den Gliedkirchen mit einem niedrigerem Pro-Kopf-Aufkommen. Aus der Grundordnung der EKD ergibt sich kein ausdrückliches Mandat für einen ausgewogenen Finanzausgleich unter den Gliedkirchen der EKD[43]. Artikel 6 der Grundordnung der EKD kann hier nur hilfsweise zur Begründung herangezogen werden. So ist denn die Frage des Finanzausgleichs innerhalb der EKD eine freiwillige Angelegenheit der Gliedkirchen. Trotzdem gibt es einen solchen, wenn auch bescheidenen Finanzausgleich innerhalb der EKD. 1970 wurde erstmals ein Betrag von 5 Mio DM bereitgestellt. Dieser Betrag hat sich heute auf 12 Mio DM eingependelt. 1989 ist das Volumen um 5 % auf 12,6 Mio DM erhöht worden. Eine Dynamisierung – orientiert an den jährlichen Zuwachsraten beim Kirchensteueraufkommen – ist in Aussicht genommen. Der Betrag wird von den Gliedkirchen Baden, Bayern, Berlin, Hessen und Nassau, Rheinland und Württemberg aufgebracht. Empfängerkirchen sind Hannover, Kurhessen-Waldeck, Nordelbien, Ref. Nordwestdeutschland, Oldenburg und Schaumburg-Lippe. Die Nordelbische Kirche soll 1989 2 769 671 DM erhalten.

42 Fischer-Menshausen, a.a.O., S. 659.

43 Nordmann, Kirchliches Finanz- und Haushaltsrecht, ZevKR 27 (1982), S. 160ff.; Bauer, Kirchlicher Finanzausgleich, in: Wolfgang Lienemann (Hrsg.), Die Finanzen der Kirche – Studien zur Struktur, Geschichte und Legitimation kirchlicher Ökonomie – Forschungen und Berichte der Evangelischen Studiengemeinschaft, Bd. 43, S. 109ff.

Die Nordelbische Kirche gehört seit 1982 zu den Empfängerkirchen dieses zwischenkirchlichen Finanzausgleichs. Die Bestimmung der Geber- bzw. Empfängerkirchen erfolgt durch Feststellung des »Mittelaufkommens« (Mittelaufkommen = Kirchensteuereinnahmen und Staatsleistungen für Pfarrbesoldung und -versorgung sowie für kirchenregimentliche Zwecke, Summe abzüglich der Aufwendungen für gesamtkirchliche Umlagen)[44]. Das so ermittelte Pro-Kopf-Aufkommen in der EKD ist Ausgangspunkt für die Berechnung. Gliedkirchen, die über dem durchschnittlichen Pro-Kopf-Aufkommen liegen, sind die Geberkirchen, Gliedkirchen, die unter 85 % des EKD-Durchschnitts liegen, sind die Empfängerkirchen.

Erwähnt werden muß aber noch ein weiteres Finanzausgleichselement – der EKD-Umlageverteilmaßstab. Dieser ist »progressiv«[45] gestaltet. Das bedeutet für die finanzschwächeren Gliedkirchen ebenfalls eine Entlastung – 1982 = 15,67 Mio DM[46]. Dieser Betrag ist steigend. Gemessen an dem Finanzausgleichsvolumen in einer Gliedkirche nehmen sich die Zahlen der Finanzausgleichsleistungen der EKD bescheiden aus. Die immer wieder erhobene Forderung nach einem Finanzausgleich in der EKD ist eine berechtigte Forderung. Die Erhöhung des Volumens des Finanzausgleichs von derzeit 12,6 Mio DM bedeutet jedoch noch keine Lösung des Problems. Hier wird nur auf der Einnahmeseite eine Übergangsregelung praktiziert, die bei den Geber- und Empfängerkirchen nicht als befriedigend angesehen werden kann. Zu Recht verweist Bauer in seinen kritischen Perspektiven auf das »logische Primat« eines ausgewogenen Finanzausgleichs hin: Die »Abgrenzung der Aufgaben« der Gliedkirchen gegenüber der EKD[47]. Die Erfahrungen der Nordelbischen Kirche zeigen, dieser Ansatz ist richtig. Die Verteilung der Kirchensteuereinnahmen kann niemals zu einem sachgerechten Finanzausgleich führen. Hier liegt denn auch eine der Schwierigkeiten. Hinzu kommt, daß es auch sehr schwer sein wird, die Ausgabenbedarfe der einzelnen Landeskirchen angemessen zu ermitteln. Schon in einer Gliedkirche zeigen sich bei der Erarbeitung dieser beiden wichtigen Voraussetzungen für einen Finanzausgleich die großen Probleme. Dabei kann aus den Erfahrungen des Finanzausgleichs in der Nordelbischen Kirche gesagt werden, die Kenntnis der Finanzwirtschaften der einzelnen Kirchenkreise ist eine gute Hilfe für die Erarbeitung eines Finanzausgleichsgesetzes. Die erheblichen strukturellen Unterschiede – bedingt durch die unterschiedliche Verfassungsstruktur – der Landeskirchen machen diese Aufgabe nicht leichter. Zu einem wirksamen Finanzausgleichsgesetz, zu einer Veränderung eines solchen Gesetzes kommt man nach der Erfahrung in Nordelbien immer nur dann, wenn sich das Kirchensteueraufkommen positiv entwickelt. Jeder Finanzausgleich bedeutet letztlich einen Kompromiß. Er beinhaltet, daß einzelnen Partnern am Finanzausgleich etwas genommen werden muß, um der Ausgleichsfunktion innerhalb einer Gliedkirche gerecht zu werden. Es ist daher Skepsis angebracht, ob ein Finanzausgleich in der EKD überhaupt erreichbar ist. Die wirtschaftlich guten Jahre wurden nicht genutzt, hier zu einer Lösung zu kommen. Es darf noch einmal betont werden, die Dynamisierung des derzeitigen Finanzausgleichsvolumens von 12,6 Mio DM bedeutet noch keine Lösung des Problems eines »wirkungsvollen Finanzausgleichs«.

44 Nordmann, a.a.O., S. 161.
45 Nordmann, a.a.O., S. 162.
46 Bauer, a.a.O., S. 120.
47 Bauer, a.a.O., S. 125.

Bei der Erörterung des Problems des Finanzausgleichs der Gliedkirchen der EKD muß noch auf das Clearingproblem kurz eingegangen werden. In diesem Abrechnungsverfahren werden unter den Gliedkirchen der EKD erhebliche Kirchensteuermittel bewegt. Im Feststellungsjahr 1983 waren es netto 269,5 Mio DM, die von sechs Gliedkirchen aufzubringen waren. Acht Gliedkirchen waren Empfänger dieses Betrages. In diesem Verfahren geht es genau genommen um die Kirchenlohnsteuer. Aufgrund der Betriebsstättenbesteuerung ergeben sich Forderungen der Gliedkirchen untereinander. Seit 1977 wird dieses Clearingverfahren praktiziert. Grundlage sind Statistiken, die nur in den sogenannten Feststellungsjahren zur Verfügung stehen (1977, 1980, 1983 usw.). Die erforderlichen Berechnungen werden von der Verrechnungsstelle, die beim Kirchenamt der EKD besteht, vorgenommen. Die Einzelheiten des Verfahrens ergeben sich aus den Richtlinien zur Verrechnung der Kirchenlohnsteueranteile zwischen den Gliedkirchen der EKD[48]. Nach Erlaß der Richtlinien[49] ergab sich zunächst das Vorauszahlungsproblem, die Zahlung der Gliedkirchen zwischen den einzelnen Feststellungsjahren. Dieses Problem ist durch die Veränderung der Richtlinien in dem Sinne gelöst, daß die Abschlagszahlungen zwischen den Feststellungsjahren aufgrund der Kirchensteuerveränderungen fortgechrieben werden. In diesem Clearingverfahren liegen erhebliche haushaltsmäßige Risiken. Die Nordelbische Kirche hat dies selbst in dem Zeitraum für die Jahre 1977 bis 1979 erfahren. Aufgrund der in den Richtlinien seinerzeit vorgesehenen Übergangsregelung konnte hier zwischen den Gliedkirchen der EKD eine Einigung zugunsten der NEK erzielt werden.

Die Gesamtforderungen für die Nordelbische Kirche, die von den Vorauszahlungsbeträgen abweichen, liegen für den nunmehr abgeschlossenen Zeitraum bis zum Feststellungsjahr 1983 bei bis zu 45 Mio DM jährlich. Hinzu kommt, daß die Abrechnungszeiträume sehr weit zurückliegen. Erst in 1988 konnte es zu einer Anerkennung und Abrechnung des Feststellungsjahres 1983 durch die Gliedkirchen der EKD kommen. Diese Zeiträume werden sich verlängern. Trotz des veränderten Vorauszahlungsmodus bestehen für die Gliedkirchen der EKD in dem Clearingverfahren nach wie vor Risiken, die nur schwer abwägbar sind. Die Gliedkirchen können beispielsweise nicht erkennen, wo es zur Verlagerung von Betriebs- bzw. Abrechnungsstellen kommt. Die vorliegenden Ergebnisse in den Feststellungsjahren 1980 und 1983 bieten auch noch kein ausreichendes Material für weitere zukunftsweisende Überlegungen. Dabei sind die Unwägbarkeiten nicht nur für die Geberkirchen erkennbar, auch die Empfängerkirchen aus den Clearingverpflichtungen können sich haushaltsmäßig verkalkulieren. Es wäre daher, ausgehend von den Überlegungen zur Bildung einer Garantierücklage in der Nordelbischen Kirche für Schlüsselzuweisungen, sinnvoll zu prüfen, ob eine derartige Garantierücklage die Risiken des Clearingverfahrens mindern könnte. Nach den geänderten Richtlinien sind die festgestellten Verbindlichkeiten der Gliedkirchen zu erfüllen. Eine derartige Rücklage könnte von ihrem Sinn und Zweck die Zahlungen der Geber- und der Empfängerkirchen garantieren. Die Inanspruchnahme der Rücklage durch eine Gliedkirche verpflichtet diese, in dem

48 Bekanntmachung der Neufassung der Richtlinien zur Verrechnung der Kirchenlohnsteueranteile zwischen den Gliedkirchen der EKD v. 10. November 1986, ABl. EKD 1986, S. 485; Bareis, Entwicklung und Bestimmungsfaktoren der Kirchensteuereinnahmen der Gliedkirchen der EKD, S. 33 (80 ff.), in: Lienemann, a.a.O.

49 ABl. EKD 1976, S. 1.

neu beginnenden Feststellungszeitraum die Rücklage ratenweise wieder aufzufüllen. Eine solche Garantierücklage könnte die Gliedkirchen vor haushaltsmäßigen Überraschungen schützen. Es bleibt allerdings die Verpflichtung der Geberkirchen, neben den Vorauszahlungen ihre Verbindlichkeiten gegenüber den anderen Gliedkirchen der EKD nach bestem Wissen und Gewissen zu ermitteln. Die Höhe der Rücklage ist aufgrund der Berechnungen der zurückliegenden Feststellungszeiträume zu ermitteln. Alle Gliedkirchen müßten diese Rücklage durch zusätzliche Leistungen aufbringen. Dies wäre ein sinnvolles Mittel, die Haushaltsrisiken des Clearingverfahrens zu mindern. Der Hinweis sollte darüber hinaus zum Nachdenken Anlaß geben, das Clearingverfahren bei Finanzausgleichsverhandlungen nicht außer Betracht zu lassen.

Der praktizierte Finanzausgleich in der Nordelbischen Kirche kann dazu beitragen, zu einem wirkungsvollen Finanzausgleich zwischen den Gliedkirchen der EKD zu kommen. Jede Regelung stellt einen kirchenpolitischen Kompromiß dar. Die berechtigte Skepsis gegenüber einem wirkungsvollen Finanzausgleich zwischen den Gliedkirchen der EKD sollten wir gemeinsam überwinden. In Abwandlung eines Wortes von Binder[50] kann gesagt werden: Die Idee des Finanzausgleichs ist die Aporie des Finanzausgleichs. Die Idee des Finanzausgleichs ist aus der Wirklichkeit kirchlicher Finanzwirtschaft schöpferisch erwachsen. Ziel des Finanzausgleichs soll jedoch niemals eine Gleichmacherei sein.

50 Binder, Zur Lehre vom Rechtsbegriff, Darmstadt, S. 22.

Zur Finanzierung der kirchlichen Arbeit in der Deutschen Demokratischen Republik

Hans-Martin Harder

In einer Festschrift für Nikolaus Becker darf ein Artikel über Fragen der Finanzen in den Kirchen der DDR nicht fehlen, denn er ist nicht nur mit den Finanzen der Kirche besonders befaßt, sondern gehört vor allem auch zu denen, die das Wohlergehen der Kirchen und Christen in der DDR mit besonderem Interesse verfolgen und fördern.

Dem Vorhaben stehen allerdings einige Hindernisse im Wege: Die Finanzen der Kirche sind in der DDR zwar seit einiger Zeit lebhaft in der Diskussion. Es gibt jedoch so gut wie keine Literatur zum Thema, die hier verwendet werden könnte. Das macht zwar die Äußerung zur Sache in diesem Zusammenhang verhältnismäßig unbeschwert, fördert aber nicht die Verläßlichkeit der damit zu gebenden Auskunft. Und auch die wenigen Diskussionsbeiträge sind mitunter von wenig Sachkenntnis getragen. Beim Geld hört nicht selten sowohl »die Freundschaft« als auch die Sachlichkeit auf. Über einen zu langen Zeitraum war die Finanzierung der kirchlichen Arbeit in der DDR ein Thema, das nur wenige Spezialisten in der Hand hatten, die gute Gründe dafür sahen, es mit Tabus zu belegen.

So wird denn auch der folgende Beitrag außer einer Darstellung des jetzigen Standes von Einnahmen und Ausgaben der Kirchen nur ansatzweise zu Entwicklungen und Tendenzen weiterführen können, um schließlich einige offene Fragen zu benennen, die nach der persönlichen Meinung des Verfassers einer künftig intensiveren Bearbeitung bedürfen.

I. Einnahmen und Entlastungen

Nach wie vor die wichtigste Einnahme der Kirche auch in der DDR ist die Kirchensteuer. Sie beruht auf den gleichen Wurzeln wie die Kirchensteuer in der Bundesrepublik Deutschland, auch wenn sich nach 1945 deutlich unterschiedliche Entwicklungen ergeben haben[1]. Besonders auffällig ist, daß die Kirchensteuer in der DDR trotz ursprünglich staatlicher Regelung seit Anfang der 50er Jahre nicht mehr durch die Finanzämter eingezogen wird, sondern von der Kirche selbst erhoben werden muß. Es wurden zu diesem Zweck eigene Ämter eingerichtet, die diese Aufgabe übernahmen. Sie waren zunächst im Interesse der Rechtssicherheit und Fortführung des Steuereinzugs, wie er bei den Finanzämtern stattfand, behördlich organisiert. Und auch der Steuereinzug selbst hat bis heute deutliche Merkmale einer allgemeineren Abgabenregelung behalten. Daneben wird jedoch versucht, diesen Vorgang stärker in die allgemeine Arbeit der Kirchengemeinden mit einzubeziehen. Es gibt Versuche einer Selbstveranlagung wie auch Experimente mit anderen Formen der Berechnung. Einzelne Landeskirchen sind dazu

1 S. dazu z. B. Harder, H.-M. Artikel »Kirchensteuer« in »Theologisches Lexikon«, Union-Verlag, Berlin 1981.

übergegangen, nicht mehr den Brutto-, sondern den Nettobetrag des Einkommens zum Ausgangspunkt der Berechnung zu machen. Die Formen der Veranlagung wie auch die Festlegungen zum Steuergläubiger sind in den Landeskirchen verschieden, und auch die Verteilung der einkommenden Kirchensteuern auf die einzelnen Haushalte ist unterschiedlich.

Allen gemeinsam ist jedoch, daß es keine zwangsweise Beitreibung wie bei einer sonstigen Steuer mehr gibt und daß der Steuerschuldner nicht gezwungen werden kann, die Angaben für die Berechnung offenzulegen. Die Zahlung erfolgt freiwillig, und die Berechnungsgrundlage ist in den allermeisten Fällen geschätzt. Der Kreis derer, die auf diese Weise zur Kirchensteuer herangezogen werden, ist jedoch verhältnismäßig groß und geht jedenfalls weit über die regelmäßige Gottesdienstgemeinde hinaus. Es drückt sich hier sicher auch ein erhebliches Potential an Bereitschaft in der Bevölkerung aus, die Angelegenheiten der Kirche mitzutragen, auch wenn vordergründig andere Beweggründe eine Rolle spielen mögen bis hin zu der Erwartung, eines Tages kirchlich bestattet zu werden. Schließlich ist darauf hinzuweisen, daß der in Rede stehende Betrag für den einzelnen Kirchensteuerzahler verhältnismäßig gering ist und in keinem Verhältnis zu den sonst üblichen Einnahmen und Ausgaben steht.

Betrachtet man die Entwicklung der Kirchensteuern in den einzelnen Landeskirchen, fällt neben mancher Differenzierung auf, daß die auf diese Weise entstehende Einnahme stetig, wenn auch langsam, gestiegen ist, z. T. in Abhängigkeit von gezielten Aktionen und anderen Entwicklungen im Finanzwesen. Durchweg ist aber festzustellen, daß die Entwicklung nicht mit der Veränderung des allgemeinen Lohn- und Gehaltsniveaus Schritt gehalten hat und erst recht nicht mit der Veränderung des Geldwertes im Laufe der Jahre. Weiterhin wird davon auszugehen sein, daß die Veränderungen in der Bevölkerungsstruktur in den nächsten Jahren Minderungen mit sich bringen können, wenn dem nicht mit einer gezielten Kirchensteuerarbeit begegnet wird.

Nach der Kirchensteuer zählen die Kollekten, Opfer und Spenden zu den wichtigsten Einnahmen der Kirchen. Hier ist zunächst festzuhalten, daß nach wie vor eine solide Bereitschaft besteht, für die verschiedenen Zwecke der Kirchen, wie sie der übliche Kollektenplan für jeden Sonntag ausweist, Mittel aufzubringen. Daneben macht sich aber in steigendem Maße ein erfreuliches Engagement für gezielte Projekte bemerkbar. Gerade in den Gemeinden, die eine vielseitige und intensive Gemeindearbeit betreiben, wächst das Bedürfnis, in diese auch finanzielle Fragen einzubeziehen und Einnahmen für entsprechende Zwecke zu erschließen. Daneben fällt es mitunter schwer, den allgemeineren Aufwand der Kirche in ihren verschiedenen Ebenen und Formen zu vertreten und verständlich zu machen.

In diesem Zusammenhang ist das von Jahr zu Jahr gestiegene Aufkommen für »Brot für die Welt« zu nennen, das im übrigen sehr stark von einer guten Information abhängig ist. Daneben ist seit einigen Jahren die Realisierung des »2 %-Appels«[2] getreten, für die in den Landeskirchen verschiedene Modelle entwickelt wurden.

---

2 Von der Vollversammlung in Vancouver ausgehende Aktivität des ÖRK, 2 % kirchlicher Haushalte für Zwecke der 3. Welt bereitzustellen.

Zu den traditionellen Einnahmequellen der Kirchen gehört dann der Grundbesitz. Die Bedeutung für die Finanzwirtschaft der Kirche ist zur Zeit jedoch, gemessen an früher, nur gering. Im Vordergrund steht hier die entgeltliche Nutzung der landwirtschaftlichen Flächen durch die sozialistischen Landwirtschaftsbetriebe und gelegentlich die Nutzung kleingärtnerischer Flächen. Die ursprüngliche Bedeutung dieses nach wie vor wichtigen Teils des kirchlichen Vermögens kommt in den daraus zur Zeit erzielten Einnahmen jedoch nicht angemessen zum Ausdruck (s. u.). In geringem Umfang bewirtschaftet die Kirche landwirtschaftliche Nutzflächen selbst mit eigenen Landwirtschaftsbetrieben. Die Forstflächen im kirchlichen Eigentum werden ausschließlich von der Kirche selbst bewirtschaftet. In beiden Fällen hat dies eine für die Kirche nicht zu unterschätzende Bedeutung, die jedoch zur Zeit kaum auf finanziellem Gebiet liegt.

Ebenfalls zu den traditionellen Einnahmen gehören die Staatsleistungen, die in der DDR auf die gleichen Grundlagen zurückgehen wie in der Bundesrepublik[3]. Ihr Bestand wurde, ähnlich wie durch das Grundgesetz, durch die Verfassung der DDR von 1949 gesichert in Fortführung der Bestimmungen der Weimarer Verfassung. Diese Rechtsgrundlage wurde bis heute nicht aufgehoben, und Staatsleistungen werden gezahlt. Allerdings haben sich hier unmittelbar nach 1945 Veränderungen ergeben, die dazu geführt haben, daß die einzelnen Landeskirchen sehr verschiedene Zahlungen erhalten, die z. T. nur rd. $\frac{1}{10}$ der Leistungen betragen, auf die ein Anspruch geltend zu machen ist, bei anderen rd. $\frac{3}{4}$, durchschnittlich jedoch nicht mehr als $\frac{1}{2}$. Auch hierauf wird unten nochmals einzugehen sein.

Mit den Staatsleistungen werden oft Leistungen in einem Atemzug genannt, die hier nicht hingehören, nämlich erhebliche Leistungen vor allem auf dem Bausektor, die der Staat für hervorgehobene Kirchengebäude erbringt. Wenn es sich dabei – wie zum Beispiel beim Naumburger Dom – um Gebäude handelt, die sich in staatlichem Eigentum befinden, kann dies nicht als Leistung des Staates an die Kirche verstanden werden.

Zu den Einnahmen der Kirche gehören jedoch auch Leistungen, die der Staat für kircheneigene Gebäude mit besonderem Denkmalswert oder für spezielle Aufwendungen, die denkmalpflegerisch bedingten Mehraufwand darstellen, erbringt. Diese Beihilfen aus Mitteln der Denkmalpflege und Kultur werden gezahlt und stellen bei einzelnen Objekten eine sehr spürbare Zuwendung dar. Ob damit allerdings das Problem der denkmalpflegerisch bedingten Bauunterhaltung, die die Kirche in erheblichem Maße zu betreiben hat, hinreichend gelöst ist, wird ebenfalls unten zu erörtern sein.

Aus dem Staatshaushalt werden weitere Leistungen an die Kirche erbracht, die hier zu erwähnen sind. Es handelt sich dabei um Erstattungen auf verschiedenen Gebieten. Hier sind Erstattungen zu nennen, die pauschal für die durch staatliche Entscheidung festgelegte Erhöhung des Mindestlohnes begründet sind. Weiterhin sind hier Erstattungen zu nennen, die Kirchengemeinden dafür erhalten, daß bestimmte Leistungen im Friedhofswesen der Bevölkerung gegenüber nicht verteuert werden, obwohl der tatsächlich erforderlich Aufwand höher kalkuliert werden muß.

---

3 S. dazu Hofmann, W. Artikel »Staatsleistungen« in »Evangelisches Staatslexikon«, 2. Aufl., Kreuzverlag Stuttgart 1975.

Vor allem aber sind in diesem Zusammenhang die »kostendeckenden Pflegesätze« zu nennen, die die Kirche in ihren diakonischen Einrichtungen erhält. Durch diese Erstattungen wird der unmittelbare pflegerische Aufwand wie bei einer medizinischen Dienstleistung bezahlt, den die Einrichtung nachweist. Der sonstige Aufwand im Bereich der Diakonie, also vor allem die Investition und der nicht unmittelbar für die Pflege erforderliche Aufwand, z. B. von Erholungseinrichtungen usw., wird nicht erstattet, auch wenn die Kirche hier einen Aufwand betreibt, der im staatlichen Bereich aus Mitteln des Nationaleinkommens abgedeckt wird[4].

Eine Einnahme der Kirche – oder jedenfalls finanzielle Entlastung –, die leicht übersehen wird und trotzdem erheblich ins Gewicht fällt, besteht in der Preisstützung, die der Kirche zugute kommt, weil sie bei wichtigen wirtschaftlichen Vorgängen behandelt wird wie die Bevölkerung, für die subventionierte Preise gelten. Beim Einkauf von Waren des täglichen Bedarfs läßt sich dies kaum in Zahlen abwägen, weil hier die Preis-Aufwand-Relation nicht bekannt ist. Deutlich ist dies aber im Bereich des kirchlichen Bauens nachzuweisen. Aufgrund der Industriepreisreformen der letzten Jahre beträgt hier der Preis zur Zeit nur noch etwa die Hälfte des tatsächlichen Aufwands, und der Baubetrieb vermindert seine Rechnung nach »Koeffizienten«, die für die verschiedenen Leistungsarten gestaffelt festgelegt sind. Der verminderte Preis wird der Bevölkerung, und so auch der Kirche, in Rechnung gestellt. Die Differenz zum vollen Preis wird dem Betrieb aus dem Staatshaushalt erstattet. Dies trifft jedoch nur für Bauleistungen zu, die Betriebe unmittelbar für kirchliche Auftraggeber erbringen, wofür in aller Regel die Zuteilung einer staatlichen »Baukapazität« als »Bilanzanteil« erforderlich ist. Grob geschätzt gilt dies für höchstens ⅕ der tatsächlichen Bautätigkeit der Kirche. Dabei ist außerdem zu berücksichtigen, daß die von der Kirche auf der Basis von Valutamarkbeträgen (s. u.) durchgeführten Bauleistungen hier nicht in Betracht kommen, da bei ihnen keine Preisminderung stattfindet.

Auch das kirchliche Bauen gehört unter finanziellen Gesichtspunkten zu den unten noch zu erörternden Fragen.

Eine weitere, nicht unerhebliche finanzielle Entlastung stellt für die Kirche die Ausbildung von Theologen an 5 Sektionen staatlicher Universitäten dar. Hierfür braucht die Kirche keinerlei Leistungen zu erbringen. Sie kann sich darüber hinaus sogar die Ergebnisse der wissenschaftlichen Arbeit an den Sektionen und Universitätseinrichtungen zunutze machen, zumal zu allen Sektionen und den Professoren und sonstigen Mitarbeitern ein gutes Verhältnis besteht und viele von ihnen auch in kirchlichen Gremien und Organen tätig sind.

Wenn abschließend in diesem Teil eine große Gruppe von Einnahmen genannt wird, die bisher noch nicht erwähnt wurde, geschieht dies nicht, um deren Bedeutung abzuwerten, sondern lediglich aus Gründen der Systematik. Es handelt sich um Einnahmen, auf die die Kirche in der DDR kurz- und mittelfristig nicht verzichten kann und auch aus vielen Gründen nicht verzichten sollte. Gemeint sind die vielfältigen Hilfen der Kirchen in der Bundesrepublik und der Ökumene. Vor allem aus der Bundesrepublik fließen den Kirchen in der DDR regelmäßig Betriebsmittel zu, die für die Aufrechterhaltung ihrer geordneten

4 Nähere Angaben zur Diakonie in der DDR und den Pflegesätzen, in: Evangelischer Nachrichtendienst ENA, Jahrg. 42 Nr. 13 vom 30. 3. 1989.

Arbeit sehr wichtig sind. Dazu haben sich inzwischen spezielle Programme entwickelt, die für verschiedene Bereiche, vor allem auf dem Gebiet des Bauens, eine enorme Hilfe darstellen. Auch andere wirtschaftliche Abläufe werden damit wesentlich unterstützt. In diesem Zusammenhang ist auch eine unübersehbare Zahl von mehr oder weniger bilateralen Vorgängen mit finanziellen Konsequenzen zu sehen, die eine wesentliche zusätzliche Hilfe darstellen.

II. Ausgaben und Belastungen

Den größten Teil der Ausgaben der Kirche bilden die Personal- und Sachkosten einschließlich der Versorgung (siehe dazu aber unten). Ein spürbarer Rückgang der Zahlen ist hier nicht zu beobachten. Nach wie vor werden Vakanzen ausgewiesen, um sie wieder neu zu besetzen. Einsparungen werden hier zwar gelegentlich gefordert, sind aber ernsthaft nicht in Sicht. Zu den vorhandenen Mitarbeitern kommen im Gegenteil neue Mitarbeitergruppen dazu, die nur zum Teil frühere Mitarbeiterbereiche ersetzen, in der Regel also zusätzlich tätig werden. Dieser ganze Bereich macht auch deshalb den größten Teil der Ausgaben aus, weil durch Lohnerhöhungen z. T. direkt, z. T. mittelbar oder über den Druck in Richtung eigener Erhöhungen der Kirche, ein stetiges Ansteigen dieser Ausgaben stattfindet. Dabei muß man für die allermeisten Gehälter in der Kirche sagen, daß sie in ihrer Höhe Vergleichen mit ähnlichen Zahlungen außerhalb der Kirche nur schwer oder gar nicht standhalten. Dies ist besonders gravierend in den Bereichen, in denen innerhalb der Kirche gleiche Arbeit nach Umfang und Qualität verlangt wird wie im außerkirchlichen Bereich.

Die Versorgung der Mitarbeiter belastet die Kirche allerdings nur noch geringfügig. Die Mitarbeiter im Angestelltenverhältnis erhalten nach Erreichen des Rentenalters eine staatliche Rente. Die Mitarbeiter auf Lebenszeit erhalten ihre Ruhestandsbezüge zwar von der Kirche, die ihrerseits aber seit einigen Jahren eine Versorgungsvereinbarung abgeschlossen hat, nach der sie aus dem Staatshaushalt für die Mitarbeiter erhält, was diese als Rente bekommen würden, so daß damit der wesentliche Teil der Versorgungsbezüge abgedeckt ist.

Abgesehen von der Ausbildung eines Teils der Theologen (s.o.) muß die Kirche die Ausbildung aller Mitarbeiter finanzieren. Dafür hat sie im Laufe der Jahre ein umfangreiches System von Ausbildungsstätten eingerichtet, über das alle erforderlichen Bereiche ausreichend abgedeckt werden können.

Dann gehört natürlich zu den Ausgaben der Kirche der gesamte Sachaufwand kirchlicher Aktivitäten sowie die Verwaltung. Auch in diesen beiden Bereichen ist eine Verringerung des Aufwands nicht spürbar. Die Verwaltung wird teilweise zusammengelegt, so daß jedenfalls Doppelarbeit vermieden ist. Im übrigen ist aber die Verwaltung objektiv komplizierter und aufwendiger geworden, so daß es schon als Einsparung angesehen werden kann, wenn die Kosten auf diesem Gebiet nicht zunehmen.

Einen Kostenbereich, der ständig zunimmt, bildet das kirchliche Bauen. Zunächst muß man feststellen, daß wesentlich weniger gebaut wird, als im Interesse der Erhaltung der erforderlichen Bausubstanz notwendig wäre. Überlegungen zur Verringerung der Bausubstanz hat es immer wieder einmal gegeben. Es wurden daraufhin Gebäude erfaßt, die aufzugeben oder einer nichtkirchlichen Nutzung zuzuführen waren. Zur Verwirklichung dieser Pläne kam es aber in den wenigsten Fällen. Ausschlaggebend dafür war gelegentlich, daß eine solche dauernde Aufgabe nicht billig zu haben ist oder auch, daß sich angesichts der bevorstehenden Preisgabe eines Kirchengebäudes dann doch in der Kirchengemeinde Aktivitäten entfalteten, die bis dahin nicht für möglich gehalten wurden. Wenige größere Kirchen wurden in staatliche Nutzung für Zwecke eines Museums oder als Konzerthalle überführt.

Alles in allem wird also der bisherige Gebäudebestand unterhalten. Dafür gibt es zunächst die Möglichkeit, staatliche Bilanzen (s.o.) zu beantragen, um auf diese Weise zu ordnungsgemäßen Bauleistungen entsprechender Betriebe zu kommen. Einen großen Anteil an der Erhaltung der Bausubstanz hat sodann die »Feierabendtätigkeit«, die allerdings von dem kirchlichen Eigentümer ein erhebliches Maß an Initiative und Einsatzbereitschaft in der Begleitung einer solchen Baumaßnahme fordert. Auch für die kirchliche Verwaltung stellt diese Form des kirchlichen Bauens einen Mehraufwand dar, der durch die intensivere Begleitung verursacht wird. Und schließlich haben die Kirchen mit unterschiedlicher Intensität inzwischen begonnen, sich eigene Baukapazitäten zu schaffen, indem größere oder kleinere kirchliche Baubetriebe oder -brigaden gebildet, mitunter auch einzelne Handwerker in Baugrundgewerken eingestellt wurden, die sich nun dieser Aufgabe widmen. Alle diese Formen der Eigenleistungen neben regulären Bauleistungen von Betrieben werden jedoch relativ teuer. Finanziell sind diese Leistungen ungestützt (s.o.). Dabei sind natürlich die Feierabendarbeiten am teuersten, oft aber auch die einzige Möglichkeit, eine Arbeit gemacht zu bekommen. Und die Eigenleistungen von Betriebshandwerkern oder eigenen kleinen Bauhütten der Kirche liegen in den Kosten etwa zwischen denen der Baubetriebe und einer Feierabendbrigade.

Zu diesen Bauleistungen sind nun noch die Leistungen auf dem Gebiet des Sonderbauprogramms und anderer Valutaprogramme[5] zu zählen, auch wenn diese ja nicht zu den regulären Finanzen der Kirche zu rechnen sind. Trotzdem gehören sie in diesen Zusammenhang, denn sie wirken sich kostensparend auf den übrigen Bereich des baulichen Aufwands aus, sofern hier Vorhaben realisiert werden, die sonst die Finanzen der Kirche belastet hätten. Hinsichtlich der Verwaltung und fachlichen Begleitung bringen sie natürlich einen gewissen Mehraufwand mit sich. Vor allem aber sind solche Vorhaben auch unter dem Gesichtspunkt der Nachfolgekosten zu betrachten. Dies geschieht, soweit es sich vorhersehen läßt. Daß auf dem Gebiet dieser Sonderfinanzierungen immer wieder auch sehr ernsthafte Fragen gestellt und Alternativen in den Blick gerückt werden, liegt in der Natur der Sache. Unter dem Gesichtspunkt der Finanzierung der kirchlichen Arbeit in der DDR kann man es jedoch nur begrüßen, daß hier Möglichkeiten eröffnet werden, für die Gemeindearbeit Räume zu erschließen. Ob diese auch gefüllt werden, ist dabei eine zulässige, wenn auch von denen, die die Fragen stellen, mitunter kaum zu beantwortende Frage.

5 Programme der Finanzierung von Bauleistungen in der DDR durch Valutabeträge vor allem aus den Kirchen der EKD.

III. Entwicklungen und Tendenzen

Es gibt auf dem Gebiet der Finanzen der Kirche in der DDR, außer statistischen Zusammenstellungen, kaum analytisches Material. Jeder auf diesem Gebiet tätige Mitarbeiter wird auf seine Weise versuchen, sich für seinen Verantwortungs- und Zuständigkeitsbereich den möglichen Überblick zu verschaffen, um die notwendigen Entscheidungen richtig treffen zu können. Insgesamt werden dabei im wesentlichen bisherige Erfahrungen bestenfalls fortgeschrieben. Zu einer prinzipiell neuen Strukturierung kirchlicher Finanzen ist es – von kleineren Modellen, die nicht die Tragfähigkeit für eine Verallgemeinerung bewiesen, abgesehen – bisher nirgendwo gekommen.

In einzelnen Landeskirchen werden mehr oder weniger – häufig in Zusammenhang mit Berichten vor den Synoden – Zahlen zur Entwicklung des Mitgliederbestandes der Kirche genannt. Sofern es sich dabei um die Zusammenstellung heutiger Daten handelt, geht es ohne Schätzungen nicht ab, und die Schlußfolgerungen daraus für die Zukunft tragen immer auch spekulativen Charakter. Richtig ist, daß wir von einer Volkskirche in dem Sinne, wie dies für die erste Hälfte unseres Jahrhunderts festzustellen war, nicht mehr sprechen können. Aber schon die Schlußfolgerung, wir wären eine Minderheitskirche oder würden uns dahin entwickeln, berücksichtigt wichtige Aspekte ungenügend: So kann man schlecht von einer Minderheitskirche sprechen angesichts brechend voller Kirchen zu bestimmten Veranstaltungen und nicht nur bei großen Kirchentagen. Ebenso wird man nicht bestreiten können, daß gerade Menschen, die der Kirche relativ fern stehen, von ihr – möglicherweise sogar in steigendem Maße – etwas erwarten. Wie ist die Kirche darauf eingestellt? Hierher gehören auch Überlegungen zum Mitgliedschaftsrecht oder jedenfalls zur Frage der Gestaltung des Verhältnisses der Kirche zu diesen »Interessenten«.

Auch finanzielle Konsequenzen müssen da im Blick sein, denn es geht sicher auf die Dauer nicht, daß eine immer kleiner werdende Gruppe von »Mitgliedern« über ihre Kirchensteuer eine Kirche wesentlich mitfinanzieren, die für immer mehr »Nichtmitglieder« tätig ist und von diesen in Anspruch genommen wird. Schon der Ausdruck »Nichtmitglieder« ist hier sicher nicht mehr in jedem Fall korrekt. Hier zeichnen sich also Entwicklungen und Tendenzen ab, die noch nicht zu Ende gedacht sind und der Aufarbeitung bedürfen.

In diesen Zusammehang gehören Überlegungen, das Bewußtsein für die finanzielle Verantwortung in den Gemeinden zu stärken. Wenn es dabei auch nicht darum gehen kann, das System der Kirchensteuer gänzlich abzulösen, ist doch eine stärkere Beteiligung der aktiven Gemeindeglieder erforderlich.

Eine weitere Tendenz, die, aus der bisherigen Vergangenheit betrachtet, nicht selbstverständlich ist, gilt es zu beachten: Unter den Bedingungen des Sozialismus wird die Kirche zur alltäglichen Normalität. Die Kirche im Sozialismus ist zur Selbstverständlichkeit geworden, so daß es darum geht, diese reale Istbestimmung mit Inhalt zu füllen und unter den jeweiligen Bedingungen zu aktualisieren. Das bleibt eine Aufgabe, gerade auch auf ökonomischem Gebiet. Hier herrscht bei weitem noch keine ausreichende Klarheit und manche Konsequenz muß erst noch gezogen werden. Einige zu benennen, wird unten Gelegenheit sein.

Für die finanzielle Entwicklung der Kirche in der DDR ist weiterhin von kaum zu unterschätzender Bedeutung, daß auf absehbare Zeit an der engen Verbindung von Wirtschafts- und Sozialpolitik festgehalten wird. Dies hat nicht nur Konsequenzen für die allgemeine Entwicklung der Wirtschaft, sondern bedeutet vor allem auch, daß es weiterhin bei der Preispolitik bleibt, mit der eine starke Subventionierung für Bereiche verbunden ist, an denen auch die Kirche Anteil hat (s. o.).

Andererseits ist auch mit einer stärkeren Verflechtung der Wirtschaft der DDR in die Weltwirtschaft zu rechnen. Und auch dies bleibt nicht ohne Konsequenzen für die Kirche da, wo sie an entsprechenden Leistungen partizipiert, die voraussichtlich teurer werden.

Innerkirchlich gehört zu den zu erwartenden Entwicklungen, daß die Ausgabenseite sich kaum wird vermindern lassen, sondern Steigerungen der Ausgaben, vor allem bei den Löhnen und Gehältern sowie bei den Bauten, zu erwarten sind. Daher wird es unumgänglich sein, die Einnahmen zu erhöhen bzw. neue Einnahmen zu erschließen. Hierher gehört, daß auf dem Gebiet der Kirchensteuern eine gewisse Steigerung möglich sein muß. Die Lohn- und Gehaltsentwicklung wird die ohnehin vorhandene Leistungsfähigkeit noch erhöhen, mit der die Leistungsbereitschaft bisher nicht Schritt hält.

IV. Offene Fragen

Einige offene Fragen hinsichtlich der Entwicklung der kirchlichen Finanzen in der DDR wurden bereits angesprochen.

Grundsätzlich wird es notwendig sein, Fragen zu klären, die mit der Zweckbestimmung des kirchlichen Vermögens zusammenhängen. Hierher gehört vor allem die Funktion, die der kirchliche Grundbesitz für die Finanzwirtschaft der Kirche hat. Bisher wird hier die Kirche nicht wesentlich anders behandelt als die Bevölkerung. Das aber widerspricht dieser Zweckbestimmung. Während in der Bevölkerung niemand mit Einnahmen aus dem Grundbesitz für sich selbst als Unterhalt rechnet, gehört für die Kirche diese Einnahme zu einem festen Bestandteil ihrer Finanzwirtschaft. Nach 1945 wurde die Kirche aus der Bodenreform herausgelassen und behielt ihren Grundbesitz. Dies geschah u. a. aus der Erkenntnis heraus, daß die Kirche mit den Einnahmen dieses Grundbesitzes einen wesentlichen Teil ihrer Ausgaben finanziert, nämlich vor allem die Pfarrgehälter und die Bauten. Dieser Funktion ist der Grundbesitz aber sehr bald nicht mehr gerecht geworden.

Die Einnahmen aus dem Grund und Boden stellen zur Zeit nur einen relativ geringen Anteil an den Gesamteinnahmen der Kirche dar. Andererseits bildet der Grundbesitz eine eindeutige Grundlage und einen soliden Maßstab für die Gestaltung solcher Einnahmen. Dies sollte besonders dann gelten, wenn die Kirche den Boden selbst bewirtschaftet, wie dies auf der gesamten Forstfläche und auf einem Teil der landwirtschaftlichen Nutzfläche geschieht. Diese kirchlichen Wirtschaftsbetriebe müßten in bezug auf ihre Abgaben bewußt so gestaltet werden, daß eine Gewinnerwirtschaftung für Zwecke der Kirche vorgesehen wird. Aber auch der wesentlich größere Teil der kircheneigenen landwirtschaftlichen Nutzfläche, der sich in Bewirtschaftung sozialistischer Landwirtschaftsbetriebe befindet, müßte für die Kirche eine eindeutige Einnahmequelle darstellen, wenn die Zweckbestimmung dieses kirchlichen Vermögens zum Zuge kommen soll.

Auf dem Gebiet der kirchlichen Bauwirtschaft legt sich die Frage nahe, wie die inzwischen entstandenen kirchlichen Baubetriebe so gestaltet werden, daß ihre Leistungen für die auftraggebende Kirche nicht teurer werden als die vergleichbare Leistung staatlich bilanzierter Baubetriebe. Dies ließe sich nur erreichen, wenn auch diese kirchlichen Baubetriebe eine Stützung ihrer Rechnungen erhalten würden.

In diesen Zusammenhang gehört aber auch noch eine wesentlich weiterreichende Frage: Die Kirche besitzt in der DDR mehr als die Hälfte der denkmalgeschützten Bausubstanz und ist daher zu ihrer Unterhaltung verpflichtet. Wie bereits ausgeführt, stand dafür ursprünglich der Grund und Boden als Einnahmequelle zur Verfügung. Und es gab vor allem das Institut des Patronats, das mit der Schaffung der neuen Eigentumsverhältnisse nach 1945 schlagartig fortgefallen ist, ohne daß irgendetwas an seine Stelle getreten wäre, wenn man einmal von den schon erwähnten Beihilfen aus dem Bereich der Denkmalpflege absieht, die dies tatsächlich auch keineswegs abfangen. Diese denkmalgeschützte Bausubstanz gehört zum Teil zum wertvollsten Kulturgut, das die DDR besitzt und ist jedenfalls stets Anhaltspunkt für die Identifikation des Bürgers mit seiner Umgebung. Hinter diesen Tatsachen bleibt die Gewährung von Beihilfen und vor allem die Zuteilung von Baukapazitäten weit zurück. Sie ist auf das einzelne Bauvorhaben bezogen und kann nur von Fall zu Fall gewährt werden. Nötig wäre hier aber ein permanenter Rechtsanspruch, der im Einzelfall abgerufen werden könnte.

Und schließlich gehört zu den offenen Fragen natürlich auch die der Zahlung von Staatsleistungen. Die Grundlagen dafür sind nach wie vor unbestritten. Ihre Zahlung bedarf jedoch dringend einer Aktualisierung, wobei noch nicht einmal die Frage der Entwicklung des Geldwertes gestellt ist.

Neben diesen Fragen stehen aber auch solche, die innerhalb der Kirche zu beantworten sind. So wird es nötig sein, die Finanzen der Kirche stärker in das Blickfeld der Gemeindearbeit zu rücken. Dabei sollte gerade auch die Diskussion nicht gescheut, sondern im Gegenteil gesucht werden. Nur so wird es möglich sein, Vorbehalte abzubauen, Verständnis zu wecken und vor allem Kenntnis zu vermitteln, die nun einmal nötig ist, wenn man Bewußtsein verändern und stärken will.

4. Kirchliche Publizistik

Bemerkungen zur innerkirchlichen Rundfunkzuständigkeit*

Dietrich Dehnen

I. Einleitung

1. Presseberichte zur Rundfunkübertragung eines Gottesdienstes mittels eines unter dem Altar aufgestellten Kleinsenders[1] lassen nicht nur nach der rundfunkrechtlichen Zulässigkeit fragen. Zu prüfen ist vielmehr auch, ob es Grenzen und Bedingungen nach dem eigenen Recht der Kirche[2] gibt oder geben sollte. Das leuchtet spätestens dann ein, wenn der Gottesdienst nicht nur örtlich sondern landes- oder bundesweit[3], gar vermittels eines Satelliten bis an die Enden des Kontinents oder der Welt übertragen wird.

Die mediale Erweiterung des Geschehens im Gottesdienst durch den Rundfunk wird in erster Linie von der theologischen Wissenschaft zu betrachten sein[4]. Die »neue« Reichweite ist aber auch und gerade dann Gegenstand der Ordnung der Kirche, wenn sie ihre Wurzel in der Gottesdienstordnung hat[5].

2. Die Zuständigkeitszuweisung, die unser Thema nachfragt, kann nur vorgenommen werden, wenn über den Inhalt kirchlicher Rundfunkzuständigkeit Klarheit besteht:
- kirchliche Rundfunkzuständigkeit ist zunächst das Recht, als Veranstalter[6] Rundfunkprogramme zu senden;
- kirchliche Rundfunkzuständigkeit ist sodann das Recht, gesetzlich eingeräumte besondere Sendezeiten eines Rundfunkveranstalters, mit eigenverantwortetem kirchlichen Programm zu füllen (Drittsendeberechtigung)[7];

1 Vgl. FUNK-KORRESPONDENZ, Nr. 4 v. 27. 1. 1989, S. 5; Frankfurter Allgemeine Zeitung v. 25. 3. 1989, S. 27; Deutsches Allgemeines Sonntagsblatt v. 31. 3. 1989, S. 13.

2 Die Darstellung bezieht sich nur auf die evangelische Kirche.

3 Vgl. etwa die Diskussion über dem sog. »Tiergottesdienst«: epd-Zentralausgabe Nr. 318 v. 21. 7. 1988, S. 1; Bildzeitung v. 11. 7. 1988.

4 Eine knappe Darstellung bei Marnach, Barbara, »Kirchen und neue Medien«, Bd. 4 der Reihe Medienskripten, München 1989, S. 13–23; grundsätzlich: Dörger, Hans J., »Kirche und Öffentlichkeit« UrbanTB, Stuttgart, Berlin, Köln 1979; ders. in EVStaatsL. »Massenmedien und Kirche«, Sp. 2096 ff.; Janowski, Hans-Norbert, »Die kanalisierte Botschaft«, Gütersloh 1987; Kuhn, Johannes, Evangelische Kommentare 1989, Nr. 5, S. 25 ff.; Schmidt, Hans J., Evangelische Kommentare 1989, Nr. 5, S. 19 ff.

5 Wolf, Erik, »Die Ordnung der Kirche«, Frankfurt 1961, S. 510 ff.

6 Veranstalter ist, wer nach Zulassung ein Rundfunkprogramm in eigener inhaltlicher Verantwortung veranstaltet und verbreitet. So etwa die gesetzlichen Begriffsbestimmungen in § 2 Abs. 9 LRGNW (v. 19. 1. 1987, GVBl. S. 22); § 1 a Ziff. 5, LRG Saar (v. 11. 8. 1987 ABl. S. 1005); § 2 Abs. 1, Ziff. 3 Hess. PrivatfunkG (HPRG) v. 30. 11. 1988, GVBl. S. 385).

7 Vgl. dazu die Gutachten von Link/Pahlke, »Rechtsfragen kirchlicher Medienbeteiligung in einer gemischten Rundfunkverfassung«, München 1985 und Lorenz, Dieter, »Das Drittsenderecht der Kirchen, insbesondere im privaten Rundfunk«, Berlin 1987; ferner: Rudolf, Walter/Meng, Werner: »Rechtliche Konsequenzen der Entwicklung auf dem Gebiet der Breitbandkommunikation für die Kirchen«, Materialien zur Medienkommunikation, Heft 3, Bonn 1987; Dehnen, Dietrich, DVBl. 1986,

* Überarbeitete und veränderte Fassung eines Referates bei dem 1. Mülheimer Medienforum am 6. 1. 1987 in der Ev. Akademie (Tagung »Das vierte Urteil« – 1/1987).

- kirchliche Rundfunkzuständigkeit ist aber auch das Recht, über die Berücksichtigung der Kirche im fremden, »weltlichen« Programm zu wachen;
- kirchliche Rundfunkzuständigkeit ist nicht zuletzt das Recht, im Interesse der Allgemeinheit und des Rundfunks als Institution an dessen Vielfaltssicherung durch Entsendung geeigneter Personen in die Aufsichtsgremien mitzuwirken[8].

Die Aufzählung zeigt, daß sich kirchliche Rundfunkzuständigkeit nach innen und außen wendet. Sie stellt nach außen fest, welche kirchliche Stelle staatlich verliehene Rundfunkrechte einfordern kann. Das muß von innen heraus begründet und geordnet werden. Deswegen ist daraufhin das von der Kirche selbst gesetzte Recht zu befragen.

3. Diese Beschreibung läßt aber auch erkennen, daß die Frage nach der kirchlichen Stelle, die die genannten Rechte wahrnehmen soll, an staatliche Vorgaben, nämlich die staatlichen Rundfunkrechtssetzungen anknüpft. Es geht hier darum, welche kirchenrechtlichen Folgen aus einer geänderten staatlichen Rundfunkordnung zu ziehen sind. Dahingestellt bleiben muß deswegen die Beantwortung der Frage, ob es etwa ein originäres Recht der Kirche auf Teilhabe am Rundfunk – möglicherweise – als theologisch schlechterdings unverzichtbare Dimension des »ministeriuum verbi divini« –, gibt[9].

Die staatsgesetzlichen Vorgaben sind wegen der Länderzuständigkeit für die Rundfunkordnung keineswegs einheitlich. Nicht nur im Gebiet der Evangelischen Kirche in Deutschland (EKD), sondern auch dem einzelner Gliedkirchen finden sich unterschiedliche Ordnungsansätze des Rundfunks: im räumlichen Bereich der Evangelischen Kirche im Rheinland etwa eine Vielfalt, die auf dem Boden der dualen Rundfunkordnung (Nebeneinander von öffentlich-rechtlichen und privatrechtlichen Veranstaltern) landesweiten Rundfunk bevorzugt – so in Hessen, in Rheinland-Pfalz und im Saarland[10] – oder den örtlichen Rundfunk betont fördert, wie in Nordrhein-Westfalen[11]. Dieses Land gewährt überdies durch eigene Sendezeiten für »Gruppenrundfunk« – insbesondere mit kultureller Zielsetzung – auch kirchlichen Werken – wie der Erwachsenenbildung – im Lokalfunk zusätzliche Sendeplätze[12]. Es liegt deswegen auf der Hand, daß kirchenrechtliche Lösungen schon wegen der »förderativen Inhomogenität«[13] der staatsgesetzlichen Vorgaben nicht nur EKD-weit, sondern auch in einzelnen Gliedkirchen mit erheblichen Schwierigkeiten verbunden sein werden.

4. Diese werden dadurch verschärft, daß protestantische Kirchenordnung theolo-

---

S. 17ff.; Bullinger, Martin in Mestmäcker, Ernst (Hrsg.): »Offene Rundfunkordnung« Gütersloh 1988, S. 55ff. spricht anschaulich von »Programmlasten«. Dort auch Hinweise auf vergleichbare Rechtslage in Frankreich. Ferner: Link, ZEVKR 1989, S. 117ff.

8 Im öffentl.-rechtl. Rundfunk: § 16 Abs. 1 Ziff. 3 LRGSaar (a.a.O. Anm. 6; § 15 Abs. 3, Ziff. 1 WDRG v. 19.3. 1985, S. 237; § 11 Abs. 1, Ziff. 3 StaatsV SWF v. 27.8. 1951) (GBLR.-P. 1952, S. 71); § 5 Abs. 2 Ziff. 3 HPRG (a.a.O. Anm. 6); im privatr. Rundfunk: § 55 Abs. 3 Ziff. 1 LRGNW; § 26 Abs. 1 Ziff. 4, LRGR.-P. v. 24.6. 1986 (GVBl. 159); § 54 Abs. 2 LRGSaar; § 39 Abs. 1 Ziff. 3 HPRG; für lokalen Rundfunk in NW außerdem: § 26 Abs. 1 Ziff. 1 LRGNW.

9 Vgl. dazu die Gutachten von Links/Pahlke und Lorenz, a.a.O. Anm. 7.

10 § 10 Abs. 1 HPRG; § 5 LRGNW; § 39 LRGSaar.

11 § 3 Abs. 2 LRGNW.

12 § 24 Abs. 4 LRGNW.

13 Ricker, Reinhart: »Privatrundfunkgesetze im Bundesstaat«, München 1985, S. 23, ferner Link/Pahlke, a.a.O Anm. 7, S. 62ff.

gisch und auch historisch immer ein Prozeß dezentraler und dekonzentrierter Kompetenzverteilung[14] ist. Einheitliche Lösungen sind deswegen schon aus kirchenrechtlichen Gründen nicht zu erwarten. Es kommt hinzu, daß Gliedkirchen und Länder sich keineswegs decken, sondern sich vielfältig überschneiden und damit gegebenenfalls zum Gegenüber einer landesgesetzlichen Rundfunkordnung mit mehreren Kirchen führen. Als Beispiel sei etwa das Land Rheinland-Pfalz erwähnt, auf dessen Territorium sich Bereiche der Ev. Kirche der Pfalz, der von Hessen-Nassau und der des Rheinlands befinden.

Die Synode der Ev. Kirche der Pfalz hat wiederholt beschlossen, sich programmlich am Versuch in Ludwigshafen nicht zu beteiligen[15]. Die Ev. Kirche im Rheinland dagegen nahm an dem in Düsseldorf stattfindenden Bildschirmtextversuch teil und überführte diesen in eine seitdem tätige gliedkirchliche Arbeitsgemeinschaft[16].

5. Die folgenden Überlegungen beginnen mit der Frage nach der Rechtslage in der Evangelischen Kirche in Deutschland. Dies einmal wegen des Vorrangs gesamtkirchlicher Rechtssetzung (Art. 2 Abs. 2 und Art. 12, S. 2 der Grundordnung der EKD [GO]).

So anzusetzen ist aber auch deswegen sachgemäß, weil der Rundfunk nach seiner technischen Bestimmung auf die größere Reichweite zielt. Hier liegt also zuerst der Regelungsbedarf.

II. Zuständigkeit im Verhältnis EKD – Gliedkirche

1. Die Grundordnung der EKD vom 13. 7. 1948, die also – wie dieses Datum zeigt – noch vor dem Grundgesetz vom 23. Mai 1949 beschlossen worden ist, enthielt und enthält auch in der geltenden Fassung[17] keine Zuständigkeitszuweisung für Rundfunk an die EKD.

Zu den Sachgebieten, die »zuvor im Bereich der EKD einheitlich geregelt waren« (Art. 19 lit, a GO), gehörte die kirchliche Rundfunkarbeit nicht. Sie wurde nicht von der Rechtsvorgängerin der EKD, der DEK, sondern – soweit das überhaupt möglich war – von dem »Preßverband für Deutschland« auf Betreiben von August Hinderer, also außerhalb der verfaßten Kirche verantwortet[18]. Eine Gesetzgebungszuständigkeit der EKD bestand und besteht deswegen nicht.

Das Recht der EKD, gesamtkirchliche Anliegen zu vertreten, ist in Art. 19 GO in Richtung auf die Inhaber öffentlicher »Gewalt« kanalisiert und beschränkt. Der Rundfunk übt aber gerade keine öffentliche Gewalt aus, so daß auch diese Bestimmung kein Vertretungsrecht der EKD hergibt.

---

14 Pirson, Dietrich, ZEVKR 1988, S. 129 ff.; Becker, Nikolaus, »Die Kirchenordnung der Evangelischen Kirche im Rheinland« Lsbl.-Kommentar, Neuwied, Stand 26. 5. 1988, Anm. 2 zu Art. 167.

15 Beschluß v. 27. 11. 1980.

16 Beschluß Nr. 79 der Landessynode v. 16. 1. 1981; dazu: Jaissle, Jürgen: »Kirche und elektronischer Text«, Frankfurt 1983; Satzung der Arbeitsgemeinschaft Bildschirmtext vom 3. 10. 1985 i.d.F. v. 21. 10.1988, LKA-Akten 12.-8-8-3-1; Protokoll der Landessynode 1985, Anhang S. 377.

17 Grundordnung der Evangelischen Kirche in Deutschland v. 13. 7. 1948 (Abl.EKD, S. 233 ff.).

18 Bauer, Günther: »Kirchliche Rundfunkarbeit 1924–1939«, Bd. 2, Frankfurt 1966, S. 23 ff.; Lerg, Winfred B., in: »Rundfunk in Deutschland« (Hrsg. Bausch, Hans), Bd. 1, S. 428.

Selbst bei den »schwächeren« Zuständigkeitszuweisungen für die EKD findet sich der Rundfunk nicht:

Art. 8 GO gibt der EKD ein »Anregungsrecht« u. a. für die »Gestaltung der kirchlichen Presse«. Schon allgemeine Auslegungsregeln verbieten es, unter »Presse« kurzerhand den Rundfunk einzubegreifen. Auch wenn die Grundordnungsmotive keine Hinweise auf die auch schon im Jahre 1948 immerhin erstaunliche Beschränkung auf ein Medium (die Presse) erkennen lassen, muß vermutet werden, daß genau das von den Verfassern der Grundordnung gewollt war. Die Beschränkung entsprach nicht nur der Gewichtung der Aufgabenverteilung zwischen EKD und Gliedkirchen, sondern auch der Rundfunkordnung in den damaligen Westzonen. Man muß sich nämlich vor Augen führen, daß das älteste Landesrundfunkanstaltgesetz, das über den Bayerischen Rundfunk[19], vom 10. 8. 1948 datiert, also nach der Grundordnung, beschlossen wurde. Die Rundfunkordnung war erst im Aufbau. Deutlich war aber bereits ihre föderalistische Struktur. Ein länderübergreifender Rundfunk, der für die Verfasser der Grundordnung möglicherweise zu einem Regelungsbedarf geführt hätte, konnte nicht in Sicht sein. Gegen ihn bestanden zudem im Rückblick auf die Erfahrungen der NS-Zeit erhebliche Widerstände. Die Satzung der ARD datiert immerhin erst von 1950[20]. Es konnte deswegen 1948 davon ausgegangen werden, daß ein gesamtkirchlicher Handlungsbedarf nicht eintreten werde.

Erkannt wurde er in dem Grundordnungsänderungsentwurf (EGO) des Jahres 1971[21]. Nach Art. 12 Abs. 6 EGo hatte die EKD für den »Beitrag der ev. Publizistik zur öffentlichen Kommunikation« zu sorgen. Nach Art. 12 Abs. 1 Ziff. 1 EGO konnte die EKD dazu sogar »kirchengesetzliche Rahmenbestimmungen« erlassen. Das Scheitern auch dieser Änderungsbemühung bekräftigt aber nur das Auslegungsergebnis: eine originäre kirchenverfassungsrechtliche Zuständigkeit der EKD für kirchlichen Rundfunk gab es und gibt es nicht[22].

2. Es ist auch nicht möglich, dieses Ergebnis mit Erwägungen über eine Zuständigkeit aus der »Natur der Sache«[23], wie sie aus dem Staatsrecht bekannt sind, in Frage zu stellen. Wenn sich diese Lehre noch nicht einmal im staatlichen Recht unter der Vorgabe einer weitaus stärkeren Kompetenzausstattung der Zentralinstanz als in der Kirche voll durchzusetzen vermochte, kann sie auf das Verhältnis EKD-Gliedkirchen erst recht nicht angewandt werden. Ebenso scheidet auch der Versuch aus, über »Sachzusammenhang« oder »Annexkompetenz« zu einer rechtlichen EKD-Zuständigkeit zu kommen. Dies gilt um so mehr, als die geltende Grundordnung mit der möglichen Übertragung von Aufgaben in Art. 13 – und sogar des Gesetzgebungsrechts in Art. 10 b – Instrumente bereithält, die einerseits einheitliches Handeln ermöglichen, aber andererseits die grundsätzliche Zuständigkeit unberührt lassen.

---

19 Bay BSII, S. 635.

20 Abgedr. bei Delp, Ludwig: »Das gesamte Recht der Publizistik«, Losebl.Slg. Neuwied, Stand 1988, Nr. 1101.

21 Lingner, Olaf (Hrsg.: »EKD Struktur und Verfassungsreform«, Witten und Berlin 1972, S. 35).

22 So auch Links/Pahlke, a.a.O. Anm. 7, S. 61.

23 Stern, Klaus: Das Staatsrecht der Bundesrepublik Deutschland«, Bd. 1, München 1977, S. 507 ff.; Maunz, Theodor, in: Maunz, Dürig, Herzog, Scholz (Hrs.), »Grundgesetz« Lsbl.Kommentar München 1987, Rdnr. 46 zu Art. 70 GG; Brunotte, Heinz, »Die Grundordnung der EKD«, Berlin 1954, S. 159 ff.

3. Davon ist Gebrauch gemacht worden. Es gibt zwar kein »EKD-Kirchenfunkgesetz«, weil ein entsprechender einheitlicher Regelungsbedarf – anders als z. B. im Mitgliedschafts- oder Datenschutzrecht[24] – bisher nicht erkennbar geworden ist. Die Bereitschaft zu einheitlichem kirchlichen Handeln wächst erst, wenn sich Anforderungen von außen so verdichten, daß ohne Gemeinschaftslösungen erhebliche Nachteile – insbesondere und auch in finanzieller Hinsicht – zu erwarten sind. Diese Stufe ist noch nicht erreicht. Der Staatsvertrag der Bundesländer, die Richtlinie der Europäischen Gemeinschaft[25] sowie der Zusammenschluß zu bundesweiten Veranstalternetzen[26] deuten aber eine Richtung an, der voraussichtlich in Zukunft nur gesamtkirchlich Rechnung getragen werden kann.

4. Die Tätigkeit des »Fernsehbeauftragten« des Rates ist aber unter Art. 13 der Grundordnung zu subsumieren. Seine abgeleitete Zuständigkeit beruht also darauf, daß die Gliedkirchen einen Bereich, für den sie zuständig sind, nämlich den kirchlichen Rundfunk, z. Zt. (noch) der EKD zur Wahrnehmung übertragen haben.

5. Bei der Suche nach möglichen Alternativen ist als Ausgangssituation nicht aus den Augen zu verlieren: Es handelt sich um gliedkirchliche und nicht gesamtkirchliche Zuständigkeit. In gemeinschaftlichen Angelegenheiten kann diese deswegen – wenn die Übertragung auf die EKD nicht gewählt wird –, nur durch gliedkirchliche Selbstkoordination[27] wahrgenommen werden. Dafür steht ein breites Formenspektrum zur Verfügung. Daraus sind zwei Lösungen herauszugreifen. Sie markieren nicht die entgegengesetzten Enden der Skala, haben dafür aber den Vorzug der Realisierung. Denkbar gewesen wäre unterhalb der Ebene der Korporierung die Selbstkoordination durch Bildung eines gemeinsamen Rundfunkausschusses der Gliedkirchen oder einer Arbeitsgemeinschaft. Beispiele sind die Zusammenarbeit mehrerer Gliedkirchen im Bereich einer Landesrundfunkanstalt, wie etwa für den SWF, den SR oder den WDR[28]. Eine breite – auch in ihrer konfessionellen Zusammensetzung – Arbeitsgemeinschaft besteht übrigens schon jetzt für die »Radiomission Christus lebt«[29], bisher die einzige Veranstalter-Programmgemeinschaft mehrerer Gliedkirchen.

Der Vorteil dieser Lösungen hätte einmal darin gelegen, daß die gliedkirchliche Zuständigkeit für den kirchlichen Rundfunk deutlicher markiert worden wäre als in der vorgenommenen Ratsbeauftragung. Gewichtiger erscheint aber, daß in einer Ausschuß-/Arbeitsgemeinschaftslösung die gliedkirchliche Verantwortung auch für gesamtkirchlichen Rundfunk mehr erhellt worden wäre. Näherer Bezug zur Ortskirche und damit größere Breite der Mitwirkung oder – kirchlich gesprochen »Dienstgemeinschaft« – hätte erreicht, daß Mißtrauen gegenüber Einzelentscheidungen abgebaut werden könnte.

---

24 Vgl. die »Vereinbarung über die Kirchenmitgliedschaft« v. 13. 1. 1970, KABl.EKiR S. 33); Kirchengesetz über die Kirchenmitgliedschaft v. 10. 11. 1976, Abl.EKD S. 389.

25 Entwurf der EG-Richtlinie nach dem Stand v. 30. 11. 1988, epd Kirche und Rundfunk Nr. 95/1988, S. 3 ff.; Staatsvertrag über das Rundfunkwesen, GVBl. NW 1987, S. 426.

26 Wöste, Marlene, »Netzwerkbildung durch die Hintertür«, Media-Perspektiven 1/1989, S. 9 ff.

27 Frank, Johann, in ZEVKR, Bd. 15, S. 113 ff. (134).

28 Für den WDR in der Vereinbarung v. 1. 4. 1988 (Neufassung), LKA-Akten 22-18-1; für den SR i.d. Vereinbarung v. 12. 8./10/9. 1964, LKA-Akten. 12-8-8; für den SWF i.d. Vereinbarung v. 1. 3. 1982 (Neufassung) (LKA-Akten 12-8-7-7).

29 Vereinbarung v. 1. 1. 1969, LKA-Akten 23-2-4-1.

Der Anfangsvorteil der Ratsbeauftragung lag sicher darin, daß keine neuen organisatorischen Schritte erforderlich waren und die Schwerfälligkeit des oft mühsamen Weges der Koordination der Gliedkirchen vermieden werden konnte. Nach fast 40 Jahren bundesweiten Rundfunks sind aber Strukturen erforderlich, die der inzwischen erkannten Bedeutung des kirchlichen Arbeitsfeldes »Rundfunk« entsprechen. Dazu gehört übrigens auch der Abschied von der Vorstellung, der Dienst des Rundfunkbeauftragten der EKD könne im Nebenamt wahrgenommen werden.

Bemerkenswert ist, daß die im Jahre 1973 erfolgte Gründung des Gemeinschaftswerkes Evangelischer Publizistik (GEP) die bestehende Ratsbeauftragung nicht geändert hat. § 2 Abs. 2 der GEP-Satzung[30] gibt dem Gemeinschaftswerk nur eine subsidiäre Kompetenz. Es kann nur solche publizistischen Aufgaben wahrnehmen, ... »die nicht unmittelbar von kirchlichen Organen und Dienststellen erfüllt werden«. Institutionell bleibt deswegen die Fernsehbeauftragung des Rates aus der Zuständigkeit des GEP ausgeschlossen. Übrigens ebenso wie die Arbeitsfelder »Medienfonds« und »Medienprogrammgemeinschaft«. Gewiß gibt es durch Personalunionen und Geschäftsführungsaufträge Verknüpfungen. Festzuhalten ist jedoch, daß jedenfalls kompetenzrechtlich das Gemeinschaftswerk von wesentlichen gemeinsamen Aufgabenfeldern des kirchlichen Rundfunks ausgeschlossen bleibt. Nach der zitierten Satzungsbestimmung ist es sogar möglich, daß durch Rücknahme von Aufgaben die Zuständigkeit des Gemeinschaftswerkes weiter eingeschränkt wird. Verfassungsrechtlich wird man eine derartige Organisation zurückhaltend und zutreffend als »flexibel« bezeichnen können. Es wäre zu bedauern, wenn darin lediglich Entscheidungsschwäche ausgedrückt würde.

6. Eine EKD-weite Sendung eines Gottesdienstes darf nicht ohne Zustimmung des Ratsbeauftragten erfolgen. Selbstverständlich ist dabei die Zustimmung der Gemeinde vorausgesetzt. Hinzukommen muß aber nach einem Ratsbeschluß aus dem Jahre 1984[31] auch das Einverständnis der zuständigen Gliedkirche, welches der Ratsbeauftragte bei dem gliedkirchlichen Rundfunkbeauftragten einzuholen hat.

Nachdem sich abzeichnet, daß der Ratsbeauftragte nicht nur für Sendungen des öffentlich-rechtlichen, sondern auch des privatrechtlichen Rundfunks, soweit sie EDK-weit ausgestrahlt werden, Zuständigkeit wahrnimmt, gelten die beschriebenen Grundsätze auch für sogenannte »private Programme«.

7. Dieses Verfahren hat sich in den zurückliegenden Jahren bewährt. Trotzdem kann nicht verschwiegen werden, daß es nur erfolgreich angewendet werden kann, solange der jeweils übertragende Sender die ausschließliche Funktion des Ratsbeauftragten anerkennt. Für die binnenpluralistisch organisierten öffentlich-rechtlichen Rundfunkanstalten könnte man dazu eine rechtliche Verpflichtung aus den Rundfunk-Anstaltsgesetzen/Staatsverträgen herleiten. Dies ist einsichtig, wenn es sich um Übertragungen im Rahmen besonderer Sendezeiten handelt. Hier bestimmt die anspruchsberechtigte Kirche, welche Stelle sie repräsentiert. Das muß aber auch für den Fall gelten, daß eine Anstalt außerhalb der besonderen Sendezeiten eine zusätzliche Gottesdienstübertragung senden will. Würde das

30 GEP-Satzung v. 5. 7. 1973.
31 LKA-Akten 12-8-7-1.

ohne Einvernehmen der zuständigen kirchlichen Stelle geschehen, fehlte die kirchliche Autorisierung. Die Anstalt würde nicht nur gegen den Ausgewogenheitsgrundsatz[32] verstoßen, sondern auch in die Religionsfreiheit der Kirche eingreifen[33].

In einem außenpluralistischen System gelten diese Grundsätze für einen privatrechtlichen Veranstalter allerdings nur bei der Übertragung im Rahmen der den Kirchen nach den Landesrundfunkgesetzen zur Verfügung stehenden »besonderen Sendezeiten«. Insoweit erfüllt der Private eine gesetzliche, öffentlich-rechtliche Verpflichtung zum Vertragsschluß mit der Kirche und ist deswegen auch an die von dieser getroffenen Zuständigkeitsregelung gebunden. Anders aber, wenn er zusätzlich über weitere Sendezeiten einen Vertrag unter Bevorzugung einer Kirche abschließt. Eine Verletzung des gesetzlichen Ausgewogenheitsgebotes[34] kommt nur in Sonderfällen in Betracht, weil der private dazu nicht in dem Maße, wie der öffentlich-rechtliche Rundfunk verpflichtet ist[35].

Da der Ratsbeauftragte kein Alleinbevollmächtigter ist, kann auch die Befugnis der Kirchengemeinde, einen derartigen Sendevertrag abzuschließen, zivilrechtlich nicht in Zweifel gezogen werden. Dies könnte nur kirchenrechtlich geschehen, wenn der Vertragsschluß etwa einer kirchenaufsichtlichen Genehmigung unterworfen würde. Dafür gibt es indessen bisher keine Rechtsgrundlage.

3. Zuständigkeit im Verhältnis Gemeinde – Landeskirche

1. Die zugänglichen Kirchenordnungen und -verfassungen der Gliedkirchen enthalten keine ausdrücklichen Zuständigkeitszuweisungen für die Darbeitung und Verbreitung kirchlicher Programme. Dies erklärt sich aus ihrer Entstehungszeit zu Beginn der fünfziger Jahre. Die kirchlichen Möglichkeiten waren angesichts des öffentlich-rechtlichen Formenmonopols gering, ein Phänomen wie etwa Lokalfunk überhaupt nicht im Blickfeld. Stimmen, wie die von Otto Dibelius, der schon 1949 gefordert hatte: »Wir müssen einen Sender der christlichen Kirchen haben« blieben vereinzelt[36]. Die gegenüber den Rundfunkanstalten seitdem praktizierte Beauftragtenlösung war auch Ausdruck von Distanz. Deswegen verwundert es nicht, daß auch bei den laufend vorgenommenen Änderungen von Kirchenordnungen die Aufgabe Rundfunk ausgeklammert blieb.

2. Auf der Suche nach einer Lösung bleibt deswegen nur übrig, unter Verwendung von allgemeinen Gesichtspunkten nach Zuordnungshinweisen zu suchen.

---

32 Vgl. z. B. § 5 Abs. 4 Ziff. 3 WDRG (Anm. 8 a.a.O.): »Der WDR stellt sicher, daß ... das Gesamtprogramm nicht einseitig ... einem Bekenntnis dient.«

33 Link/Pahlke a.a.O Anm. 7, S. 51 für das außenplurale Modell, für das sie die Notwendigkeit des Drittsenderechts aus der »Adäquanz« der Vermittlung herleiten.

34 Vgl. Art. 8 des Rundfunkstaatsvertrages (a.a.O. Anm. 25) und die Landesrundfunkgesetze, z. B. § 12 Abs. 3 LRGNW.

35 BVerwGE 57, 326.

36 Zur Diskussion über einen Kirchensender: Marnach, (a.a.O. Anm. 4) S. 59/60; zur Planung eines »Bamberger Kirchensenders« nach dem Kriege: Bausch, Hans, a.a.O. Anm. 18), Bd. 3, S. 112 ff.; zur Rechtslage auch Herzog Rudolf in Hdwb.StKirR., Bd. II, S. 422 ff.

Dies soll exemplarisch anhand der Rheinischen Kirchenordnung (KO)[37] geschehen.

Dabei wird nicht übersehen, daß anders konfessionell geprägte Ordnungen möglicherweise zu abweichenden Ergebnissen zwingen. Darauf rechtsvergleichend einzugehen, überschreitet aber den Rahmen dieser Darlegung.

3. Nach Art. 5 S. 1 der KO trägt die Kirchengemeinde die »Verantwortung« für die lautere Verkündigung des Wortes Gottes. Diese Verantwortung ist zwar synodal vielfältig gebunden, als Aufgabenstellung aber unbeschränkt[38]. Das legt es nahe, jedenfalls für Gottesdienstübertragungen und andere Verkündigungssendungen von der Zuständigkeit der Ortsgemeinde auszugehen. Dabei kann dahingestellt bleiben, ob etwa die Übertragung eines Gottesdienstes als Verkündigung anzusehen ist[39]. Denn auch, wenn man nur den Gottesdienst selbst als Verkündigung ansehen würde, ist es am nächstliegendsten, die Entscheidung über seine Übertragung dem zu überlassen, der für den Gottesdienst zuständig ist, also der Gemeinde.

4. Der Verkündigungsauftrag der Kirchengemeinde ist wie Art. 5 KO erkennen läßt, ökumenisch. Er umfaßt den »missionarischen Dienst im eigenen Volk und in der Völkerwelt«. Für diese ökumenische Dimension stellt die Kirchenordnung aber besondere Werke in Art. 211 zur Verfügung und unterwirft die Zusammenarbeit kirchengesetzlicher Regelung. Sie stellt also insoweit die alleinige Zuständigkeit der Kirchengemeinde unter den »Synodalvorbehalt« und begrenzt sie bisher in der Regel auf die Verkündigung im Gemeindegebiet. Diese Begrenzung auf die eigene Gemeinde oder anders ausgedrückt, die notwendige Respektierung der Verkündigung anderer Gemeinden ergibt sich auch noch aus weiteren Vorschriften der Kirchenordnung. Etwa der, daß der Bekenntnisstand der Gemeinden zu achten ist (Grundartikel [GA] III); oder aus der Pflicht zur Zusammenarbeit (Art. 7 a KO); oder -pfarramtsbezogen aus Art. 79 KO, wonach Gottesdienste in einer anderen Gemeinde nur mit Zustimmung des Presbyteriums dieser Gemeinde zulässig sind. Daraus ist zu folgern, daß eine Gemeinde über die Ausstrahlung einer Verkündigungssendung nur dann allein entscheiden kann, wenn die Reichweite nicht wesentlich über die Gemeinde hinausgeht.

Ein Beschluß, darüber hinaus zu senden, würde der Kirchenordnung widersprechen und wäre von der Kirchenleitung nach Art. 219 KO außer Kraft zu setzen.

5. Für den erforderlichen Abstimmungsprozeß der beteiligten Gemeinden stellt das Kirchenrecht auch eine breite Palette von Instrumenten bereit: etwa kirchenrechtliche Vereinbarungen für einzelne Kirchengemeinden[40], die regelmäßig einen Lokalsender bedienen oder in das örtliche Kabelnetz einspeisen wollen. Wo eine handlungsfähige ständige Geschäftsführung erforderlich ist, bietet sich als unterste Stufe der Institutionalisierung der Erlaß einer Gemeinsamen Satzung[41] an. Für

37 Kirchenordnung der EKiR, v. 2. 5. 1952 (KABl., S. 57), zuletzt geändert durch Kirchengesetz v. 14./15. 1. 1988 (KABl., S. 13).

38 Vgl. dazu Art. 7, 7 a, 137 und 167 KO und die Erläuterungen von Becker, a.a.O. Anm. 14.

39 Vgl. Anm. 4.

40 Vgl. § 2 des Verbandsgesetzes der EKiR v. 18. 1. 1963, KABl. S. 71 i.d.F. v. 16. 1. 1987.

41 Vgl. § 3 Verbandsgesetz a.a.O. Anm. 40.

Stadtregionen können die dort schon jetzt bestehenden kirchlichen Verbände[42] in Betracht gezogen werden. Wo nichts dergleichen vorhanden ist, hat der Kirchenkreis (Art. 140 [2] c KO), die »Gemeinschaft der in ihm verbundenen Gemeinden« durch eine Regelung auch insoweit zu fördern. Sofern eine kirchenkreisübergreifende Region betroffen ist, was häufig der Fall sein wird, treten die betreffenden Kreissynoden zur gemeinsamen Beschlußfassung (Art. 156 Abs. 2 KO) zusammen.

Die Satzungen bedürfen der landeskirchlichen Genehmigung[43]. Sie kommt nach geltendem Recht aber auch in Betracht, wenn Kirchengemeinden einer Veranstaltergemeinschaft unter Vermögensübertragung beitreten wollen[44]. Die Überprüfung ist aber vermögensaufsichtlich beschränkt.

6. Die vorstehenden Darlegungen zeigen, daß mit den vorhandenen kirchenrechtlichen Mitteln Zuständigkeiten abgegrenzt und Voraussetzungen geschaffen werden können, die eine sachgemäße kirchliche Rundfunkarbeit ermöglichen. Eine besondere kirchenrechtliche Kodifikation ist dafür in der Evangelischen Kirche im Rheinland z. Zt. nicht erforderlich.

Ein eigenes »Kirchliches Gesetz über die Wahrnehmung des kirchlichen Auftrages im privaten Rundfunk« hat freilich die Evangelische Landeskirche in Württemberg 1987 erlassen[45]. Es ist nicht nur das erste »kirchliche Rundfunkgesetz«, sondern bisher auch das einzige. Inhaltlich greift es auf die bewährten Institutionen des Bevollmächtigten/Beauftragten[46] und der »begleitenden Kommission« zurück. Zuständig ist aber hier die Landeskirche, für die der Oberkirchenrat auch in den Regionen die kirchliche Beteiligung mit den Veranstaltern vereinbart und dafür Bevollmächtigte und ggf. abhängige Regionalbeauftragte bestellt[47]. Diese Lösung erklärt sich vor dem Hintergrund der Geschichte der Württembergischen Kirche und durch ihrer lutherischen Tradition. Für die Evangelische Kirche im Rheinland ist dieser Weg im Hinblick auf ihre – in Auftrag und Leitung – presbyterial-synodale Gliederung nicht gangbar. Wenn sie Rundfunkarbeit zum Gegenstand der kirchlichen Gesetzgebung machen würde, könnte damit nur die bestehende Gliederung der Aufgabenverteilung zwischen Kirchengemeinden, Kirchenkreisen und der Landeskirche besonders unterstrichen und klargestellt werden.

7. Es erscheint danach nicht nur folgerichtig, sondern auch sachgemäß, daß die Zuständigkeit der Landeskirche sich auf landesweite öffentlich-rechtliche und privatrechtliche Programme, Senderketten sowie Rahmenprogramme beschränkt. Kirchenrechtlich ergibt sich das aus der der Landeskirche übertragenen Aufgabe (Art. 168 Abs. 3 KO), »den Dienst zu ordnen, den sich Gemeinden und Kirchenkreise schulden« und (damit) die Gemeinschaft der in der Landeskirche verbundenen Gemeinden zu fördern.

42 Vgl. §§ 7 ff. Verbandsgesetz a.a.O. Anm. 40.
43 Vgl. § 4 Abs. 3 und § 9 Abs. 1 Verbandsgesetz a.a.O. Anm. 40.
44 Vgl. § 16 Abs. 8 der Verwaltungsordnung der EKiR v. 11. 1. 1980, Kabl. S. 27 ff.
45 Gesetz v. 26. 11. 1987, ABl. Wttbg. 1988, S. 330.
46 §§ 4 und 6 des Gesetzes, a.a.O. Anm. 45.
47 § 6 des Gesetzes, a.a.O. Anm. 45.

Diese Aufgabenstellung wird dadurch erfüllt, daß die für die öffentlich-rechtlichen Anstalten bewährte Beauftragtenlösung auf den Bereich des Privatfunks erweitert wird. Neben die Dienststellen der landeskirchlichen Senderbeauftragten ist die eines landeskirchlichen Medienbeauftragten[48] getreten. Hinzuweisen ist aber darauf, daß – im Unterschied zu dem Ratsbeauftragten der EKD – die landeskirchlichen Beauftragten ihr Mandat intern in der Gemeinschaft mit Mitgliedern der für ihre Dienststelle jeweils berufenen kirchlichen Rundfunkausschüsse – an denen sich auch die evangelischen Freikirchen beteiligen – wahrnehmen[49].

8. Die bisherigen Bemerkungen nehmen nur die bestehende Verfassung der Kirche in den Blick. Auch das Kirchenrecht kann aber die Augen vor Befunden nicht verschließen, die marktschreierisch als »Elektronische Kirche«[50] oder sachlicher als »Rundfunkgemeinde« Schlagzeilen machen. Von dieser sprach schon Hans von Bredow zu Beginn der deutschen Rundfunkgeschichte[51]. Die Schlagworte verdeutlichen ein bemerkenswertes Bedürfnis nach medialer Gemeinschaft. Sollte und soll das Medium ideologisch kompensiert werden, gar im Rückgriff auf religiöse Elemente? Wem dient das?

Diesen Fragen kann hier nicht weiter nachgegangen werden. Schon deswegen nicht, weil der geschilderte Befund nicht abschließend theologisch aufgearbeitet ist. Mag es im Lichte von CA VII genügen, im Rundfunk (warum eigentlich nicht?) gemeinsam sich unter die Verkündigung zu beugen, so ist um so entschiedener zu bezweifeln, daß etwa das Abendmahl medial – oder als Addition von Einzelmahlen – gefeiert wird. Die »congregatio« – die Gemeinde – ist nicht nur ein Mysterium, sondern leiblich uno loco gegenwärtig, »versammelt«[52].

Frost hat 1972 in der Rundfunkarbeit der Kirchen eine »Situationsgemeinde« ausgemacht[53]. Ist 1989 noch Situation, was damals so erschienen sein mag? Auch das muß hier dahingestellt bleiben. Schon deswegen, weil heute immer mehr Menschen der Kirche zwar nur durch den Rundfunk aber immerhin ständig begegnen. Noch allerdings entzieht sich dieser Befund der kirchenrechtlichen Möglichkeit zu regeln. Die überkommene Verfassung der Kirche hält dafür keine Institute bereit. Sie ist darauf angewiesen, daß die Theologen mitdenken und die Gemeinde – kritisch – aufnimmt und ordnend weitergibt, was zu bekennen ist.

IV. Ergebnis

Der Überblick hat gezeigt, daß die durch neue Medientechniken und die geänderte Rundfunkordnung aufgetretenen Fragen mit den vorhandenen kirchenrechtlichen Ordnungsinstrumenten bewältigt werden können. Kirchenordnungsänderungen erscheinen von daher zur Zeit nicht unbedingt erforderlich.

---

48 Beschluß 76 der Landessynode 1983 (Protokoll, S. 175).

49 Vgl. die Vereinbarungen a.a.O. Anm. 28.

50 Vgl. dazu auch: Janowski, a.a.O. Anm. 4; Assmann, Hugo, Ref. Kirchenzeitung 1988, S. 76ff.; Elvy, Peter, Die gekaufte Zeit, Wichern 1987; Riesebrodt, Martin, EZW-Texte Nr. 102, Stuttgart 1987; Schmidt, Wolf-Rüdiger, Ev. Kommentare 1980, S. 275ff.

51 Dazu Roß in Rundfunk und Fernsehen (RuF), 1979, S. 252ff.

52 Vgl. dazu Wolf, E., a.a.O. Anm. 5, S. 65/66.

53 Frost, Herbert, »Strukturprobleme evangelischer Kirchenverfassungen«, Göttingen 1972, S. 37.

Im Interesse einer verbesserten Wirksamkeit und Transparenz empfehlen sich aber folgende Maßnahmen:

1. auf EKD-Ebene:
a) kurzfristig: Berufung eines Rundfunkausschusses für den Ratsbeauftragten;
b) mittelfristig: Übertragung der Funktion des Rundfunkbeauftragten auf das Gemeinschaftswerk Evangelischer Publizistik;
c) langfristig: Änderung der Grundordnung durch Aufnahme des Rundfunks in den Anregungskatalog des Art. 8 GO;

2. auf Gliedkirchen-Ebene:
Aufnahme der Publizistik als Funktion kirchlichen Handelns
a) in die Kirchenverfassungen
b) in andere Kirchengesetze (z. B. Verbandsgesetze, Verwaltungsordnungen).

Präsenz durch Programm – Gesichtspunkte zu Verantwortung und Möglichkeiten der Kirche im dualen Rundfunk –

HANS-WOLFGANG HEẞLER

Die Kirchen haben die Möglichkeiten des Rundfunks für ihren Auftrag der Verkündigung und ihren Dienst in der Gesellschaft frühzeitig erkannt. Im Programm des Rundfunks sind sie seit dessen Anfängen präsent. Kirchliche Beiträge wie Morgenandachten im Hörfunk (seit 1923) und »Wort zum Sonntag« im Fernsehen (seit 1954) gehören zu den ältesten Bestandteilen des Programms.

Der theologische Ausgangspunkt für die Präsenz der Kirche in den Massenmedien ist grundsätzlich niemals ernsthaft in Zweifel gezogen worden. Unmißverständlich erfährt er eine Bekräftigung durch den Publizistischen Gesamtplan der Evangelischen Kirche in Deutschland (1979) und durch dessen »Begründung einer evangelischen Publizistik«. »Kirche ist öffentlich. Entsprechend ihrem Auftrag und ihrem Anspruch wirkt sie in die Welt, in der Welt und für die Welt: Gott will ›daß allen Menschen geholfen werde und sie zur Erkenntnis der Wahrheit kommen‹ (1. Timotheus 2,4).«[1] Dieser biblische Auftrag gewährt ihr die Unbefangenheit für eine geradezu offensive Wahrnahme der medialen Kommunikation im ganzen und des Mediums Rundfunk im speziellen.

Die der Kirche auch für den Bereich des Rundfunks zugesprochene besondere Stellung innerhalb der Gesellschaft sichert ihr für die Wahrnahme der Möglichkeiten »sozialer Kommunikation« gegenüber den entsprechenden Möglichkeiten anderer gesellschaftlich relevanter Gruppen unvergleichbar weite Spielräume. Ihre »Öffentlichkeitsfunktion«[2] auch im Hinblick auf das Vorkommen im Rundfunkprogramm ist unbestritten. Dementsprechend sind den Kirchen regelmäßige Sendezeiten eingeräumt, beim Zweiten Deutschen Fernsehen (ZDF) in besonderer Weise festgeschrieben auch für Fragen und Belange ihrer öffentlichen Verantwortung[3].

Auch die inzwischen hinzugekommenen privat-rechtlichen Veranstalter von Rundfunk sind zur Berücksichtigung der Kirchen verpflichtet, wenngleich unter anderen gesetzgeberischen Modalitäten[4]. Der quantitative Umfang der kirchlichen Präsenz in allen Programmen des dualen Rundfunks einerseits als Verkündigungssendungen, die inhaltlich von den Kirchen selber verantwortet werden, andererseits als Redaktionssendungen, die von den Fachredaktionen für Kirche in alleiniger Zuständigkeit gestaltet werden, liegt bei über 2600 Sendestunden im Jahr.

1 Publizistischer Gesamtplan der Evangelischen Kirche in Deutschland, vorgelegt von der Kammer der EKD für publizistische Arbeit im Auftrage des Rates der EKD, hrsg. von der Kirchenkanzlei, Gütersloh 1979, S. 25.
2 (Ernst W.) Fuhr, Kommentar zum ZDF-Staatsvertrag Mainz 1985², S. 149 und 164 (Erläuterungen zu § 6).
3 § 6 III ZDF Staatsvertrag.
4 Staatsvertrag zur Neuordnung des Rundfunkwesens (Rundfunkstaatsvertrag) v. 12. März 1987, Art. 9 V und VI.

Die mediale Position der Kirchen, wie sie sich im Rundfunk hat entwickeln können, stellt allein schon aufgrund dieses Programmvolumens, das inhaltlich ihrem Auftrag und ihrem Dienst gewidmet ist, einen nicht zu übersehenden Faktor gesellschaftlicher Wirklichkeit dar. Ein weites Stück verbliebener und wahrgenommener Volkskirchlichkeit manifestiert sich somit im Programm des Rundfunks und dessen Akzeptanz. Damit sind die Kirchen freilich gleichzeitig auch an einer über ihre eigenen Belange hinausreichenden gesamtgesellschaftlichen Gestaltungsaufgabe maßgeblich beteiligt.

1. Programm als gesellschaftliche Aufgabe und die Würde des Menschen als grundlegender qualitativer Anspruch. Die Evangelische Kirche hat bislang den Rundfunk nachdrücklich und anmahnend als eine der Gesamtgesellschaft verpflichtete Aufgabe beschrieben. Folgerichtig ordnet sie auch das eigene Interesse an Teilhabe am Medium Rundfunk gesamtgesellschaftlicher Prioritäten nach. »Es ist eine Eigenart der Kirche, daß in ihr die legitime Interessenvertretung immer wieder durch die notwendige Stellvertretung überboten wird. Eine Kirche, die sich als Kirche für andere begreift, die Fürsprache leistet, steht für Unterprivilegierte und Entrechtete ein und stützt das Eigenrecht von Personen oder Gruppen, deren legitime Anliegen im öffentlichen Gespräch nicht angemessen zu Wort kommen oder nicht verstanden werden.«[5] Dies läßt sie auch für ihren Anspruch im Rundfunk gelten.

In diesem Grundverständnis von Rundfunk verläßt sich die Evangelische Kirche in erster Linie auf zwei inhaltliche Vorgaben. Das Bundesverfassungsgericht legt Rundfunkfreiheit als eine »dienende Freiheit« aus[6]. Der Rundfunk darf auch schon deshalb nicht dem »freien Spiel der Kräfte« ausgeliefert werden. Dementsprechend dürfen politische und wirtschaftliche Faktoren im Umgang mit Programm Gesichtspunkte der »Sorge um den Menschen«[7] nicht verdrängen.

Eine zweite ausschlaggebende Vorgabe ist in den Rundfunkgesetzen, in unterschiedlichen Formulierungen, in dem Hinweis auf Achtung und Schutz der Würde des Menschen auffindbar. »Der WDR hat in seinen Sendungen die Würde des Menschen zu achten und zu schützen.«[8] Der Rundfunkstaatsvertrag vom 12. März 1987 verpflichtet die privat-rechtlichen Rundfunkveranstalter in gleicher Weise dazu. »Die Rundfunkprogramme haben die Würde des Menschen sowie die sittlichen, religiösen und weltanschaulichen Überzeugungen anderer zu achten.«[9]

Diese Vorgaben, gekennzeichnet durch den Dienstcharakter der Rundfunkfreiheit und durch das Verständnis von Würde des Menschen im Programm, verlieren unter den Gegebenheiten eines entstehenden dualen Rundfunksystems an Schärfe in ihrer Erkennbarkeit und an Eindeutigkeit in ihrer Verbindlichkeit. Stabile Normen werden brüchig. Die Gründe für diese Entwicklung liegen in erster Linie in den unterschiedlichen Anforderungskriterien an die Systeme des dualen Rundfunks sowie in dem sich abzeichnenden Verdrängungswettbewerb.

5 Publizistischer Gesamtplan der EKD, S. 29f.

6 Urteil des Bundesverfassungsgerichts vom 16. Juni 1981, zitiert nach epd – Kirche und Rundfunk Nr. 47 vom 24. Juni 1981, Gemeinschaftswerk der Evangelischen Publizistik, Frankfurt/Main, S. 31f.

7 »Publizistik in Sorge um den Menschen«, Tätigkeitsbericht des GEP an die EKD-Synode Berlin-Spandau 1982, veröffentl. in epd-Dokumentation Nr. 51a/82.

8 Gesetz über den »Westdeutschen Rundfunk Köln« (WDR-Gesetz) v. 11. Januar 1988, § 5 II.

9 Rundfunkstaatsvertrag vom 12. März 1987, Art. 9 I, Satz 2.

Die Öffentlichkeit ist vertraut mit Reklamationen, die die Beachtung und den Schutz sittlicher, religiöser und weltanschaulicher Positionen betreffen. Die Kirchen selber sehen immer wieder Anlaß, auf Verletzung religiöser Gefühle aufmerksam zu machen. Die Würde des Menschen als übergreifende Beschreibung seiner Einzigartigkeit und Unantastbarkeit ist demgegenüber im ganzen nur selten Gegenstand kritischer Programmreflexion.

Für den Begriff der Menschenwürde wird zumeist folgende Formulierung (des BayVerfGH) herangezogen: »Der Mensch als Person ist Träger höchster geistig-sittl. Werte und verkörpert einen sittl. Eigenwert, der unverlierbar und auch jedem Anspruch der Gemeinschaft, insbes. allen rechtl. und politischen Zugriffen des Staates und der Gesellschaft gegenüber eigenständig und unantastbar ist. Würde der menschl. Persönlichkeit ist dieser innere und zugleich soziale Wert- und Achtungsanspruch, der dem Menschen um dessentwillen zukommt.«[10]

In Zusammenhang mit einer fortschreitenden Kommerzialisierung und einem zunehmenden Konkurrenzdruck und der damit einhergehenden Erosion inhaltlicher Kriterien wird sich eine kritische Reflexion der Programmentwicklung künftig vermehrt mit der Frage beschäftigt sehen, inwieweit bestimmte Programme tatsächlich noch dem »sozialen Wert- und Achtungsanspruch« des Menschen gerecht werden und inwieweit somit auch Programme einen »Zugriff« im Sinne der Verletzung von Würde des Menschen darstellen. Es ist nicht mehr zu übersehen, daß neue Entwicklungen auf diesem Gebiete gesellschaftsverändernden Charakter auch mit dieser Folge aufweisen.

2. Programmkultur im Umfeld verschiedenartiger Interessen und die Intervention der Kirchen zugunsten der Belange aller. Kennzeichen des rundfunkpolitischen Beitrags der Evangelischen Kirche in Deutschland in den ersten Jahren der Diskussion über die Neuordnung des Rundfunks in der BRD ist ihre engagierte Mitwirkung an der Auseinandersetzung über die grundlegenden Voraussetzungen für die Veranstaltung von Rundfunk in der Zukunft. Nach einer grundsätzlichen Äußerung des Rates der EKD »Zur Ordnung des Rundfunkwesens in der Bundesrepublik Deutschland« vom 14. Juli 1984 präzisiert sie in zahlreichen Eingaben, zumeist gemeinsam mit der Römisch-Katholischen Kirche, unter welchen Bedingungen sie eine gesellschaftsverträgliche, die integrativen und kulturellen Aufgaben berücksichtigende Erweiterung des Programmangebots in einem dualen Rundfunksystem für möglich und vertretbar hält[11].

In einer Studie zu den neuen Informatioins- und Kommunikationstechniken (1985) macht die Evangelische Kirche frühzeitig aufmerksam auf die »ambivalente Wirkung« eines vermehrten Angebotes an Programm mit der Folge von »Niveaugewinn und Niveauverlust« gleichermaßen. Den Trend zur Spezialisierung und Diversifizierung der Ansprüche sieht die Studie begleitet von »der Folge einer vermehrten Segmentierung von Öffentlichkeit«[12].

---

10 (Reinhold) Zippelius, in Evangelisches Soziallexikon, 2. Auflage 1975, Stuttgart, S. 1554.

11 Vgl. Heßler, Kirche und Medien, Dokumentation SWI-Studien, Bewährungsfelder gesellschaftlicher Verantwortung/ Der politische Auftrag der Kirchen, hrsg. Karl Ernst Wencke, Sozialwissenschaftliches Institut der Evangelischen Kirche in Deutschland, 1986, S. 99–127.

12 Die neuen Informations- und Kommunikationstechniken. Chancen, Gefahren, Aufgaben verantwortlicher Gestaltung. Eine Studie der Kammer der Evangelischen Kirche in Deutschland für soziale Ordnung und der Kammer der Evangelischen Kirche in Deutschland für publizistische Arbeit, hrsg.

Spätere Anmahnungen und die in ihnen zum Audruck gebrachte Besorgnis beziehen sich auf zwei Entscheidungen, die die Grundlage für die Entwicklung eines dualen Rundfunksystems mit öffentlich-rechtlichen und privat-rechtlichen Programmanbietern bilden. Mit seinem Spruch vom 4. November 1986 etabliert das Bundesverfassungsgericht für den Rundfunk einen Programmbereich mit der Aufgabe der »Grundversorgung«, die durch den öffentlich-rechtlichen Rundfunk zu gewähren ist, und einen Programmbereich mit Programmen nach einem »Grundstandard gleichgewichtiger Vielfalt«, der von den neuen privat-rechtlichen Veranstaltern zu erwarten ist[13].

Hierbei liegt die Überlegung zugrunde, daß »solange und soweit« die Wahrnehmung der Grundversorgungsaufgabe im Programm durch den öffentlich-rechtlichen Rundfunk sichergestellt ist, gerechtfertigt ist, »an die Breite des Programmangebotes und die Sicherung gleichgewichtiger Vielfalt im privaten Rundfunk nicht gleich hohe Anforderungen zu stellen wie im öffentlich-rechtlichen Rundfunk«[14].

Diese Entscheidung sollte sich alsbald als Ausgangspunkt dafür erweisen, daß gegenüber bisheriger Rundfunktradition eine andere Art von Rundfunk, nicht nur hinsichtlich seiner Struktur und finanziellen Basis, sondern ebenso hinsichtlich seiner inhaltlichen Vorstellungen und seiner tatsächlichen Programmpraxis, im Entstehen begriffen ist.

Vor dem Hintergrund dieser bundesverfassungsgerichtlichen Interpretation von Rundfunkprogramm ist der nunmehr geltende Rundfunkstaatsvertrag der Länder vom 12. März 1987 zustandegekommen. Er ist zu betrachten als ein Kompromiß zwischen höchst partikularen Interessen, was die wirtschaftliche Nutzung der neuen technischen Möglichkeiten angeht, zusätzliche Frequenzen, Kabel und Satelliten einerseits, und höchster Beunruhigung, was die konzeptionellen Vorstellungen und die inhaltlichen Kriterien für die neuen Programme anbetrifft, andererseits[15]. Mit Recht ist aufgrund der verfassungsrechtlichen Vorgabe vom 4. November 1986 von Grundversorgung hier und Grundstandard mit minderen inhaltlichen Anforderungen dort die Befürchtung ausgesprochen worden, ein dualer Rundfunk dieser Art werde zu einem Zwei-Klassen-Rundfunk führen. Diese Befürchtung ist nach wie vor berechtigt.

Angesichts dieser deregulativen juristischen Vorgaben für die neu hinzukommenden Rundfunkveranstalter haben sich beide Kirchen wiederholt und nachdrücklich für ein Mindestmaß an verbindlichen Programmgrundsätzen eingesetzt, die für alle privat-rechtlichen Veranstalter Gültigkeit haben sollten. Diese frühzeitig vorgebrachten Ersuchen berücksichtigt der Rundfunkstaatsvertrag der Länder vom 12. März 1987 nur unzureichend.

---

vom Kirchenamt im Auftrage des Rates der Evangelischen Kirche in Deutschland, Gütersloh 1985, S. 63.

13 Urteil des Bundesverfassungsgerichts vom 4. November 1986, epd – Kirche und Rundfunk Nr. 88 vom 8. November 1986, S. 40ff.

14 Urteil des Bundesverfassungsgerichts vom 4. November 1986, epd – Kirche und Rundfunk Nr. 88 vom 8. November 1986, S. 41.

15 Rundfunkstaatsvertrag vom 12. März 1987.

Die Befürchtungen hinsichtlich der Folgen einer derartigen Deregulierung des bisherigen Ordnungsrahmens haben in der Zwischenzeit in der Programmpraxis ihre Bestätigung erfahren. Die auf den Grundstandard verpflichteten privatrechtlichen Programme vermögen ihre Spielräume aufgrund einer nahezu widerspruchslos hingenommenen flexiblen Handhabung inhaltlicher Vorgaben deutlich auszuweiten. Die mit der Grundversorgung beauftragten öffentlich-rechtlichen Rundfunkanstalten hingegen müssen sich aufgrund restriktiver politischer Entscheidungen bei der Festlegung der Rundfunkgebühren und deren Folgen auf Einschränkungen im Programm vorbereiten, dies aber gerade in solchen Bereichen, die essentieller Bestandteil der Grundversorgung sind. Eine folgenreiche Erfahrung zeichnet sich ab. Das Prinzip der Komplementarität im dualen System ist bereits zwei Jahre nach Zustandekommen des Rundfunkstaatsvertrages der Länder in Frage gestellt. Es ist bereits in dieser kurzen Zeit überholt von einem massiven Programm-Verdrängungskampf.

3. Programm als Beschreibung von Wirklichkeit und als Vermittlung von Orientierung am Beispiel EIKON[16]. Präsenz der Kirche im Programm bedeutet mehr als nur Vorkommen der Kirche in der Unmittelbarkeit und Vielfalt ihrer Botschaft und ihres Dienstes. Das, was die Kirche zu vermitteln hat, was sie über das Medium zu entfalten vermag, muß zugleich als eine Auskunft und als ein Stück Wirklichkeitsbeschreibung im Kontext gesamtgesellschaftlicher Differenzierungen ausmachbar sein. Das Thema der Kirche sind im weiten Beziehungsfeld der Gesellschaft im Programm des Rundfunks alle Themen.

Die Botschaft der Kirche ist in ihrer Einzigartigkeit und in ihrer Nähe zum Alltagsgeschehen in einer außerordentlichen Vielfalt im Programm des Rundfunks traditionell präsent. Morgenandachten, Gottesdienste, Wort zum Sonntag wie auch Akzentsendungen zu kirchlichen Feiertagen, genauso aber das Vorkommen der Kirche und ihrer Themen im Beziehungsfeld von Religion und Gesellschaft in Informationssendungen, Features, Kommentaren, also in Bericht, Beratung und Begleitung, bilden im Bereich der medialen Kommunikation einen verläßlichen Ort der Reflexion und der Orientierung, der Nachdenklichkeit und der Ermutigung.

Die christliche Botschaft erreicht Menschen medial am ehesten da, wo sie ihre Verwicklung in die Zeitereignisse der Gesellschaft und in die Authentizität individueller Erfahrung zu erkennen gibt. An der Umsetzung dieses ehrgeizigen Konzeptes ist seit nunmehr bald 30 Jahren die evangelische Produktionsgesellschaft EIKON maßgeblich mit ihren Produktionen beteiligt. Im Umgang mit historischen und aktuellen, mit narrativen und spielerischen Formen versucht sie, »Inhalte, die uns wichtig sind, nicht neben oder gar gegen, sondern in die dichteste Unmittelbarkeit von Lebensabläufen zu plazieren. Implizite Präsenz, die wir uns seit eh und je für die christliche Botschaft im Programm der Medien wünschen, hat damit in vielen Variationen und Nuancen zustandekommen können. Unrast und Besorgnis, Hoffnung und Erwartungen gehen darin auf, so wie sie in der Wirklichkeit unseres Alltags in Menschen mitgehen, aber auch verlorengehen. Die Wirkungen der Botschaft suchen und beschreiben, wo sie, so gering und so schwach

16 EIKON, Gemeinnützige Gesellschaft für Fernsehen und Film mbH, München.

sie auch sein mögen, Bestandteil unserer greifbaren Wirklichkeit sind. Hierum hat sich die EIKON nicht ohne Erfolg bemüht.«[17]

Mit dieser Laudatio zum 25-jährigen Bestehen der EIKON 1985 ist das Modell einer Art von Präsenz der Kirche, ihrer Sache und ihrer Aufgabe im Programm beschrieben, das nicht nur angesichts der damit erreichten beachtenswerten Akzeptanz, sondern mehr noch aufgrund der darin angelegten konzeptionellen Einsicht bis heute zukunftsweisend ist. Dementsprechend verstärken sich gegenwärtig die Bemühungen der Evangelischen Kirche um eine Stabilisierung und Ausweitung der Arbeitsmöglichkeiten der EIKON. Von ihr als einer gesamtkirchlichen Einrichtung der Evangelischen Publizistik soll im Zusammenwirken mit anderen evangelischen Kapazitäten im Bereich von Planung, Produktion und Plazierung von Programm im weiten Feld medialer Gestaltungsmöglichkeiten weiterhin und möglichst vermehrt ein maßgeblicher Beitrag erwartet werden können.

Die »Botschaft des Evangeliums in Zuspruch und Anspruch auch denen zur Kenntnis bringen, die nicht unmittelbar am Leben der Kirche teilnehmen«[18]; Erfahrungen im Umgang mit dem christlichen Glauben, ihre sinn- und wertstiftenden Wirkungen im Beziehungsfeld der Gesellschaft und einzelner Menschen erkunden und vermitteln; gesellschaftliche und individuelle Wirklichkeit, deren Möglichkeiten und Probleme, in »Sorge um den Menschen und zur Wahrung humaner Belange beschreiben; Dienste der Fürsprache für andere leisten; zur Sprache bringen, was im Interesse des Gemeinwohls nicht verschwiegen werden darf; mit eigenen beispielhaften Beiträgen die Bemühungen unterstützen, auf qualitative Verbesserung der Programmangebote im ganzen hinzuwirken...«[19]. Dies sind Bestandteile eines Konzeptes von Präsenz, das der Sache des Evangeliums gerecht zu werden versucht und das gleichzeitig in einer nicht verdrängbaren Intervention gesellschaftlicher Gesamtverantwortung den Trend zur Inanspruchnahme von Programm für andere Zwecke als für den, der Gesellschaft und den Menschen zu dienen, entschieden zu durchkreuzen sucht. Ohne ein Rest von »Engagement ohne Eigennutz« verkommt die Gesellschaft[20].

4. Programm in den Konstellationen neuer Möglichkeiten und deren Wahrnahme durch die Evangelische Kirche. Die Erweiterung vorhandener Angebote und das Hinzutreten der neuen privat-rechtlichen Rundfunkveranstalter haben einen enormen zusätzlichen Bedarf an Programm zur Folge. Damit entsteht ein Problemfeld, in dem für den Bereich des Fernsehens vor allem drei Tatbestände eine Rolle spielen: 1. Vermehrte Nutzung billiger, inhaltsgängiger Produktionen aus Übersee; 2. Steigerung der Kosten für eigene Programmproduktion; 3. Verlust an Qualität im Gesamtprogramm.

In einer zunehmend von den Medien bestimmten gesellschaftlichen Kommunikation ist für die gesellschaftlich relevanten Gruppen die Präsenz in den Medien ausschlaggebend dafür, ob sie mit ihren Vorstellungen und Anmahnungen in der

17 EIKON-Jubiläumspublikation, EIKON 1960–1985; darin, Hans-Wolfgang Heßler: Zuallererst Glaubwürdigkeit, S. 3.

18 Publizistischer Gesamtplan der EKD, S. 29.

19 Aus einer Stellungnahme des Fernsehbeauftragten des Rates der Evangelischen Kirche in Deutschland zu Mandat und Funktion der EIKON, 10. Januar 1989.

20 Robert Geisendörfer.

breiten Öffentlichkeit wahrgenommen werden. Sie sind somit auch unmittelbar konfrontiert mit der Frage nach ihren eigenen Möglichkeiten, auf Programm einzuwirken oder Programm verfügbar zu machen.

Die Evangelische Kirche in Deutschland hat ungeachtet der Erwartung, daß der öffentlich-rechtliche ebenso wie der privat-rechtliche Rundfunk selber für eine angemessene Behandlung der Thematik Kirche Sorge tragen, auf neue Anforderungen im Programmbereich zu reagieren versucht. Inzwischen steht ein bescheidenes Instrumentarium dafür zur Verfügung. Mit Zustimmung des Rates der EKD vom 25. April 1986 ist eine Medienprogrammgemeinschaft geschaffen worden. Ihre vorrangige Aufgabe besteht darin, »die Planung, Entwicklung und Produktion kirchlicher Programme für neue Angebote im Rundfunk« zu fördern beziehungsweise zu veranlassen[21].

Die Präsenz der Evangelischen und der Römisch-Katholischen Kirche in den beiden bundesweiten privat-rechtlichen Fernsehprogrammen ist seit Ende 1988 beziehungsweise Anfang 1989 in Rahmenverträgen mit dem Ziel »partnerschaftlicher Zusammenarbeit« geregelt. Demnach sind kirchliche Sendungen »Bestandteil des Gesamtprogrammes« der privat-rechtlichen Sender. Bei der Erstellung der kirchlichen Programmbeiträge wird nach zwei Modellen vorgegangen: 1. nach dem integrativen Modell, bei dem die Kirchen Drehbuch und Personen verfügbar machen, der Sender die Produktion übernimmt; und 2. nach dem kooperativen Modell, bei dem die Kirchen eigenproduzierte Programmbeiträge für die Ausstrahlung gegen Entgelt bereitstellen; in beiden Fällen mit Verbleib der Rechte bei den Kirchen.

Das erste Modell wird bei RTL plus seit 1988 praktiziert (mit einem sonntäglichen Beitrag »Kunst und Botschaft«), das zweite seit März 1989 bei SAT 1 mit einem sonntäglichen Beitrag (»So gesehen/Christliches«). Zur Vorbereitung dieser Programme bestehen ebenfalls seit Anfang 1989 Programmgruppen, in denen beide Kirchen zusammenarbeiten und in denen auch Vertreter der jeweiligen Sender mitwirken. Die Medienprogrammgemeinschaft ist zuständig für die Koordination und für die Auftragsvergabe, zum Beispiel an die EIKON.

Im Übergang in eine vermehrte unmittelbare Mitverantwortung der Kirchen für Programm und damit für ihre Präsenz im Rundfunk, speziell im bundesweiten privat-rechtlichen Fernsehen, hat die Medienprogrammgemeinschaft als ein auf fünf Jahre befristetes Projekt, finanziert durch den Medienfonds der EKD und zugeordnet dem Gemeinschaftswerk der Evangelischen Publizistik, Vorarbeiten für ein Gesamtkonzept der Evangelischen Kirche im Hinblick auf die Anforderungen an Programm in der Zukunft aufgenommen. Dieses Gesamtkonzept für die 90er Jahre zielt auf verstärkte Integration vorhandener Kapazitäten und auf weitere Professionalisierung im Umgang mit kirchlichem Programm.

Hierbei muß sich eine Vorgehensweise stabilisieren, die die einzigartigen Möglichkeiten von Präsenz im öffentlich-rechtlichen Rundfunk in ihrer Bedeutung würdigt, diese unterstützt und möglichst ausweitet und die gleichzeitig die den Kirchen im privat-rechtlichen Rundfunk eingeräumten interessanten Möglichkei-

---

21 Zitiert nach Ordnung der Medienprogrammgemeinschaft der Evangelischen Kirche in Deutschland im Gemeinschaftswerk der Evangelischen Publizistik, Frankfurt.

ten für den Auftrag und den Dienst der Kirche zu erschließen sucht. In diesem sensiblen Bereich entscheidet letztlich das Maß an Glaubwürdigkeit in der Handhabung von Partnerschaft.

5. Programm in den Spielräumen europäischer Integration und nationaler Identität. Die nationale Auseinandersetzung mit Tatbeständen der Vermehrung von Programm wird wieder- und zugleich überholt von massiven europäischen Initiativen im Bereich der Produktion und Plazierung von Programm im grenzüberschreitenden Rundfunk. Fortschreitende Mediatisierung erreicht uns gleichzeitig mit deren Europäisierung.

Europäische Gemeinschaft und Europarat haben die Vorgaben für Konzepte eines Ordnungsrahmens entwickelt (EG-Richtlinien einerseits und Europarat-Konvention andererseits)[22]. Diese europäischen Überlegungen für eine Europäische Rundfunkordnung werden seitens der Kirchen mehr von Befürchtungen als von positiven Erwartungen begleitet. Eine Initiativgruppe Europäisches Fernsehen, angeregt und gebildet vom Europäischen Kulturfonds und vom Europäischen Medieninstitut in Manchester, der Versuch einer unabhängigen Stimme zwischen den beiden großen europäischen politischen Einrichtungen, bemüht sich gegenwärtig darum, die Relevanz der europaweiten rundfunkpolitischen Vorgänge und der damit verbundenen anstehenden Entscheidungen vor Augen zu führen. In ihrem Bericht Europa 2000 mißt diese europäische Initiative dem Anwachsen von Fernsehprogrammangeboten eine positive Entwicklung bei insoweit, »als damit die Auswahlmöglichkeiten, die dem Zuschauer zur Verfügung stehen, erweitert werden«. Sie macht gleichzeitig aber auch nachdrücklich darauf aufmerksam, »daß diese Entwicklung nicht ohne Gefahren für die Qualität des gesamten audiovisuellen Systems ist. Die Kommerzialisierung des Fernsehens kann die Programmverantwortlichen dazu führen, ihre öffentliche und kulturelle Verantwortung außer acht zu lassen. Anstatt die Auswahlmöglichkeiten zu verbessern, kann eine Kanalvielfalt, die miteinander im Wettbewerb um die gleiche Zuschauerschaft steht, auch zu immer einheitlicheren und weniger ehrgeizigen Programmproduktionen führen.«[23]

Eine medienpolitische Debatte wie diejenige über den Rundfunkstaatsvertrag der Länder zur Neuordnung des Rundfunks in der Bundesrepublik 1987 erfährt nunmehr ihre europäische Version zum Teil mit den gleichen Befürchtungen und gleichen Hoffnungen. Konsequenterweise wird auch im Hinblick auf den europäischen grenzüberschreitenden Rundfunk über kirchliche Präsenz im Programm nachgedacht. Im Vorfeld endgültiger Entscheidungen versuchen die Kirchen, wie seinerzeit im nationalen Bereich, auf die Grundsätze einer erforderlichen Rahmenordnung für den europäischen Rundfunk Einfluß zu nehmen zur Sicherung und Berücksichtigung unerläßlicher gesellschaftsrelevanter Positionen.

Von evangelischer Seite werden in diesem Sinne folgende Gesichtspunkte eingebracht: 1. Auch ein europäischer Rundfunk muß Gegenstand gesamtgesellschaftlicher Verantwortung sein; 2. Der inhaltliche Anspruch an die Medien muß sich

22 Vgl. epd – Kirche und Rundfunk Nr. 95 vom 30. November 1988.

23 Europa 2000, What kind of Television? The European Cultural Foundation/ The European Institute for the Media, The Report of the European Television Task Force, Media Monographie Nr. 11, Juni 1988, Manchester, S. 143.

an den Prinzipien einer humanen Lebensgestaltung orientieren; 3. Eine Europäische Rundfunkordnung sollte Voraussetzung für Verständigungen zwischen Ost und West auf dem Gebiete der medialen Kommunikation schaffen; 4. Europäisierung des Mediengeschehens darf nicht vor sich gehen auf Kosten professioneller Standards und ethischer Orientierung der Publizistik; 5. Der Trend zu mehr Medienangeboten sollte überboten werden von Bemühungen um vermehrte Medienfähigkeit[24].

Eine gemeinsame Erklärung der Beauftragten der Evangelischen und der Römisch-Katholischen Kirche vom 27. Januar 1989 zielt in die gleiche Richtung. »Die christlichen Kirchen, die im Laufe ihrer Geschichte verläßliche Integrationskraft entwickelt haben, werden nicht nur die Medienentwicklung in Europa und darüber hinaus sorgfältig beobachten, sondern sie werden sich zudem als Anwalt einer kommunikationsgerechten Gesellschaft mit den ihnen gemäßen Mitteln darum bemühen, daß es zu einer menschendienlichen europäischen Kommunikationsordnung kommt, die diesen Namen verdient und das Zustandekommen einer Weltkommunikationsordnung anbahnt und unterstützt.«[25]

Präsenz der Kirchen im Programm wird auch hier im europäischen Kontext nicht anders verstanden als sich selber einzulassen auf Partizipation in der Wahrnahme und Verantwortung für einen Rundfunk mit Programmen, die die Menschen nicht für eigene Zwecke in Anspruch nehmen, sondern die Menschen bereichern und gleichermaßen zu Widerspruch und Solidarität befähigen und ermutigen.

Schlußbemerkung. Präsenz durch Programm. Programm beginnt eine dimensionale gesellschaftliche Wirklichkeit zu werden. Präsenz der Kirche im Programm sollte deshalb nicht unterschätzt werden als ein Versuch, Annäherung zustande zu bringen, und als Vermittlung von Erfahrung und Orientierung auf der Suche nach Verläßlichkeit.

24 Votum zum Europäischen Rundfunk, vgl. Hans-Wolfgang Heßler, »Deutsch-deutscher Kanal«, medium 1, 1989, Gemeinschaftswerk der Evangelischen Publizistik, S. 32 und 33.

25 »Anwalt einer kommunikationsgerechten Gesellschaft« Die Medienbeauftragten beider Kirchen zur Europäischen Rundfunkordnung, vgl. epd – Kirche und Rundfunk Nr. 7 vom 28. Januar 1989.

5. Christen und Juden

Spuren im Warschauer Ghetto

Hans-Joachim Barkenings

Mit Beschluß Nr. 77 vom 10. Januar 1969 empfahl die Landessynode der Evangelischen Kirche im Rheinland ihren Kirchenkreisen und Kirchengemeinden, das »Versöhnungswerk Nes Ammim« zu fördern. Sie ermächtigte die Kirchenleitung, jährlich einen Förderungsbeitrag dafür zu leisten. Wie Nes Ammim sich als ein christliches Experiment in West-Galiläa entwickeln konnte, haben Simon Schoon und Heinz Kremers bereits 1978 beschrieben*. Daß Nikolaus Becker seinen wichtigen Anteil an diesem komplizierten Entwicklungsprozeß gehabt hat, darf an dieser Stelle dankbar unterstrichen werden.

Zu den großen Leistungen der Pioniere von Nes Ammim gehört es, daß es ihnen gelang, eine Brücke zu dem benachbarten Kibbuz der polnischen und litauischen Ghettokämpfer – Lochame HaGettaot – zu schlagen. Das eindrucksvolle Museum dieses Kibbuz dokumentiert den verbrecherischen Anschlag auf die Existenz des jüdischen Volkes in den Jahren des Zweiten Weltkriegs und dessen heroischen Versuch, sich gegen die Extermination zu wehren.

Ich habe erlebt, wie israelische Reiseleiter sich bemühten, Gruppen aus Deutschland an diesem Denkmal deutscher Schande vorbeizuschleusen, um ihnen »innere Probleme« zu ersparen**.

Der folgende Beitrag bezieht sich auf unser »Interesse« an eben dieser Geschichte deutscher Schande, an der wir uns nicht vorbeimogeln dürfen – und können. Nicht wir können bestimmen, »wann die gegenseitigen Beziehungen zwischen uns und der Holocaust- und der Nachholocaust-Generation normal zu sein haben«, wie Präses D. Gerhard Brandt 1986 vor der rheinischen Landessynode sagte***.

1986 erschien auf dem deutschen Buchmarkt das Tagebuch des Vorsitzenden des Warschauer Judenrates, **Adam Czerniaków**[1]. Czerniaków gehört zu den tragischen Gestalten der Ghetto-Periode[2]. Seine Tagebuchnotizen sind eine erschüt-

* Simon Schoon/Heinz Kremers, Nes Ammim. Ein christliches Experiment in Israel, Neukirchen 1978. Vgl. auch Simon Schoon, Nes Ammim – ein Zeichen christlicher Solidarität. Erfahrung und Reflexion, in: Edna Brocke/Hans-Joachim Barkenings (Hg.), »Wer Tora vermehrt, mehrt Leben«. Festgabe für Heinz Kremers zum 60. Geburtstag, Neukirchen 1986, S. 49–61.

** Zum Problem vgl. Bertold Klappert, Schuld und Schuldübernahme als theologisch-historisches Problem, epd-Dokumentation Nr. 3/89 (16. Januar 1989), S. 16–27; Joachim Scharfenberg, Welchen Sinn hat es, von Schuld zu sprechen? Wunden, die die Zeit nicht heilt, Evangelische Kommentare, 22. Jg., 5, 1989, S. 40–42.

*** Verhandlungen der 34. ordentlichen rheinischen Landessynode vom 5. bis 10. Januar 1986 in Bad Neuenahr, S. 32.

1 Im Warschauer Ghetto. Das Tagebuch des Adam Czerniaków 1939–1942. Mit einem Vorwort von Israel Gutman, München 1986 (im Folgenden zitiert: A. Czerniaków).

2 Vgl. Yisrael Gutman, Adam Czerniaków – the Man and his Diary, in: The Catastrophe of European Jewry. Antecedents – History – Reflections, ed. by Yisrael Gutman and Livia Rothkirchen, Jerusalem 1976, pp. 451–489. – Zum Holocaust-Geschehen: Raul Hilberg, Die Vernichtung der europäischen Juden. Die Gesamtgeschichte des Holocaust, Berlin 1982; Lucy S. Dawidowicz, Der Krieg gegen die Juden, 1933–1945, München 1979. – Zu Geschichte und Soziologie des Warschauer Ghettos: Emanuel Ringelblum, Ghetto Warschau. Tagebücher aus dem Chaos, Stuttgart 1967; Wladislaw Bartoszewski,

ternde Dokumentation des Furchtbaren und des zum Scheitern verurteilten Versuchs, inmitten der Hölle das Menschsein zu bewahren und ein Minimum an Menschlichkeit zu beweisen. Sie erlauben uns, zwei Spuren im Warschauer Ghetto über das bisher bekannte Maß hinaus zu verfolgen.

I.

Die erste Spur – das muß man sofort zugeben – ist vage. Sie geht von einer Annahme aus. Es handelt sich um die Spur eines evangelischen Christen, den seine Kirche als Nichtarier verstoßen hatte und der als Opfer des Holocaust im Inferno der Judenvernichtung untergegangen ist: **Ernst Flatow.**

Der Publizist und Historiker Hans Prolingheuer hat das Schicksal des Kölner Pastors Flatow eindrücklich dargestellt[3] und damit deutlich gemacht, daß der abscheuliche Satz, »rassejüdische Christen« hätten in der deutschen evangelischen Kirche »keinen Raum und kein Recht«[4], keine bloße Proklamation, sondern grausam-erfahrbare Realität gewesen ist. Für die näheren Umstände des schweren Weges von Ernst Flatow können wir auf Prolingheuers Darstellung verweisen. Flatow selbst hat sich nicht geniert, Ernst Israel Flatow heißen zu müssen[5]. Bisher konnte Genaueres über sein Ende im Warschauer Ghetto nicht ermittelt werden[6]. Möglicherweise bietet uns nun Czerniaków's Tagebuch einen ergänzenden Hinweis: eine Spur im furchtbaren Gewirr des Ghettogeschehens.

1942 hatte Flatow im Lobetaler evangelischen Milieu Zuflucht gefunden. Mit den dortigen Juden zusammen fuhr er am 13. April 1942, am 2. Ostertag, einem ihm allzu gewissen Schicksal entgegen. Seitens der Lobetaler Christen wurde es beklagt, aber es erhob sich kein Widerstand dagegen. Der Transport, mit dem Flatow in das Warschauer Ghetto gelangte, ging am 15. April 1942 von Berlin ab[7].

Im Warschauer Ghetto hat dieser Transport aus der Reichshauptstadt einige Unruhe verursacht, nicht zuletzt wegen des Problems, diese »Emigranten« aus Deutschland unterzubringen. Darauf deuten die Notizen des Judenratsvorsitzenden Czerniaków hin. Am 14. April hatte er in Erfahrung gebracht: »Morgen Nacht

---

Warschauer Ghetto – wie es wirklich war. Zeugenbericht eines Christen, Fischer-TB 3459, 1986; ders., Aus der Geschichte lernen? Aufsätze und Reden zur Kriegs- und Nachkriegsgeschichte Polens, dtv 10638, 1986; Joe J. Heydecker, Das Warschauer Ghetto. Foto-Dokumente eines deutschen Soldaten aus dem Jahr 1941. Vorwort von Heinrich Böll, dtv 1280, ²1984. Erinnert sei auch an John Hersey, Der Wall. Roman, rororo 202/203, 1956; Karin Wolff (Hg.) Hiob 1943. Ein Requiem für das Warschauer Ghetto, Neukirchen 1983.

3 Ausgetan aus dem Land der Lebendigen. Leidensgeschichten unter Kreuz und Hakenkreuz, Neukirchen 1983, S. 148–217. – Vgl. auch Hans Prolingheuer, Verraten und verdrängt. Das Schicksal des jüdischen Pastors Ernst Flatow. Ein Hörbild (gesendet am 12. Mai 1988, 2. Hörfunkprogramm des SDR Stuttgart, 15–16 Uhr): ders., »Als wäre Jesus kein Jude gewesen«. Nichtarische Geistliche im Dritten Reich. Feature (gesendet am 4. Mai 1989, 18.10 Uhr, Deutschlandfunk).

4 Die »Bekanntmachung über die kirchliche Stellung evangelischer Juden« vom 17. Dezember 1941 ist ein Beispiel für kirchliche flankierende Maßnahmen im Zusammenhang mit der »Endlösung der Judenfrage« (Text: Kirchliches Jahrbuch für die Evangelische Kirche in Deutschland 1933–1944, 60.–71. Jg., hg. von Joachim Beckmann, Gütersloh 1948, S. 481).

5 Hans Prolingheuer, Ausgetan aus dem Land, S. 193.

6 Hans Prolingheuer, Kleine politische Kirchengeschichte. Fünfzig Jahre Evangelischer Kirchenkampf von 1919 bis 1969, Köln 1984, S. 182, Anm. 104.

7 Hans Prolingheuer, Ausgetan aus dem Land, S. 201.

sollen 1000 Juden aus Deutschland eintreffen«; anderntags wurde er von dem Leiter des Judenreferats beim Kommandeur der Sicherheitspolizei im Distrikt Warschau, Karl Georg Brandt, und dem Kommissar für den jüdischen Wohnbezirk im Amt des Distriktgouverneurs, Dr. Heinz Auerswald[8], dahingehend informiert, »daß morgen früh um 6 ein Transport aus Magdeburg und Potsdam ankommt«[9].

Czerniaków begab sich am 16. April »Morgens um 5:30 auf den Umschlagplatz« zum Empfang des Transports. »Um 6 fuhr der Zug mit den Neuankömmlingen aus Deutschland ein. Es sieht nach 1000 Personen aus. Ich begleitete den Transport zur Judaistischen Bibliothek.«[10]

Diese »Emigranten aus Deutschland« beschäftigten Czerniaków weiterhin. Da für den 20. April ein weiterer Transport aus Deutschland – »(± 1000 Personen)« – in Aussicht stand, bat er Auerswald, »um ein Haus als Synagoge«, erhielt aber stattdessen »eine Liste mit 78 Personen aus dem letzten Transport zwecks ihrer Beorderung nach Treblinka«[11].

Unter dem 20. April findet sich in Czerniaków Aufzeichnungen eine Eintragung, die ich für einen Hinweis auf die Aktivität des nach Warschau deportierten Pastors Flatow halte: »Unter den Flüchtlingen aus Deutschland ist ein Pastor, der um die Erlaubnis zum Abhalten von Gottesdiensten für die 40 evangelischen Flüchtlinge bittet. Wie mir berichtet wurde, ging ein Kollege von ihm in der Provinz sowohl den Priester wie auch die jüdische Gemeinde um Unterstützung an. Auf die Frage, weshalb er in die Gemeinde komme, entgegnete er, in den heutigen schweren Zeiten könne man sich nicht mit einem Gott begnügen.«[12] Es ist nicht klar, ob die letztere Äußerung dem aus Deutschland kommenden Pastor (Flatow?) oder dem »Kollegen« in der »Provinz« zuzuschreiben ist.

Sollte es sich bei dem Pastor, der sich an den Judenratsvorsitzenden wandte, um Flatow gehandelt haben (wovon ich ausgehe), kann er nicht erst mit dem Transport aus Deutschland vom 20. April, sondern muß er bereits mit dem vom 16. April im Warschauer Ghetto angelangt sein. Er hätte schwerlich schon am Ankunftstag sein Anliegen in der jüdischen Gemeinde vorbringen können. Das aber unterstützt meine Vermutung, daß der Pastor eben Flatow ist. Czerniakóws Notiz würde ihrerseits die Bemerkung in dem »Brief eines alten Pfarrers« flankieren, Flatow habe »mit einer judenchristlichen Ärztin gemeinsam eine winzige

8 A. Czerniaków, S. 243. – Wie sich die Situation der »Juden im Distrikt Warschau« in der Sicht Auerswalds zu eben dieser Zeit ausnahm, hat er in seinem – bebilderten – Beitrag zu: Warschau unter deutscher Herrschaft. Im Auftrag des Gouverneurs des Distrikts Warschau, SA-Gruppenführer Dr. Ludwig Fischer, unter Benutzung amtlicher Unterlagen bearbeitet von Dr. Friedrich Gollert, Krakau 1942, S. 132–144, beschrieben. Vgl. ebd. S. 170 und S. 174–178.

9 A. Czerniaków, ebd. – Über das Transportwesen vgl. Raul Hilberg, Sonderzüge nach Auschwitz (Dokumente zur Eisenbahngeschichte 18) Mainz 1981; Heiner Lichtenstein, Mit der Reichsbahn in den Tod. Massentransporte in den Holocaust 1941–1945, Köln 1985.

10 A. Czerniaków, S. 243, vgl. dazu Bernard Goldstein, Die Sterne sind Zeugen. Der Untergang der polnischen Juden, dtv 262, 1965, S. 98.

11 A. Czerniaków, S. 244. Über Treblinka vgl. Ino Arndt/Wolfgang Scheffler, Organisierter Massenmord an Juden in nationalsozialistischen Vernichtungslagern, aus Politik und Zeitgeschichte, B 19/76, 8. Mai 1976, S. 15–18.

12 A. Czerniaków, S. 245.

Gemeinde am Rande des Ghettos gebildet«[13] – was immer dieser »Rand« gewesen sein mag. Flatow hat sich offenbar für die aus den Lobetaler Anstalten deportierten judenchristlichen »Flüchtlinge« im Warschauer Ghetto geistlich verantwortlich gesehen, und er hat möglicherweise dafür sogar die Anerkennung der Evangelischen Kirche im Generalgouvernements[14] gefunden. Vielleicht sind Flatows Außenkontakte[15] in diesem Zusammenhang zu sehen.

Czerniaków's Notiz läßt uns etwas ahnen von der Einsamkeit jener »nichtarischen« Christen, die von der eigenen Kirche verleugnet oder preisgegeben wurden und die von der jüdischen Gemeinschaft nicht akzeptiert werden konnten[16]. Für den Judenratsvorsitzenden Czerniaków war die Begegnung mit dem evangelischen Pfarrer aus Deutschland, der ihn um die Erlaubnis anging, im Ghetto christlichen Gottesdienst abhalten zu dürfen, unter den furchtbaren Brutalitäten des Ghettoalltags[17] eine eher kuriose Angelegenheit. Hatte Czerniaków nicht schon Mühe genug, synagogale Möglichkeiten für die jüdische Gemeinschaft und zusätzlich für die »Flüchtlinge« aus Deutschland (mit ihren besonderen Ansprüchen) sicherzustellen[18]?

Über die theologische Qualität der Auskunft des Pastors auf die Frage, warum er in die jüdische Gemeinde komme, ist an dieser Stelle weder mit diesem noch mit Czerniaków, der eine Antwort überlieferte, zu rechten. Was immer sich hinter der kryptischen Aussage in Czerniakóws Tagebuch verbergen mag, sie belegt doch einen Ansatz christlich-jüdischen Dialogs unter äußerst extremen Bedingungen – aufgehoben vielleicht in dem Urteil des »alten Pfarrers« in Ben-Chorins Erzählung: »Welch eine Kraft des Glaubens im Untergang«[19].

Hans Prolingheuer hat ermittelt, Flatow sei noch während des Jahres 1942 in Warschau umgekommen: »Beim Bauen der Warschauer Ghetto-Mauern, mit nur einer Suppe täglich, zusammengebrochen«[20]. Prolingheuer übersah, was Bernard Goldstein schon 1965 über den »deutschen Pastor« im Ghetto und sein Ende zu berichten wußte: »Als er starb, zwangen die Deutschen den Judenrat unter Nichtbeachtung der jüdischen Religionsvorschriften, ihn auf dem jüdischen Friedhof zu begraben.«[21]

---

13 Schalom Ben-Chorin, Das weiße Licht. Zehn Erzählunge, Hamburg 1979. Darin: Brief eines alten Pfarrers (S. 169–175).

14 Schalom Ben-Chorin, S. 174. – Über die Evangelische Kirche im Generalgouvernement vgl. Kurt Meier, der evangelische Kirchenkampf, Band 3: Im Zeichen des Zweiten Weltkriegs, Göttingen 1984, S. 558 f.; Wladislaw Bartoszewski, Aus der Geschichte lernen?, S. 73 ff.

15 Hans Prolingheuer, Kleine politische Kirchengeschichte, S. 182, Anm. 104.

16 Vgl. dazu Bernard Goldstein, a.a.O., S. 98, über die deutschen Juden im Warschauer Ghetto und seine ergänzenden Bemerkungen, die meine Vermutung bestärken, der »Pastor« sei niemand anderes als Flatow gewesen: »Ein paar von ihnen waren ›fast reinarisch‹, bis auf eine kleine Beimischung jüdischen Blutes durch die unvorsichtige Heirat irgendeines Großelternteils. Sie brachten ihren eigenen Pastor mit, der christlichen Gottesdienst hielt.«

17 Czerniaków bewegten nicht nur die schwer in den Ghettoalltag zu integrierenden deutschen »Emigranten«, sondern auch die 51 exekutierten Juden, Mitglieder von Untergrundbewegungen, auf der Straße in der Nacht vom 17. auf den 18. April 1942 erschossen (a.a.O., 244 f.). Vgl. dazu Bernard Goldstein, a.a.O., S. 94 ff.

18 Vgl. A. Czerniaków, S. 206 (mit Anm. 13), 244.

19 Schalom Ben-Chorin, a.a.O., S. 174.

20 Hans Prolingheuer, Kleine politische Kirchengeschichte, S. 182, Anm. 104.

21 Bernard Goldstein, a.a.O., S. 98.

II.

Haben wir uns in der Person des Pastors Ernst Flatow mit einem Opfer des Holocaust beschäftigt und blieben wir dabei letztlich auf eine Vermutung angewiesen, stoßen wir bei der Verfolgung einer zweiten Spur ins Warschauer Ghetto während der Zeit der deutschen Gewaltherrschaft auf eine von Czerniaków genau benannte und im evangelisch-theologischen Raum gut bekannte Person: auf den nach dem 2. Weltkrieg ab 1949 in Göttingen und ab 1954 als Professor für Neues Testament in Heidelberg wirkenden **Karl Georg Kuhn.** Meyers Enzyklopädisches Lexikon[22] bestätigt ihm »maßgebliche Beteiligung an der Erforschung der Texte von Kumran«, läßt aber nicht erkennen, was der Grund dafür ist, daß der Name dieses verdienstvollen Forschers in das vom 15. März bis 19. Juli 1940 reichende Dritte Notizbuch des Warschauer Judenratsvorsitzenden Czerniaków geriet[23].

Dem Kundigen ist allerdings bekannt, daß Karl Georg Kuhn in den Jahren des Dritten Reiches kein unbeschriebenes Blatt gewesen ist. Bescheinigten dem Kölner Pastor Ernst Flatow kirchliche Instanzen, er habe »in seinem Äußeren und in seinem Wesen so in die Augen springend diejenigen Merkmale an sich, die von dem Volke als der jüdischen Rasse eigen angesehen werden«[24], so ist Karl Georg Kuhn jener Gruppe von »Spätjudentumsforschern« zuzurechnen, die bemüht waren, »das religiöse Gesicht des Judentums«[25] zu enträtseln – mit dem höchst interessegeleiteten Forschungsziel, nachzuweisen, daß Deutschland »die geschichtliche Rechtfertigung und die geschichtliche Berechtigung zum Kampf gegen das Judentum auf seiner Seite« habe[26].

Kuhns Aktivitäten im Rahmen der Forschungsabteilung Judenfrage des Reichsinstituts für Geschichte des neuen Deutschland sind in den Berichten der »Historischen Zeitschrift« über die Jahrestagungen dieser »Forschungsabteilung«[27] dokumentiert: 1937 ließ Kuhn (zusammen mit Gerhard Kittel) »in Ausführungen, die auf zahlreichen Einzeluntersuchungen fußten, das Weltjudentum der Antike lebendig werden«; 1938 zeigte er »in seinem Vortrag über ›Ursprung und Wesen der talmudischen Einstellung zum Nichtjuden‹, welch erschreckenden Haß dieses

---

22 Bd. 14, Mannheim – Wien – Zürich 1975, S. 430.

23 Die Angaben zur Person Kuhns im Registerband der RGG³, Tübingen 1965, Sp. 135 übrigens auch nicht. Die Universität Göttingen ehrte Kuhn 1955 mit dem theologischen Ehrendoktor (Deutsches Pfarrerblatt, 56. Jg., 1955, 7, S. 163). 1971 wurde ihm zum 65. Geburtstag eine von Gert Jeremias, Heins-Wolfgang Kuhn und Helmut Stegemann gewidmete Festgabe zuteil (Tradition und Glaube. Das frühe Christentum in seiner Umwelt, Göttingen 1971). Die Mitglieder der Heidelberger Theologischen Fakultät nahmen in ihrer Ringvorlesung im Wintersemester 1979/80 (Auschwitz – Krise der christlichen Theologie, Abhandlungen zum christlich-jüdischen Dialog 10, München 1980) auf die »Spätjudentumsforschung« ihres 1976 verstorbenen Kollegen Kuhn kein Bezug.

24 Hans Prolingheuer, Ausgetan aus dem Land der Lebendigen, S. 185.

25 Vgl. Karl Friedrich Euler/Walter Grundmann, Das religiöse Gesicht des Judentums. Entstehung und Art, Weimar 1942. Dort wird auf Kuhns »Forschungen« auf den SS. 57.62–68.73.99 f. 104 Bezug genommen.

26 Ebd. Vorwort (datiert: Gießen und Jena, im Dezember 1941).

27 Léon Poliakow/Joseph Wulf: Das Dritte Reich und seine Denker, Ullstein-B. 33038, 1983, S. 388, 390; Helmut Heiber: Walter Frank und sein Reichsinstitut für Geschichte des neuen Deutschlands (Veröffentlichungen des Institutes für Zeitgeschichte, Quellen und Darstellungen zur Zeitgeschichte 13) Stuttgart 1966. Dessen »Forschungsabteilung Judenfrage« gilt als »produktivster« Zweig des Reichsinstituts (Volker Losemann, Nationalsozialismus und Antike. Studien zur Entwicklung des Faches Alte Geschichte 1933–1945, Historische Perspektiven 7, Hamburg 1977, S. 88).

Volk auf Grund seines religiösen Gesetzes gegen seine Gastgeber richtet«[28]. Fritz Werner hat »Das Judentumsbild der Spätjudentumsforschung im Dritten Reich« anhand der »Forschungen zur Judenfrage«, Band I–VIII[29] dargestellt und in diesem Zusammenhang Kuhns Beitrag[30] zu dieser »Forschung« kritisch unter die Lupe genommen: »Es klingt wohl mehr als zynisch, wenn K. G. Kuhn hier die – seiner Meinung nach – ›Rechtlosigkeit der Nicht-Juden‹ in der rabbinischen Literatur quasi als ›Anwalt der Menschheit‹ geißelt und diese ›einseitige Benachteiligung‹ der Nicht-Juden als etwas, was ›jedem Rechtsempfinden Hohn spricht‹, bezeichnet, wo doch er, als Vertreter des Nationalsozialismus, selbst eben dieser von ihm gegeißelten Entrechtung und Entmenschlichung, allerdings unter umgekehrten Vorzeichen – nämlich gegen die Juden gerichtet –, in seinen ›wissenschaftlichen‹ Arbeiten zur Judenfrage Vorschub leistete.«[31] Werner gelangt zu dem Schluß, daß viele der Ausführungen solcher »Spätjudentumsforscher«, wie Kuhn einer war, geradezu »erheiternd wirken, hätten sie nicht die ›wissenschaftliche‹ und selbst ›theologische Rechtfertigung‹ für einen millionenfachen Mord geliefert«[32].

Gerade darum aber ist es nötig, die Spur aufzuweisen, die einer, der der Schreibtischtäterei zu bezichtigen ist, auch wenn er hernach als ein qualifizierter Forscher auf einem nach dem Zweiten Weltkrieg neu erschlossenen Forschungsfeld hervortrat und ein sehr gefeierter Theologe[33] war, in den Notizen eines gemarterten Mannes hinterließ, von dem die Praktiker der »Endlösung der Judenfrage« – wie er unmittelbar vor seinem verzweifelten Ende niederschrieb – verlangten, »mit eigenen Händen die Kinder meines Volkes umzubringen«, und dessen »bitterer Kelch bis zum Rand gefüllt war«: Czerniaków[34].

Am Morgen des 6. Juni 1940 – der Führer hatte soeben nach dem Fall von Dünkirchen »auf die Dauer von drei Tagen das Läuten der Glocken« angeordnet: »Ihr Klang möge sich mit den Gebeten vereinen, mit denen das deutsche Volk seine Söhne von jetzt ab wieder begleiten soll«[35] – taucht er im jüdischen Wohnbezirk in Warschau auf, der »Dr. Kuhn, ein Dozent aus Tübingen« und führt mit dem jüdischen Geschichtsprofessor Majer Balaban Gespräche »über archivalische und biblische Themen«, Gespräche, die wir schwerlich der Frühge-

---

28 »Aus den natürlichen Auswirkungen des Fremdenhasses primitiver Beduinen ist in den jüdischen Gesetzen ein wahrhaft dämonisches Instrument des Parasiten gegen die Kulturwelt geworden. Wenn man erfährt, daß für den Juden die Tötung eines Nichtjuden straffrei ist, während der Nichtjude, der einen Juden auch nur schlägt, des Todes schuldig sein soll, so versteht man, daß die letzthin entscheidende Auseinandersetzung mit dem Juden nur im politichen Kampf liegen kann« (Léon Poliakow/Joseph Wulf, a.a.O., S. 390).

29 Kairos, Neue Folge, XIII. Jg., 1971, 3/4, S. 161–194.

30 Ebd., S. 178ff.

31 Ebd., S. 187.

32 Ebd., S. 194. – Clemens Thoma urteilt über diese »Wissenschaftler«: »Sie studierten das Judentum, um ihm den theologischen Todesstoß geben zu können. Die nazistischen Massenmörder rieben sich dabei vergnügt die Hände« (Jüdische Existenz und die Erneuerung der christlichen Theologie. Versuch einer Bilanz des christlich-jüdischen Dialogs für die Systematische Theologie, hg. von Martin Stöhr, Abhandlungen zum christlich-jüdischen Dialog 11, München 1981, S. 18).

33 Die dem Erbe der Bekennenden Kirche verpflichtete Zeitschrift »Evangelische Theologie« öffnete Karl Georg Kuhn sehr bald nach dem Krieg ihre Seiten (10. Jg., S. 508ff.; 11. Jg., S. 72ff.; 12. Jg., S. 260ff.).

34 A. Czerniaków, S. 285.

35 Erich Murawski, Der Durchbruch im Westen. Chronik des holländischen, belgischen und französischen Zusammenbruchs, Oldenburg i. O./Berlin 1941, S. 203.

schichte des christlich-jüdischen Dialogs zuordnen können. »Er besichtigte das Archiv« und hatte es auch auf das Museum abgesehen[36], das am 12. März von den Nazis »requiriert« worden war[37]. Bei dem Kämpfen um Warschau im September 1939 war das Jüdische Mathias-Bersohn-Museum unversehrt geblieben[38]. Am 27. Mai hatte der SS-Oberscharführer Franz Avriel, zusammen mit einem Begleiter, von Czerniaków die »Öffnung des Museums« verlangt: »Die Schlüssel paßten nicht, sie kündigten ihre Rückkehr für morgen früh um 9 an, dann werden sie die Reste des Museums in einen Raum bringen und verschließen und die übrigen Räume freigeben.«[39] War der »Begleiter« des SS-Oberscharführers Avriel bereits der Privatdozent aus Tübingen? Die für den 28. Mai angekündigte Aktion im Museum fand indessen an diesem Tag nicht statt: »Die Gestapo wollte die Museumsräume öffnen, hat es aber nicht getan« – wie Czerniaków vermerkte[40].

Am 6. Juni aber heißt es in seinem Tagebuch: »Das Museum wurde geöffnet – die Sammlungen und Vitrinen sind weg.« Man kann darüber rätseln, ob diese Eintragung Czerniaków einen bereits eingetretenen[41] und nunmehr erst von ihm und den anderen konstatierten Zustand des Museums beschreibt (der dann wohl auch den angereisten Dr. Kuhn aus Tübingen enttäuschen mußte) oder ob er resignierend die Beraubung des Museums als Folge dieses »Besuchs« erst zu gewärtigen hatte. Die Art der Erwähnung der Situation im Museum läßt jedenfalls vermuten, daß für den Judenratsvorsitzenden mit dieser Kulturinstitution ein Stück jüdischer (und also eigner) Identität auf dem Spiel stand. Am 7. Juni vermerkte er: »Mende und Dozent Kuhn haben die Danziger Truhe geöffnet. Nur Akten ohne Bedeutung.«[42]

Die Erwähnung des SS-Oberscharführers Gerhard Mende, der das »Judenreferat« der Gestapo in Warschau leitete, und Czerniaków Hinweis auf dessen unmittelbar an den »Museumsbesuch« anschließende Aktivitäten im Ghetto (er inspizierte das jüdische Arbeitsbataillon und rief den Leiter zur Ordnung) lassen uns erkennen, daß sich Dr. Kuhn aus Tübingen, Arm in Arm mit dem mächtigsten Gestapofunktionär im Ghetto, auf die Gewalt schlechthin stützen konnte, wenn er seine »wissenschaftlichen« Suchaktionen unternahm. Am Vortag muß die Neugier der Gestapo ebenso wie des Dr. Kuhn geweckt worden sein: Was war wohl in der Kiste aus Danzig? Die Enttäuschung beider Beteiligten schimmert noch in Czerniaków – vielleicht sogar schadenfroher – Notiz durch: »Nur Akten ohne Bedeutung«[43].

36 A. Czerniaków, S. 78. – Dr. Karl Georg Kuhn war seit 1934 Privatdozent für semitische Sprachen und Geschichte des Judentums in Tübingen.

37 A. Czerniaków, S. 50: »Aus der Gemeinde wurde ich benachrichtigt, daß n.m. gegen 4 Beamte in Uniform und Zivil das Gemeindemuseum betreten haben.« – Hinzuweisen ist in diesem Zusammenhang auf die Erste Durchführungsvorschrift zur Verordnung vom 16. Dezember 1939 über die Beschlagnahme von Kunstgegenständen im Generalgouvernement vom 15. Januar 1940 (bei: Hildegard Brenner, Die Kunstpolitik des Nationalsozialismus, rde 167/68, 1963, S. 223 f.).

38 A. Czerniaków, S. 6.

39 A. Czerniaków, S. 75.

40 A. Czerniaków, S. 75.

41 Infolge der »Requirierung« vom 12. März 1940?

42 A. Czerniaków, S. 79.

43 Auch hier können wir nur mutmaßen: Die »Danziger Truhe« könnte im Zusammenhang mit der Auflösung der jüdischen Gemeindeeinrichtungen in Danzig noch vor Kriegsbeginn stehen. Kostbare Bestände des Gemeindebesitzes gelangten nach Jerusalem, Wilna und in die USA. Vgl. Erwin Lichtenstein, Bericht an meine Familie. Ein Leben zwischen Danzig und Israel, Darmstadt 1985,

Eine Folge des Kuhnschen Besuchs im jüdischen Warschau war wohl die offizielle »Fahndung« nach jüdischen Büchern, offenbar solchen, die für judaisische Forschung von Wert erschienen. Am 21. Juni wurden Professor Balaban und Herr Weisberg von der Judaistischen Bibliothek »wegen jüdischer Bücher in die Szuch-Allee zitiert«, in das Gestapo-Hauptquartier[44]. Balaban erhielt dort den Auftrag, »mit Hilfe eines Gemeindeangestellten und 2 Arbeitern des Bataillons jüdische Bücher zu requirieren«[45]. Czerniaków erinnerte sich in diesem Zusammenhang: »Auch Dozent Kuhn suchte nach jüdischen Büchern.« Er machte für sich damit, »der Berühmtheiten überdrüssig«, einen Schlußstrich unter die Episode mit dem Tübinger Dozenten Dr. Karl Georg Kuhn[46].

Dessen Warschauer »Mission« ist nicht nur in dem engen Rahmen einer kulturellen Enteignungs- und Raubpolitik im eroberten Ostraum zu sehen. Sicher hat sie eine gewisse Parallele in den im Auftrag Alfred Rosenbergs durchgeführten »Hausbesuchen« des späteren Göttinger Musikwissenschaftlers Professor Dr. Wolfgang Boetticher[47] in den verlassenen Wohnungen jüdischer Künstler im besetzten Paris, die auf die »Sicherstellung« wertvoller Musikalien und Instrumente abzielten. Wie stark sich die »Organisation der Sicherstellung von Kunstgegenständen aus jüdischem Besitz mit einer (pseudowissenschaftlichen) »Erforschung der Freimaurer- und Judenfrage« und mit einer politischen Zielsetzung verband, »Judentum, Freimaurern und anderen weltanschaulichen und politischen Feinden des Reiches ... die deutschfeindliche Tätigkeit dokumentarisch nachzuweisen, das betreffende Material sicherzustellen und ihnen damit die geistigen Grundlagen ihrer Arbeit und ihre Arbeitsunterlagen zu nehmen«, beweist der entsprechende Einsatz von Altertumskundlern in Griechenland und die »Erfolgsbilanz« diesbezüglicher Tätigkeit in Athen und in Saloniki[48].

Die »Spätjudentumsforscher« im Dritten Reich nahmen im Zuge der NS-Judenpolitik eine besondere Aufgabe wahr: sie traten an, um religiöse und rassische »Minderwertigkeit« »der« Juden zu »entlarven« und so einen »wirksamen« Beitrag zur »Entjudung« des Reiches und der Kirche zu leisten, flankierend zu den brutal-konkreten Maßnahmen zur »Endlösung der Judenfrage«[49]. Sie haben ihre

---

S. 89 f.; Katalog der Ausstellung »Danzig 1939: Schätze einer zerstörten Gemeinde«, deutsche Ausgabe 1982. – Möglicherweise ist eine Kiste bei der Verlagerung als Irrläufer in das jüdische Museum in Warschau gelangt oder aber dort von der Danziger Gemeinde deponiert worden.

44 Heute: I. Armii-Wojska-Polskiego-Allee 25 (im Kellergeschoß des Ministeriums für Volksbildung und Erziehung das »Mausoleum des Kampfes und Martyriums«).

45 A. Czerniaków, S. 85. – Zum Schicksal der Judaistischen Bibliothek vgl. ebd. S. 235, 237.

46 A. Czerniaków, S. 84.

47 Vgl. Die Hand eines Handlagers, in: Albrecht Dümling/Peter Girth, Entartete Musik. Zur Düsseldorfer Ausstellung von 1938. Eine kommentierte Rekonstruktion, Düsseldorf 1988, S. 93 ff. – In gewisser Weise können wir die in beiden Fällen von Göttingen ausgehende Nachkriegslaufbahn des verdienten Qumran-Forschers Kuhn und des verdienten Orlando di Lasso-Forschers Boetticher in Parallele sehen.

48 Vgl. Volker Losemann, a.a.O., S. 154.

49 Walter Grundmann, Die Entjudung des religiösen Lebens als Aufgabe deutscher Theologie und Kirche, Weimar 1939. – Vgl. dazu Leonore Siegele-Wenschkewitz, Mitverantwortung und Schuld der Christen am Holocaust, Evangelische Theologie, 42. Jg., 1982, 2, S. 171–190. – »Nach entsprechender vorheriger Genehmigung durch den Führer ...« Die Organisation des Judenmordes auf der Wannseekonferenz 1942, hg. von Hans-Joachim Barkenings und Heinz-Jürgen Joppien (Begegnungen 2/87) Mülheim/Ruhr 1987.

»wissenschaftliche« Tätigkeit sehr bewußt als Beitrag zum »Kampf gegen die zersetzenden und zerstörenden Mächte auf allen Gebieten des Lebens« verstanden, hinter denen angeblich »überall... der Jude sichtbar« wurde: »Den Kampf der Waffen begleitet der Kampf des Geistes. Schlagen die Waffen den Feind, so spürt der Geist seine Wege und Methoden auf, mit denen er in das innere Leben der Nation einzudringen sucht, zeigt ihn in seiner wirklichen Gestalt und hilft die geistigen Voraussetzungen zu seiner Überwindung zu schaffen.«[50] Letztlich ging es dieser Sparte der Religionswissenschaft darum, die »Verbrechernatur der Juden«[51] herauszustellen, die die antisemitische Propaganda seit jeher behauptet hatte. Was Filme wie »Jud Süß« oder »Der ewige Jude« zur Förderung des antijüdischen Ressentiments, aber auch zur Beschwichtigung des Mitleids mit den Opfern des NS-Judenpolitik in der breiten Bevölkerung und natürlich zur Motivierung der Täter-Garden beitrugen[52], wurde von der »Spätjudentumsforschung« zur Gewissensbeschwichtigung theologisch bzw. historisch interessierter Intellektuellenkreise geleistet. Aktionen wie die des Dr. Kuhn in Warschau, die wir durch das Prisma des Tagebuchs von Czerniaków beobachten können, unterscheiden sich nur graduell von jener deutschen Ghetto-Filmerei, die Czerniaków – und gewiß nicht nur ihm – das Existieren (von Leben konnte ja kaum noch die Rede sein) zusätzlich quälerisch erschwerte[53]. Es wurde ein Judentum aufgenommen, wie man es brauchte und darum erzeugte: Je schändlicher das Antlitz »des« Juden, desto leichter war mit ihm zu verfahren[54] – eine im »christlichen« Abendland seit Jahrhunderten erprobte Masche. Was der Antisemit »wünscht und plant, ist der Tod des Juden«[55]. Darum war es nur konsequent, im Jahr 1940 bereits in Kinderbücher über die Juden zu schreiben: »Wollen wir wieder gesund und stark werden, dann hilft nur eines: ihre Ausrottung.«[56]

Der Tübinger Dozent Dr. Kuhn wurde 1942 außerplanmäßiger Professor. Über seine Warschauer Reise hat er wahrscheinlich schriftlich Rechenschaft ablegen müssen. Wahrscheinlich ist der »Ertrag« dieser Expedition in die Hölle sehr viel geringer ausgefallen als Kuhn selbst und seine Auftraggeber erwartet haben. Zwischen irgendwelchen Aktendeckeln ist der Rapport zu vermuten, der darüber

---

50 Walter Grundmann, Vorwort (Jena, den 25. März 1943) zu: Germanentum, Christentum und Judentum. Studien zur Erforschung ihres gegenseitigen Verhältnisses, hg. von Walter Grundmann, Leipzig 1943.

51 Johann von Leers, Die Verbrechernatur der Juden, Berlin 1944.

52 Dorothea Hollstein, »Jud Süß« und die Deutschen. Antisemitische Vorurteile im nationalsozialistischen Spielfilm, Ullstein-B. 35169, 1983; Francis Courtade/Pierre Cadas, Geschichte des Films im Dritten Reich, Heyne-B. 7042, 1977.

53 A. Czerniaków, S. 249ff., bes. S. 253.254; Bernard Goldstein, a.a.O., S. 86. – Materialien aus dieser Filmerei enthält der Dokumentarfilm »Mein Kampf« von Erwin Leiser (vgl. Erwin Leiser, »Mein Kampf«. Bilddokumentation, Fischer-B. 441, 1962, S. 142ff.).

54 Vgl. die Auslassung des Gießener Theologieprofessors Georg Bertram in einem Aufsatz zum Thema »Vom Wesen des Judentums«: »Wir kennen die Leere und Nichtigkeit des jüdischen Geistes, seine Unfähigkeit, einen edlen, erhabenen Gedanken zu denken, ohne ihn gleich durch platte Nützlichkeitserwägungen zu beschmutzen, zu gut, als daß wir nicht allen Zersetzungserscheinungen als den Vortruppen jüdischer Weltherrschaft entgegentreten würden« (Die Auslese aus Zeitschriften des In- und Auslandes, 17. Jg., 11, 1943, S. 611).

55 Jean-Paul Sartre, Betrachtungen zur Judenfrage, in: ders., Drei Essays, Ullstein-B. 304, 1960, S. 132.

56 Ernst Hiemer, Der Pudelmopsdackelpinscher und andere besinnliche Erzählungen, Nürnberg 1940, S. 83. – Vgl. auch Georg Bertram, a.a.O.: »Unser Sieg wird auch anderen Völkern die Augen öffnen, so daß der deutsche Sieg schließlich die Welt vom Judentum befreien wird.«

mehr Aufschluß geben kann als dies der gepeinigte und auch von Dr. Kuhn genervte Judenratsvorsitzende Czerniaków in seinen knappen und erschütternden Tagebuchnotizen vermochte.

Lernort Nes Ammim

Friedrich Hasselhoff

Nikolaus Becker zu sagen, was Nes Ammim ist, hieße Eulen nach Athen tragen. Denn von den ersten Anfängen des Deutschen Nes Ammim-Vereins an ist sein Name mit Nes Ammim verbunden. Viel Zeit, Kraft und Engagement hat er bis heute für den Aufbau des Deutschen Nes Ammim-Vereins, für die Entwicklung und Förderung der christlichen Siedlung Nes Ammim in Israel und für das christlich-jüdische Gespräch investiert.

Bekannt wurde er mit der Idee von Nes Ammim durch seinen Gemeindepfarrer, Erich David in Velbert. Die holländischen Väter und Gründer von Nes Ammim hatten sich 1962 brieflich an Pfarrer David gewandt, ob auch in Deutschland Christen für diese Idee gewonnen werden könnten. Erich David besprach diese Bitte mit Presbytern in Velbert und mit dem Vorsitzenden des sozialethischen Ausschusses der rheinischen Kirche, Professor Friedrich Karrenberg, und seinem Mitarbeiter Horst Dahlhaus. Da Nikolaus Becker damals Presbyter in Velbert war, erfuhr er von dieser Idee. Als dann nach klärenden Gesprächen der deutsche Nes Ammim-Verein am 8.3. 1963 in Velbert gegründet wurde, wurde Nikolaus Becker neben Horst Dahlhaus und Heinz Kremers in dessen Vorstand gewählt. Seit dieser Zeit gehört er dem Vorstand an, wo er als Schatzmeister fungiert. Somit gehört Nikolaus Becker zur ersten Generation der deutschen Nes Ammim-Bewegung, die sich zusammen mit den holländischen und schweizerischen Ländervereinen die Aufgabe gestellt hat, die Siedlung Nes Ammim in Israel zu fördern.

Die Siedlung trägt einen biblischen Namen, der aus Jesaja 11,10 entnommen ist. Nes Ammim heißt »Zeichen für die Völker«. Dieser Name wird von den Gründern in einer doppelten Weise verstanden: Im Blick auf das jüdische Volk soll er zum Ausdruck bringen, daß Christen in einer Solidarität unter und mit ihm leben möchten. Er soll Zeichen eines neuen Verhältnisses von Christen zum jüdischen Volk sein. Im Blick auf die Christenheit ist er zugleich Zeichen für die Kirchen, ihr bisheriges Verhältnis zum jüdischen Volk zu überprüfen und durch Umkehr zu erneuern. Damit reiht sich Nes Ammim ein in die breite und bunte Palette christlicher Präsenz in Israel[1]. Seine Präsenz aber ist von der Solidarität mit dem jüdischen Volk gekennzeichnet, wobei die Solidarität durch die Ereignisse des Holocaust und durch die Gründung des Staates Israel motiviert ist.

---

1 Zu Nes Ammim und der christlichen Präsenz in Israel vgl. Simon Schoon/Heinz Kremers, Nes Ammim: Ein christliches Experiment in Israel, Neukirchen 1978; Simon Schoon, Christliche Präsenz im jüdischen Staat, (Veröffentlichungen aus dem Institut Kirche und Judentum, hrsg. von P. von der Osten-Sacken, Bd. 17), Berlin 1986; ders., »Nes Ammim, ein Zeichen christlicher Solidarität«, in: Wer Tora vermehrt – mehrt Leben (Festgabe für H. Kremers), hrsg. von E. Brocke/H. J. Barkening, 1986, S. 49ff.; Heinz Kremers, »Beiträge des deutschen Nes Ammim-Vereins zur Entwicklung der christlichen Siedlung Nes Ammim in Israel«, in: Festschrift 25 Jahre Nes Ammim Deutschland, 1988, PTI Bonn, S. 26ff.; »Solidarität« in: Gespräche in Israel 1/1986; F. Hasselhoff, »Nes Ammim – Zeichen gelebter Solidarität, Eine Zwischenbilanz«, in: Freiheit und Verbindlichkeit (Festschrift zum 60. Geburtstag von Matthias Kohn), hrsg. von H. Knobloch, Aachen, Alano-Verlag 1988, S. 303ff.

Auf Grund dessen versucht Nes Ammim durch den Aufbau einer christlichen Gemeinschaft im Land Israel das bisherige Verhältnis von Christen zu dem jüdischen Volk zu erneuern. Man kann deshalb mit Fug und Recht die Siedlung Nes Ammim einen umfassenden **Lernort** für Christen und Kirchen nennen.

Von Anfang an wird dieser Lernort in den Zielen von Nes Ammim sichtbar, die bereits 1960 wie folgt formuliert wurden:

»Zeichen der Solidarität und Hilfe für Israel durch Mithilfe beim Aufbau dieses Staates und Bereitstellung einer Plattform, auf der Christen und Juden miteinander reden und ein neues Verhältnis für einander gewinnen können«[2].

Bei dieser Zielsetzung ist es geblieben. Sie ist in dem Memorandum an die israelische Regierung von 1960 festgelegt und in der Grundsatzerklärung von 1970 (neugefaßt 1986) und in der Gemeindeordnung der Bewohner von Nes Ammim vom 30. 5. 1981 entfaltet worden[3].

Die Frage stellt sich: Worin besteht Nes Ammim als Lernort und welches sind die »Lerninhalte«, die in Nes Ammim »gelernt« werden können? Im folgenden soll auf diese Fragestellung eingegangen werden. Selbstverständlich können nicht alle Aspekte des Lernortes Nes Ammim behandelt werden. Nur drei Aspekte sollen zur Sprache gebracht werden: einmal Land und Volk Israel als Lerninhalt, zum anderen die Asymmetrie der Beziehungen, schließlich die Infragestellung der Christologie.

1. Land und Volk Israel als »Lernhinhalt«

Der Ort des Lernens ist das Land Israel, genauer, der Galil. Das erste, womit Bewohner von Nes Ammim konfrontiert werden, ist die Beziehung des jüdischen Volkes zum Land. Für die Christenheit brachten der Holocaust und die Gründung des Staates Israel in dem Land der Väter 1948 eine tiefgreifende religiöse Krise. Denn sie stellten die Christenheit, sofern sie von jenen Ereignissen wachgerüttelt wurde, vor eine ihr Selbstverständnis berührende Entscheidung. Die Entscheidung betrifft vor allem die religiöse Bedeutung der Rückkehr von Juden in das ihnen von Gott verheißene Land. Je nachdem die Antwort auf diese Herausforderung gegeben wird, gibt sie Auskunft darüber, ob die Kirche lernbereit ist oder nicht. Ein Musterbeispiel für das Umgehen mit dieser Herausforderung ist der Beschluß der Evangelischen Kirche im Rheinland auf ihrer Synode 1980 »Zur Erneuerung des Verhältnisses von Christen und Juden« und die Reaktion von 13 evangelischen Theologieprofessoren der Universität Bonn in ihren sogenannten »Erwägungen zum Synodalbeschluß der Ev. Kirche im Rheinland«[4].

---

2 S. Schoon/H. Kremers, a.a.O., S. 51.

3 Der Text des Memorandums und der Grundsatzerklärung 1970/1986 findet sich bei S. Schoon/H. Kremers, a.a.O., S. 171 ff.; die Gemeindeordnung in der Festschrift 25 Jahre Nes Ammim Deutschland, 1988, S. 38 f.

4 Der Text des Synodalbeschlusses 1980 findet sich in Handreichung 39: Zur Erneuerung des Verhältnisses von Christen und Juden, Düsseldorf 1980; B. Klappert/H. Starck (Hg.), Umkehr und Erneuerung, Neukirchen 1980, S. 263 ff.; E. Brocke/J. Seim (Hg.), Gottes Augapfel, Neukirchen 1986, S. 239 ff.; Günther B. Ginzel, Auschwitz als Herausforderung für Juden und Christen, Heidelberg 1980, S. 402 ff.; Der Text der Bonner Theologen findet sich in: epd-Dokumentation Nr. 42, 1980.

Die Synode der Evangelischen Kirche im Rheinland stellt als dritten Erneuerungsgrund heraus: »3. Die Einsicht, daß die fortdauernde Existenz des jüdischen Volkes, seine Heimkehr in das Land der Verheißung und auch die Errichtung des Staates Israel Zeichen der Treue Gottes gegenüber seinem Volk sind«.

Die 13 Bonner Theologieprofessoren haben dieser Einsicht widersprochen. Es heißt in ihren »Erwägungen« u. a. »8. Es ist durchaus möglich, die Juden zu bewundern und zu schätzen und den Staat Israel aktiv zu fördern, ohne diese Sympathie ›heilsgeschichtlich‹ begründen und ohne christliche Grundwahrheiten, welche Judentum und Christentum trennen, preisgeben oder auch nur relativieren zu müssen.« Und als Begründung wird angegeben: »9. Die Juden als die Nachfahren des alttestamentlichen Israels sind die Nachkommen des von Gott erwählten Volkes. Sie sind wie alle Menschen unter der Sünde. Ihnen wie allen Menschen gelten die Verheißungen, die in Christus erfüllt sind.« Erfüllung aber bedeutet nach Punkt 4 der »Erwägungen«, daß die Verheißungsinhalte »ihre Bedeutung verloren haben«.

Die Gründer von Nes Ammim haben von Anfang an die Bedeutung der Heimkehr der Juden und die Errichtung des Staates Israel für ihr Christsein erkannt und daraus Konsequenzen gezogen.

Die eine Konsequenz ist, daß sie sich entschlossen haben, eine Siedlung zu gründen, in der eine christliche Gemeinschaft in und mit Israel lebt, in und für Israel arbeitet und »dem Staat Israel durch Kapitalanlagen, wirtschaftliche Initiative und technisches Know-how dient« (Memorandum 1960). Diese Konsequenz hat die Siedlung zu einem Lernort für Christen von weitreichender Bedeutung gemacht. Für die Kirchen und die Christen, die eine Theologie nach »Auschwitz« betreiben wollen, bietet sich hier eine nicht wiederkehrende Möglichkeit, durch ein Leben in einer christlichen Gemeinschaft die Bedeutung des Landes für das Selbstverständnis des jüdischen Volkes »vor Ort« zu »lernen«. Die zweite Konsequenz ist, daß die Gründer aus dieser gelebten Solidarität mit Israel heraus auf jede Art von Judenmission verzichtet haben. Der Verzicht erfolgte nicht aus taktischen Gründen, sondern war eine theologische Frucht aus der Erkenntnis der bleibenden Erwählung des jüdischen Volkes. In der Grundsatzerklärung von 1970 heißt es hierzu: »Es widerspricht Seinem Willen, daß die Christenheit jahrhundertelang das jüdische Volk . . . als von Gott verworfen behandelt und deshalb verfolgt hat.

Darum treten sie (die Christen) dafür ein, daß die Christen das jüdische Volk anders sehen lernen, als sie es bisher getan haben. Sie bezeugen in Übereinstimmung mit der Heiligen Schrift: Gott hat sein Volk Israel nicht verstoßen, sein Bund mit ihm besteht fort, seine Verheißungen an Israel bleiben wirksam.«

Der Verzicht auf Judenmission kommt zwar im Memorandum von 1960 nicht expressis verbis vor, aber er ist enthalten in der Zielsetzung der Siedlungsarbeit. Dazu heißt es im Memorandum: »In menschlicher und moralischer Hinsicht sollte das Probjekt dazu führen,

a) daß die Israelis eine christliche Haltung des Wohlwollens, Dienstes und tiefen Respektes für das Judentum erfahren und
b) von seiten der Christen ein besseres Verständnis der Realität, der Wertvorstellungen und Probleme jüdischen Lebens und der schöpferischen Bemühungen in Israel.

Diese Christen ihrerseits werden in ihren eigenen Ländern, Kirchen und Gemeinden die ›Missionare‹ der neuen christlichen Haltung gegenüber dem Judentum werden.«

Hier wird inhaltlich angegeben, was am »Lernort Nes Ammim« »gelernt« werden soll: Gewinnung einer neuen christlichen Grundhaltung gegenüber dem Judentum, die geprägt ist von Wohlwollen, Dienst und tiefem Respekt vor dem Selbstverständnis des jüdischen Volkes. Sie ist den Kirchen und Gemeinden, aus denen die Dorfbewohner kommen, bekanntzumachen.

Die Gewinnung einer solchen Grundhaltung ist ein langer, oft schmerzlicher Prozeß. Die Konfrontation mit der unheilvollen Geschichte des bisherigen Verhältnisses von Christen zu Juden, die im Holocaust gipfelt, und das Erschrecken über diesen »christlichen« Antijudaismus, der u. a. in der Ersetzungslehre gründet, ist oft ein erster Schritt zur Neubesinnung. Hinzu kommen Studien, Begegnung, Gespräch und Dienst. Am Ende dieses ersten Schrittes steht die Anerkennung der Juden als Volk und Glaubensgemeinschaft, die Glaubenswürde und Wahrheitsfähigkeit besitzen und denen nichts mehr »fehlt«, was Christen ihnen geben könnten zu ihrer Identität als Volk Gottes. Hierin gründet die Absage der Judenmission, die ein Prinzip der Nes Ammim-Bewegung ist. Als Frucht der Nes Ammim-Bewegung und des Lernortes Nes Ammim wird man die Absage an die Judenmission ansehen können, die die Evangelische Kirche im Rheinland 1980 in ihrem Synodalbeschluß »Zur Erneuerung des Verhältnisses von Christen zu Juden« vollzogen hat, als sie in Punkt 4 (6) erklärte:

»Wir glauben, daß Juden und Christen je in ihrer Berufung Zeugen Gottes vor der Welt und voreinander sind; darum sind wir überzeugt, daß die Kirche ihr Zeugnis dem jüdischen Volk gegenüber nicht wie ihre Mission an die Völkerwelt wahrnehmen kann.«[5]

2. Die Asymmetrie der Beziehung

Was am Lernort Nes Ammim weiter erfahren werden kann, ist die biblische Erkenntnis, daß in den Beziehungen zwischen Juden und Christen eine Asymmetrie besteht. Erfahrungsgemäß wird bei der Begegnung mit jüdischer Existenz, Geschichte und Tradition der Christ in seinem Selbstverständnis radikal in Frage gestellt. Er erkennt – er »lernt« –, daß er in seiner Selbstreflexion über seinen Glauben, seine Kirche, seine Gemeinde, notgedrungen auf das Judentum stößt. Er kann sein Christsein nur begreifen in Beziehung zum jüdischen Volk. Christen und christliche Gemeinde sind schlechthin angewiesen auf das Judentum als Volk Gottes. »Wer Jesus Christus begegnet, begegnet dem Judentum.«[6] Das ist bei der Selbstreflexion des Juden über sein »Jude-sein« nicht der Fall. Er stößt nicht auf die Christenheit, wenn er über sich nachdenkt. Wenn er auf das Christentum stößt, dann begegnet er es als Umwelt, als feindliche, missionierende, freundliche

5 Siehe P. G. Aring, Absage an die Judenmission, in: B. Klappert/H. Starck, (Hg.), Umkehr und Erneuerung, S. 207 ff.

6 So beginnen mit Recht die deutschen Bischöfe ihre »Erklärung über das Verhältnis der Kirche zum Judentum« vom 28. April 1980, Text in: Die Kirchen und das Judentum, Dokumente von 1945–1985, hrsg. von R. Rendtorff und H. H. Henrix, Paderborn/München 1988, S. 260 ff.

oder gleichgültige Umwelt. Zvi Werblowsky hat auf diesen Sachverhalt in seinem Vortrag über »Trennendes und Gemeinsames« auf der Landessynode der rheinischen Kirche 1980 aufmerksam gemacht, wenn er sagt: »Man kann authentischer Jude sein, in völliger Integrität des jüdischen Seins, ohne auch nur einen Moment an Jesus Christus oder an das Neue Testament denken zu müssen . . .« Und er fügt hinzu: »Dies schafft eine Asymmetrie, welche in unserem Denken verdiskontiert werden muß, wollen wir zu einer Erneuerung des Verhältnisses kommen.«[7] Die Anerkenntnis dieser Asymmetrie besagt, daß wir Christen aus den Heiden zum Volk Gottes hinzugekommen sind. Wir sind mit ihm zwar verbunden, aber nicht in das jüdische Volk integriert. Das jüdische Volk ist und bleibt als Volk Gottes erstgeborener Sohn (Ex. 4,22 u. a.), wir dagegen sind als nachgeborene Söhne und Töchter hinzuerwählt worden.

Diese Zusammengehörigkeit muß im Zusammenleben bewährt werden. Der Ort solchen Zusammenlebens will Nes Ammim sein. Freilich ist das Zusammenleben aus der Zusammengehörigkeit nicht leicht. Das kann an den Konflikten in Nes Ammim gezeigt werden, die in Zeitabständen die Ländervereine sowie die Bewohner von Nes Ammim stark beschäftigt haben. Simon Schoon, der als holländischer Pfarrer von 1974 bis 1981 in Nes Ammim lebte, hat sie in seinem Aufsatz »Nes Ammim, ein Zeichen christlicher Solidarität« beschrieben[8]. Er kommt zu der Feststellung: »Es scheint, als müßten alle kirchlichen Streitigkeiten auch in Nes Ammim ausgefochten werden.«[9] Was die gelebte Solidarität von Nes Ammim, die in diesem Zusammenhang erwähnt werden muß, anbelangt, so ist sie stets in Gefahr, in eine »Judaisierung« oder einen Philosemitismus umzuschlagen. Diejenigen, die »Judaisierung« befürworten, wollen die Identität des christlichen Glaubens aufheben und durch Aufnahme jüdischen Brauchtums, Sitte und Leben ein Teil des jüdischen Volkes werden. Oft kommt es zu einer unkritischen Imitation des Judentums, die das Judentum idealisiert, aber nicht mehr der bunten Realität des Judentums gerecht wird. Philosemitismus dagegen verherrlicht einseitig das Judentum und den Staat Israel. Meist erwächst der Philosemitismus aus Schuldgefühlen über das Versagen der Kirche dem Judentum gegenüber. Er kann aber leicht umschlagen in einen Antijudaismus, wenn das Idealbild nicht der Wirklichkeit entspricht. Beide Haltungen sind nicht geeignet, das Miteinander der Zusammengehörigkeit und das Angewiesensein der Christenheit auf das Judentum zu leben. Denn dazu braucht es der Integrität beider Partner, die sich als solche begegnen.

3. Die Infragestellung der Christologie

Erfahrungsgemäß wird bei der Begegnung der Bewohner von Nes Ammim mit dem gelebten Judentum die ganze Brüchigkeit und Problematik der christlichen Theologie aufgedeckt[10]. Aufgedeckt werden vor allem die Art und Weise, wie die

7 Handreichung 39, S. 40.
8 In: Wer Tora vermehrt – mehrt Leben, S. 49 ff.
9 A.a.O., S. 53.
10 Vgl. dazu H. J. Kraus, Aspekte der Christologie im Kontext alttestamentlich-jüdischer Tradition, in: Gottes Augapfel, hrsg. von E. Brocke/J. Seim, S. 1 ff.

Kirche ihre Christusverkündigung, die im Neuen Testament im Kontext der alttestamentlich-jüdischen Tradition steht, in die hellenistisch-römischen Denkkategorien umgeschrieben und in den Begriffen der ontologischen und metaphysischen Philosophie fixiert hat. Es wird den Bewohnern der Siedlung bewußt, daß diese Fixierung der christologischen Aussagen in hellenistisch-römische Denkkategorien, z. B. in dem Begriff »Sohn Gottes« oder in der Zwei-Naturen-Lehre polemische Züge gegen das Jude-sein Jesu aufweist und somit mitverantwortlich ist für den christlichen Antijudaismus.

Diese Aufdeckung verunsichert erfahrungsgemäß die meist sehr jungen Bewohner von Nes Ammim und läßt sie an ihrer christlichen Identität zweifeln. Die Reaktionen auf diese Erschütterungen ihres christlichen Glaubens reichen von kritikloser Bewunderung alles Jüdischen unter Aufgabe des christlichen Bekenntnisses bis hin zum ängstlichen und oft verzweifelten Festhalten dogmatischer Lehrsätze. Hier kann nur pastorales Handeln helfen. Aber es muß verbunden werden mit einem Lernen, das die christlichen Aussagen etwa zur Christologie neu in den Kontext alttestamentlich-jüdischer Aussagen stellt und Hilfen anbietet, eine nicht-antijüdische Christologie zu gewinnen. Die ersten Früchte eines solchen Lernens wird man in dem Synodalbeschluß der rheinischen Kirche von 1980 sehen können, bei dessen Zustandekommen zahlreiche Mitglieder des deutschen Nes Ammim-Vereins beteiligt waren. Dieses Lernen wird nun in Nes Ammim von den Pfarrern und Mitarbeitern von Nes Ammim intensiv durchgeführt. Hier aber können Kirchen und Gemeinden weiterhelfen, sofern sie eine Theologie nach Auschwitz betreiben wollen, indem sie den Lernort Nes Ammim mitveranwortlich tragen.

Das kann in Bereitstellung von Mitteln zur Errichtung eines Studienzentrums und Übernahme der Folgekosten geschehen. Aber vor allem ist die eigene Mitwirkung bei der Durchführung des Lernens wichtig. Denn hier können Gruppen von Pfarrern, Lehrern, Studenten und Gemeindegliedern wohnen und »vor Ort« lernen. Wie dieses durchgeführt werden kann, ist in Absprache mit der Leitung des Dorfes von Fall zu Fall auszuhandeln. Es bieten sich viele Möglichkeiten an: In Form eines Seminars oder einer Gruppenreise mit längerem Aufenthalt im Studienzentrum oder in der Durchführung eines Symposiums.

Aber das wichtigste ist: Es geschieht dies alles an einem Lernort, den Kirchen und Gemeinden als den ihren ansehen, den sie mitverantworten, tragen und fördern können, weil Nes Ammim ja ihre eigene Siedlung ist.

Außer den besprochenen Aspekten gibt es naturgemäß in Nes Ammim menschliche und nationale Probleme, die überall auftauchen, wo Menschen, die aus verschiedenen Ländern mit ihren verschiedenen Lebensweisen, Bräuchen, Sitten, Kulturen, Sprachen und kirchlichen Traditionen kommen, zusammen leben[11].

Am Lernort Nes Ammim findet so im kleinen ein Kulturaustausch statt, der sich fruchtbar gestalten kann. Ebenso kann in Nes Ammim praktische ökumenische Erfahrung gemacht werden. Denn die Bewohner von Nes Ammim kommen aus verschiedenen Kirchen mit und ohne ökumenische Erfahrung. Hier kann ökumenisches Bewußtsein wachsen, das aus der Entdeckung hervorgeht, daß andere

11 Dazu vgl. Heinz Kremers in der Festschrift 25 Jahre Nes Ammim Deutschland, 1988, S. 30ff.

Kirchen auch Kirche Jesu Christi sind und in ihnen auch Christen leben, die als Glieder des einen wandernden Gottesvolkes zusammengehören[12].

Zusammenfassend läßt sich sagen: Nes Ammim erweist sich als ein Lernort von unbegrenzten Möglichkeiten für Kirchen, Gemeinden und Einzelchristen, die ihr Verhältnis zum jüdischen Volk erneuern wollen.

12 F. Hasselhoff/H. Krüger (Hg.), Ökumene in Schule und Gemeinde, 2. Auflage 1975, S. 398; vgl. auch F. Hasselhoff, a.a.O., S. 309 f.

Vom Alten Testament zum Neuen

Hans Strauß

Grundlage aller evangelischen Theologie und Kirche ist nach wie vor die Bibel Alten **und** Neuen Testaments. Das Verhältnis beider »Testamente« inhaltlich zu bestimmen und in der Auslegung relevant zu machen, ist Gegenstand Biblischer Theologie und Hermeneutik und ist, wie zahlreiche diesbezügliche Arbeiten immer wahrscheinlicher machen, kaum ein für allemal zu formulieren, sondern stellt sich innerhalb der Konstanten Biblischen Zeugnisses als Aufgabe dar, die von jeder Generation immer neu zu leisten ist[1]. Das hängt offenbar mit der viva vox evangelii selbst auf engste zusammen. Was jedoch dabei gleichbleibend gründlich zu beachten und einerseits längst selbstverständlich und bekannt ist, aber andererseits wohl wegen einer allgemein christlichen und speziell evangelischen Auffassung von der Heiligen Schrift sich einem breiten, eigentümlich summarischen Grundverständnis mit sehr bald anachronistischen Annahmen gegenüber sieht, sind die geschichtlich vorgegebenen Konturen des Biblischen »Materials« selber. Keineswegs wird die hebräische Bibel im Neuen Testament zitiert, sondern durchweg die inzwischen übersetzten und überarbeiteten, mit dem beginnenden Neuen Testament zusammen hier erst zum »Alten Testament« werdenden Texte des mehrschichtigen hebräischen Kanons. Und an diesem Wege stehen und können gelegentlich direkt zu den Texten, weit mehr noch aber indirekt über deren Hintergründe und Tradenten Auskunft geben alle jene Zeugnisse »zwischentestamentlicher« Literatur, die von den sogenannten Apokryphen und Pseudepigraphen des Alten Testaments bis zu den Qumrantexten reichen und deren je ganz eigene Überlieferungswege dann, was die erstgenannten angeht, zum größten Teil in die nachneutestamentliche, christliche Literatur gleichsam einmünden[2]. Doch deswegen sind diese Überlieferungsstadien und Texte für ein sachgemäßes geschichtliches Bibelverständnis schlechterdings unentbehrlich, und es gilt auch heute noch, diese nicht nur weiter bekannt zu machen, sondern sie vor allem als solche im eben genannten Sinne immer wieder ins Bewußtsein zu rufen.

a) Canones und Canon

Ausgangsweise wird man sich immer vor Augen zu führen haben, daß auch die ersten christlichen Gemeinden zu keiner Zeit (noch) ohne Bibel gewesen sind. Dies ist in doppelter Hinsicht bemerkenswert: Zum einen ist ja der jüdische Kanon z. Zt. Jesu weder abgeschlossen noch überall anerkannt. Weiteste Anerkennung hatten »Gesetz« (Pentateuch/Tora) und »Propheten« (»frühere« und

1 Für das Alte Testament s. dazu u. a. H. Strauß, Theologie des AT als Bestandteil einer Biblischen Theologie, EvTheol 45, 1985, 20–29.

2 Für die allgemeine Bewußtseinslage auch in der Wissenschaft erscheint es doch bezeichnend, daß man zumindest in deutscher Übersetzung nahezu ein ganzes Jahrhundert auskommen zu können meinte mit der – zweifellos umfassenden – Herausgabe der Apokryphen und Pseudepigraphen des AT I–III (1900, Neudruck 1962!) durch E. Kautzsch. Dazu ist noch »Altjüdisches Schrifttum außerhalb der Bibel«, übersetzt und erläutert von P. Riessler, von 1928 (3. Aufl. 1975) zu nennen, bis W. G. Kümmel die »Jüdischen Schriften aus hellenistisch-römischer Zeit« (I–VI) in deutscher Übersetzung mit Kommentar und Bibliographien zu den einzelnen Schriften (JSHRZ) 1973 neu herauszugeben begann.

»spätere«, = geschichtl. und prophet. Bücher) gefunden, die konservativen Sadduzäer jedoch lehnten die »Propheten« als heilige Schriften ab, während wiederum die Ketubim (Schriften, III. Teil des Kanons mit allem Übrigen) immerhin steigendes Ansehen genossen und noch einige (heutige) »Pseudepigraphen« (ursprünglich Schriften unter »falschem [biblischen!] Namen«) als kanonisch beanspruchten. Die »Heiligen Schriften« (in griechischer Übersetzung alexandrinischer Juden, = Septuaginta (LXX/70), s. dazu Aristeasbrief)[3] des Diasporajudentums wichen sowieso in Zahl und Reihenfolge von denen des palästinensischen Judentums ab, erst um das Ende des 1. oder um den Anfang des 2. Jh. n. Chr. kann mit einem Abschluß des sogenannten masoretischen (hebräischen) Kanons gerechnet werden, der sich nun unter Einbeziehung der Ketubim (Hagiographen) und unter Ausschluß »apokrypher« Pseudepigraphen in drei durchaus nicht ranggleichen Teilen (»Gesetz, Propheten, Schriften«) präsentierte.

Der selbstverständlichen »biblischen« Gültigkeit der darin enthaltenen Texte wie zugleich dem geschichtlichen Tatbestand der Unabgeschlossenheit insgesamt tragen die urchristlichen (neutestamentlichen) Zeugen insofern Rechnung, als sie, zum Unterschied vom synagogalen Schriftgebrauch, alle Teile gleichwertig, also »Gesetz« nicht höher als »Propheten« und auch »Schriften«, ja sogar aus »apokryphen« Texten als aus »der Schrift« zitieren[4]. Über kanonische Begrenzungen innerhalb des Judentums macht man sich offenbar (noch) keine Gedanken und ist der Septuaginta derart verhaftet, daß der Text der meisten »alttestamentlichen« Zitate dem der griechischen LXX auch bei Abweichungen vom hebräischen Text entspricht. Erst zur Zeit etwa des Bischofs Melito v. Sardes resp. der Verfestigung des neutestamentlichen Kanons seinerseits werden Überlegungen zu einem Katalog der Schriften des »Alten Testaments« angestellt[5], mit deren Einzeltexten gelegentlich noch recht frei umgegangen werden konnte, bis sich die endgültige Abgrenzung eines alttestamentlichen Kanons im 4. nachchristl. Jahrhundert ergibt. Variabilität in Umfang und Wortlaut minderten also die Autorität des »Alten Testaments« bei den ersten Christen überhaupt nicht, die sich in Jesus als dem Christus als eschatologische Gemeinde sahen, die besser als die anderen Juden die Heiligen Schriften verstanden.

Und zum anderen ist bemerkenswert, daß das Urchristentum nicht wie die Rabbinen dann den hebräischen Kanon in Talmud und Midrasch zu komplettieren beginnt, indem es seinerseits ihm die eine oder andere wichtige christliche Überlieferung hinzufügt, sondern dem »Alten Testament« nach Ablauf von 70 bis 80 Jahren eine eigene Sammlung christlicher Zeugnisse mit gleicher Dignität als »Neues Testament« an die Seite stellt[6]. Die auf die in diesem Sachverhalt liegende Frage oft gegebene Antwort, die Urgemeinde habe eben neben dem AT in »dem Herrn« oder »den Aposteln« noch andere Autoritäten gehabt, vermag zwar die Zweiteilung des christlichen Kanons zu begründen, nicht aber schon, warum sich der Tatbestand eines selbständigen, neutestamentlichen Kanons überhaupt und

---

3 S. dazu u. a. bei O. Eißfeldt, Einleitung in das AT, 1956[2]; vgl. a. M. Hengel, Judentum und Hellenismus, 1973[2], 55 f. u. ö.

4 S. z. B. 1 Kor 2,9; Lk 11,49; Joh 7,38; Jak 4,5; Jud 14 f.

5 Um 180 n. Chr., wobei sich in »Zahl und Reihenfolge der Alten Bücher« Übereinstimmung mit dem hebräischen Kanon ergibt (nach Euseb, Hist.Eccl. IV, 26, 13 f.).

6 Auch hätte die Urgemeinde wie die Qumrangemeinde ihre eigene religiöse Literatur sammeln und **ohne** Kanonrang einsetzen können.

warum er sich so relativ spät ergab. Die genannte Frage führt vielmehr tief hinein in die inhaltlichen Probleme der ntl. Kanonbildung selbst. Für den hier zur Diskussion stehenden Entwicklungszeitraum ist jedoch festzuhalten, daß für dieses Weitere die »Heilige Schrift« Alten Testaments als Bibel des Urchristentums die Kriterien lieferte: Was wie sie tradiert und eingesetzt, d. h. ausdrücklich als grapháe zitiert wird[7], hat kanonischen Rang, ist wie das AT »Heilige Schrift«.

b) Die große Übersetzung (Septuaginta)

Nach dem legendären pseudepigraphischen Aristeasbrief vollenden 72 Älteste aus Jerusalem[8] gleichlautend die »Heilige Schrift« nicht nur der griechischsprechenden Juden zugleich als Grundstein allen weiteren Schrifttums des hellenistischen Judentums, sondern mit dieser Übersetzung auch die Bibel der urchristlichen Gemeinde. Nicht eigentlich nur eine sprachlich sekundäre Parallelversion des uns übrigens erheblich später edierten hebräischen Textes liegt damit vor, sondern das tatsächlich verbindende Mittelglied zwischen Altem und Neuem Testament, dessen Verhältnis zum hebräisch-aramäischen Original einerseits und als jüdisch-hellenistische und als urchristliche »Heilige Schrift« mit ganz eigenem Überlieferungsweg in der hellenistischen Welt – in seiner Autorität vergleichbar dem, was »Gesetz« (hebräisch) für Israel unter persischer Herrschaft (noch) war – andererseits von Text zu Text immer wieder neu wissenschaftlich aufzusuchen ist.

Wann genau und in welchem – anerkannten! – Umfang dieser »alexandrinische Kanon« eine Endgestalt erreichte und dann in die Kontroverse zwischen Judentum und christlichen Gemeinden geriet, ist historisch aufgrund des Fehlens direkter Zeugnisse darüber und des wiederum nur in christlichen Handschriften überlieferten Gesamttextes selbst nicht mehr lückenlos und exakt feststellbar. Das in mehreren Schichten (hebräisch und griech. Übersetzung) überlieferte Buch Jesus Sirach läßt indirekt für das Ende des 2. Jh. v. Chr. darauf schließen, daß sowohl in ihrer theologischen Gültigkeit deutlich differenzierte (hebräische) Textgruppen wie »Gesetz«, »Propheten« und – demgegenüber – »Schriften« schon vorlagen als auch, daß diese Differenzierung für eine griechische Übersetzung der Überlieferungen Gültigkeit hatte. Unbeschadet späterer Auseinandersetzungen auch hier dürften dabei zunächst hebräisch bzw. aramäisch sprechende, palästinensische Juden und das griechisch-hellenistische Judentum in engem gegenseitigen Kontakt gestanden haben, und solche Prozesse der Verständigung liegen wohl auch wesentlich der Endgestalt zunächst des palästinensischen Kanons in masoretischem Umfang[9] wie auch des alexandrinischen Kanons mit apokryphen Erweiterungen zugrunde. Beide Formationen sind, wie schon oben skizziert, frühestens gegen Ende des 1. nachchristl. Jahrhunderts anzusetzen und sicher zuerst jüdischen Initiativen zuzuschreiben, obwohl – auch dies muß noch einmal für die Forschungslage betont werden – der alexandrinische Kanon seinerseits nur noch in christlichen Handschriften erhalten und zugänglich ist. In den erhebbaren Prinzipien der großen Übertragung spiegelt sich aber bereits kanonische (gültigkeitsmä-

7 Zu den diesbezüglich charakteristischen Wendungen vgl. Gal 4,30; 1 Kor 1,31; Röm 1,17 u. v. a.; auch Hebr 3,7.

8 Aus jedem der Stämme Israels 6, abgerundet dann unter dem Einfluß der Offenbarungstradition von Ex 24 auf 70 (= Septuaginta/LXX).

9 Zuerst im Kanonverzeichnis der um 95 n. Chr. verfaßten Schrift Contra Apionem (I, 8, § 38–42) des Flavius Josephus.

ßige) Differenzierung: Während die Übersetzung von »Gesetz« und auch geschichtlichen Büchern (»früheren Propheten«) primär alle Aufmerksamkeit der möglichst reinen Bewahrung der ursprünglichen Aussagen zuwendet und nur bestimmte Strukturkategorien sozusagen bis in die Gegenwart reichen läßt[10], tragen die prophetischen Zeugnisse schon manche Aktualisierung mit ein.

Nur ein Zeugnis, und erst aus dem 2. nachchristlichen Jahrhundert, der Dialog des Märtyrers Justin mit dem Juden Tryphon spiegelt nun die Auseinandersetzung um die »Heilige Schrift« in Gestalt der LXX zwischen Juden und Christen direkt wider, nach offenbar selbstverständlicher anfänglicher Gemeinsamkeit, ja, einer ebenfalls auf beiden Seiten aufkommenden Rückbewegung quasi zu den (hebräischen) Originalen. Gründliche neuere Untersuchungen der hier entstehenden »neuen« jüdischen Übersetzungen und griechischen Rezensionen aber haben ergeben[11], daß der gegenseitige Vorwurf der Schriftverfälschung als Streitobjekt dieses Traktates der Sache nach keineswegs schon als der Ursprung, sondern erst als spätere Äußerung einer Auseinandersetzung anzusehen ist, für die gerade hinsichtlich des Schriftverständnisses zunächst die innerjüdische Konfrontation zwischen palästinensischem und hellenistischem Judentum um Orthodoxie nach Zerstörung des 2. Tempels auslösend wie unausweichlich wurde. In dieses Feuer gießen dann allerdings die bewußt originalgetreueren griechischen Übersetzungen des Proselyten Aquila (um 130 n. Chr.) und aller seiner Vorgänger einerseits und die christlichen Apologeten des 2. Jh.s andererseits gleichsam Oel um Oel, so daß das unvergleichliche Werk des Origenes[12] mit dem Hauptziel der Erarbeitung einer mehrsprachig akzeptablen, Juden und Juden und Judenchristen und Heidenchristen gemeinsamen Textform eigentlich schon zu spät kommt und sich den Vorwurf der Willkür an »Schrift« gewordener Offenbarung gefallen lassen muß. Unter neuen geistigen Voraussetzungen, christlicherseits des Neutestamentlichen Kanons zum Alttestamentlichen Kanon, entspricht nun die Problematik des Verhältnisses der letztgültigen Festlegung der »Heiligen Schrift« nach der Septuaginta innerchristlich und gegenüber dem außerchristlichen Bereich des Judentums eben der des Verhältnisses zwischen den neuen übersetzenden Rückbewegungen zum hebräischen Original von der LXX und ihrer Behauptung gegenüber dem außerjüdischen Bereich der christlichen Gemeinden auf seiten des Judentums zuvor. So kennzeichnet Origenes in der fünften Spalte seiner berühmten Hexapla ausdrücklich die Abweichungen vom hebräischen Original, während anderenorts das abweichende Sondergut der altüberlieferten LXX ihm als unveräußerlicher Besitz der christlichen Kirche gilt. Das ursprünglich Juden und Christen gemeinsame Verständnis der griechischen »Heiligen Schrift« als jeweils zu korrigierendes Abbild des dahinter liegenden hebräischen Urbildes gleichsam liegt gewissermaßen bereits zurück und mehr und mehr im dunkeln.

Die Textrekonstruktion anhand der erhaltenen, ursprünglich in der alexandrinischen Judenschaft des 3. vorchristlichen Jahrhunderts beginnenden LXX-Überlieferungsströme wird also immer durch Analyse der verschiedenen jüdischen und christlichen Rezensionselemente vorzunehmen sein, die frühen Sekundärüberset-

10 Z. B. die Übersetzung von mäläk (König) mit archon, womit auch die (nachexilische) Position des Hohenpriesters erfaßt wird.

11 Ein erster Überblick darüber wie über die einschlägige Literatur findet sich jetzt bei W. H. Schmidt – W. Thiel – **R. Hanhart,** Altes Testament – Grundkurs Theologie Bd. 1 (UrbanTB 421, 1989), 176ff.

12 185–254 n. Chr.

zungen der LXX vor allem aus den Gebieten der östlichen Reichskirche, die manchmal Älteres als uns im griechischen Traditionsstrom erhalten bewahren, kommen dabei zu Hilfe. Die in der Mitte des 2. nachchristlichen Jahrhunderts faßbar werdenden altlateinischen Übersetzungen[13] sind allerdings nur fragmentarisch überliefert, da sie systematisch dann von der Vulgata ersetzt wurden, wobei die Übersetzung des Hieronymus des hebräischen Alten Testaments zwar zunächst erhebliches Aufsehen erregte[14], sich inzwischen aber als ein recht komplexes Unternehmen und weit weniger selbständig erwies als ursprünglich angenommen. Die syrische Übersetzung der hebräischen Bibel (Peschitta) bildet schließlich als solche einen textrekonstruktionsmäßig beachtenswerten Sonderstrang der Traditionen, allerdings mit der Einschränkung, daß ihre jüdischen und/ oder christliche Ursprünge im dunkeln liegen[15] und die Texte uns erst nach starker Beeinflussung aus dem Septuagintabereich in einer Reihe von Handschriften zunächst vom 5. Jh. n. Chr. an faßbar werden.

Im ganzen also wird man bei allem Bibelverständnis von der LXX als Zwischenstufe des »Alten Testaments« als legitimes Zeugnis des Gottesvolkes »Israel« in hellenistischer Zeit nie mehr absehen können.

c) Quellen am Wege – die sogen. zwischentestamentliche Literatur

1. Allgemein

Wie schon oben angedeutet ist der größte Teil dieser gar nicht – oder nur zum Teil im griechischen und lateinischen – in den biblischen Kanon aufgenommenen Schriften in Verfolg je ihres Überlieferungsweges nicht etwa in jüdischer Tradition und Fassung, sondern dann durch christliches Interesse, in griechischer und/oder Sekundärübersetzung zu uns gelangt. Die Alte Kirche (Hieronymus) übertrug dann die Bezeichnung »Verborgene« von nicht zu verbreitenden, ja, ketzerischen Schriften wertneutral auf die jeweils über den hebräischen Kanon hinausgehenden, während man sich sehr ungenau für alle übrigen mit der in sich fragwürdigen Bezeichnung »Pseudepigraphen« behalf, die hinsichtlich der biblischen Namensautorität tatsächlich nur auf einige von ihnen zutrifft[16], während andererseits selbst kanonische und »apokryphe« Bücher wie z. B. Daniel, Baruch oder die Weisheit Salomos weit eher diese Bezeichnung verdienten. Konnte man schon früher für viele dieser Schriften aramäische oder hebräische Originale erschließen, so haben auch hier die Texte von Qumran eine entscheidende Wende gebracht, insofern sie sich nicht nur mit vielfacher kriterieller Relevanz selbst als Handschriften aus der fraglichen Zeit präsentierten, sondern auch in Fragmenten den hebräischen oder aramäischen Text mancher »Apokryphen« oder »Pseudepigraphen« in dieser oder jener Weise bestätigten.

Auf das sukzessive Werden und Werten des hebräischen Kanons am Ende dieser frühjüdischen Zeit in den einzelnen Richtungen und Gruppierungen kann hier nicht näher eingegangen werden, allgemein zeigt sich eine umfassende Tendenz

---

13 Auf jeden Fall vor der Hexapla des Origenes und für die traditionsgeschichtliche Forschung zusammengefaßt unter der Sammelbezeichnung Vetus Latina.

14 Etwa um 390–405 n. Chr., an der LXX zuerst einmal vorbei, und vor allem bei Augustinus.

15 Die Anfänge lassen sich mindestens für den Pentateuch um die Mitte des 1. Jh.s n. Chr. aufgrund eines altpalästinensischen Targums vermuten.

16 Z. B. auf die, die unter dem falschen Namen Henoch umlaufen.

nunmehr zur Deutung, Weiterverarbeitung und Aktualisierung der langsam und unterschiedlich festliegenden biblischen Texte. Als besonders charakteristische Ausprägung können dazu die hellenistisch-jüdische, allegorisierende Exegese der Alexandriner im Sinne ihres geschlossenen Weltbildes oder die entschlossen aktual-eschatologische, geschichtliche Gegenwartsdeutung vor allem von Prophetentexten (in kleinsten Einheiten) durch die Qumrangemeinde genannt werden, die beide ihre Wirkungsgeschichte in christliche Exegese und Dogmatik hinein haben. Andere Texte weisen Seitenstränge quasi zu nur teilweise selbst biblisch erhaltenen Überlieferungen auf oder bilden neue Tora aufgrund einer inzwischen reflektierten Praxis[17]. In nahezu allen Richtungen nimmt offensichtlich die alttestamentliche Weisheit unmittelbar ihren weiteren Verlauf mit dem Anwachsen der Neigung zur themaorientierten, traktatartigen Abhandlung durch die verschiedenen Bildungsrepräsentanten, wie sich z. B. im Buch Sirach oder in der Sapientia Salomonis besonders deutlich zeigt und ohne die die Anlage bestimmter Passagen auch aus der ntl. Briefliteratur weder strukturell noch inhaltlich verständlich würde. Die Psalmen Salomos haben eine ganze Anzahl von poetischen und liturgischen Seitenstücken in anderen Texten und machen eine teilweise Modifikation der Psalmengattungsexegese notwendig, einschließlich der Neubachtung der zahlreichen Psalmenzuschriften betr. König David als prophetisch inspiriertem Dichter nach dem Zeugnis der Psalmenrolle aus Qumranhöhle 11 (11 Q Ps^{a}). Kleinere »Apokalypsen«-Komplexe wie die Tier- oder die Wochenapokalypse im äthiopischen Henoch-Buch stehen mit den etwa gleichzeitigen, großen jüdischen Kompositionen IV. Esra und syrischer Baruch der »Offenbarung« des Johannes gegenüber und sind für die immer noch andauernde, nach wie vor grundlegend schon ums Begriffsdefinitorische von »apokalyptisch« kreisende Diskussion unerläßlich. Schließlich müssen hier auch die Werke des Josephus Flavius aus der Zeit nach 70 n. Chr. erwähnt werden[18], die eben nicht nur, wie weithin bis heute, als tendenziöse Arbeiten mit bloß datenmäßiger (topographischer) Zuverlässigkeit angesehen werden können, sondern auch als Dokumente eschatologischen jüdischen Geschichtsdenkens mit zugleich realpolitischem Respekt vor Rom von einem Juden in und wohl meist auch für nichtjüdische Umgebung gelesen werden müssen. Und obwohl die Arbeiten Philos v. Alexandrien (um 30 n. Chr.) wohl nur eine schmale Schicht jüdischen (Diaspora)-Bildungsbürgertums repräsentieren und von der rabbinischen Exegese ganz ignoriert wurden, ist seine christlich tradierte, hellenisierende Interpretation des Judentums theologiegeschichtlich-hermeneutisch von großer wirkungsgeschichtlicher Bedeutsamkeit gewesen[19].

17 Das Buch der Wächter und das Buch der Giganten im äthiopischen Henoch-Buch z. B. erweisen Gen 6,1–4 als Rest einer älteren, viel umfasssenderen Überlieferung, oder die Tempelrolle von Qumran deutet nicht Pentateuchinhalte, sondern sieht diese angewandt und ergänzt sie nun.

18 Flavius Josephus, Jüdische Altertümer (Antiquitates I u. II), in der Übersetzung bei Fourier, 1985^{6}; und Der jüdische Krieg (Goldmann Klass. 110, Auswahl o. J.).

19 Die Gesamtausgabe seiner Werke (meist atl. Exegesen) in deutscher Übersetzung bei M. Adler, Philo von Alexandrien, I–III, 1909–1938 (Nachdruck 1962–64).

2. Beispiele

Im folgenden sollen in diesem Rahmen und wegen ihrer grundlegenden Bedeutung für das sachgemäße Verständnis der Biblischen Überlieferungen die wichtigsten dieser Schriften noch kurz einzeln nacheinander vorgestellt werden.

2a) Apokryphen

Mit dem aus dem 2. Jh. v. Chr. stammenden, griechischen **III. Esrabuch** soll mit Hilfe von Chronik-, Esra- und Nehemiastücken ein Ausschnitt aus der Geschichte des jüdischen Tempels gegeben bzw. einiges ergänzt werden (z. B. Heldenerzählung über Serubabel an Darius' Hof), die kanonischen »Leihstücke« sind hier meist besser übersetzt als dort. Das **I. Makkabäerbuch** mit 16 Kapiteln hat einen Zeitraum von 333 (oder 175) bis 134 (oder 103) zum historischen Hintergrund und den Heldenkampf der Makkabäer um Glaube und Volkstum gegen die hellenistischen Könige zum Hauptgegenstand, es ist am Ende des 2. Jh.s v. Chr. entstanden und bald danach griechisch übersetzt. Trotz einer Reihe literarhistorischer Unsicherheiten ist es im ganzen als weiterführende Geschichtsdarstellung vom Kanon her gesehen eigentlich unentbehrlich, vielleicht ist es aber der bereits erreichte Grad menschlicher Heroisierung (vgl. aber z. B. Esther), der es letzten Endes nicht mehr in den theologischen Kanon Israels gelangen ließ. Das **II. Makkabäerbuch** ist wahrscheinlich ca. 50 Jahre später entstanden, griechisch von Hause aus (bis auf die Briefe in 1,1–2,18), aber aufgrund paralleler Inhalte in anderer Abfolge als bloße Einzeichnung nunmehr auf kultischem Hintergrund (Tempel) gegenüber I. Makk. sicher nicht ausreichend beurteilt. Es hat durchaus auch eigenen historischen Wert, die sich herausbildende Wundergläubigkeit, pharisäische Gesetzestreue bis zum Märtyrertod und zuversichtlicher Auferstehungsglaube stellen unverzichtbare zeit- und theologiegeschichtliche Verstehensbeiträge dar. Das legendäre **III. Makkabäerbuch** hat allerdings inhaltlich mit den beiden ersten überhaupt nichts zu tun und dürfte ein griechisches Dokument alexandrinischer Judenschaft aus dem 1. Jh. v. Chr. darstellen, in vagen und wundersam ausgestalteten Ereignissen um Ptolemäus IV. Philopator (221–204) zu Jerusalem die historische Gegenwart der in ihren Rechten bedrohten Diasporajuden in Ägypten spiegelnd.

Ursprünglich, wie Qumranfragmente bestätigen, hebräisch-aramäisch, dann aber in nicht weniger als drei griechischen Rezensionen überliefert, ist das christlich beliebte **Buch Tobit** wahrscheinlich doch wohl aus der östlichen Diaspora spätestens des 1. vorchristlichen Jahrhunderts aber wieder von größerer Bedeutung geworden. Die Schicksale des nach Ninive deportierten frommen Juden Tobit und seines Sohnes Tobias haben u. a. Erzählmotive wie das Märchen vom dankbaren (weil pietätvoll behandelten) Toten, weisheitliche Momente des assyrischen Achikarromans[20] und auch parsisch-dualistische Vorstellungen von Engeln und Dämonen (»Asmodi«) zum Hintergrund; dies alles aber wird erst einmal um 500 Jahre »verfrüht« und zeigt zugleich deutlich das Leben und Denken der jüdischen östlichen Diaspora um 200 v. Chr., das auch die wesensfremden Motive[21] höchst

20 S. dazu u. a. R. Smend, Alter und Herkunft des Achikar-Romans und sein Verhältnis zu Äsop, BZAW 13, 1908, 55–125

21 Der Held des (armenischen) Märchens tritt in Vater und Sohn auf, und an die Stelle des Toten tritt der Engel Rafael.

eindrucksvoll umzuarbeiten und zu einem erzählerischen Lob jüdischer Torafrömmigkeit zusammenzufügen vermag. Ebenso verfremdet historisch auf die Zeit von Nebukadnezars Feldherrn Holofernes ist das Buch von der reichen jüdischen Witwe **Judith**; die doch wohl kein Märchenmotiv, sondern die Jael des Deboraliedes Ri 5 zum Vorbild nehmende Handlung stellt ebenfalls äußerste Gesetzesfrömmigkeit in die Mitte, zeigt diese aber in ungewöhnlich starker national-religiöser Ausprägung. Der Vorzug des jüdischen Volkes vor allen anderen hat diese Gesetzestreue zur Bedingung – hier kommen im (verlorenen) hebräischen Original Kreise zu Wort, deren Eifer in das Zentrum der makkabäischen Erhebung in der Mitte des 2. Jh.s v. Chr. weist. Das **Gebet Manasses** knüpft als individuelles Klagelied an 2. Chr. 33,18–19 an und ist eine griechisch verfaßte Psalmennachdichtung eines Juden wahrscheinlich schon aus christlicher Zeit, während die **griechischen Danielzusätze** mit den Erzählungen von der verleumdeten, schönen und frommen Susanna und von Bel und dem Drachen(gott) den ebenso weisen wie klugen Daniel preisen und den heidnischen Kult verspotten wollen. Während dies zeitlich und sprachlich schwerbestimmbare Weiterführungen biblischer Stoffe mit deutlicher, legendarisch-novellistischer Ausformung sind, müssen das Gebet Asarjas[22] und der Lobgesang der drei Männer im Feuerofen als für sich fertige und dann redaktionell manchmal recht ungeschickt eingefügte Stoffe angesehen werden, die ihrerseits wiederum schwer ortbar sind, doch auf ein hebräisches Original zurückgehen werden. Die insgesamt 9 größeren und kleineren Septuaginta**zusätze zu Esther** wollen hingegen unterschiedlich die religiösen Aussagen vertiefen (Gebete), die historische Glaubwürdigkeit verstärken (Wortlaut der Edikte) und auch wieder die Erzählung weiter ausspinnen (z. B. Mardochais Traum und Deutung). Je nachdem dürften die ersteren in hebräischen Originalen bereits vorgelegen haben, die letzten griechisch verfaßt worden sein, der Anfang des 1. vorchristl. Jahrhunderts wird für ihre Entstehung in Frage kommen. Die Tradition zeigt, daß mit diesem klassischen Beispiel für die weiterentwickelte Aneignung biblischer Stoffe das Anwachsen der bekannten Esthererzählung, der sich noch viele Legenden anlagerten, noch in keiner Weise beendet war. Wir fragen heute, was die (biblischen) Texte für uns bedeuten. Der antike Mensch aber »abstrahiert« oder »überträgt« nicht in dieser Weise. Er ergänzt vielmehr oder erzählt weiter.

Das **Buch Baruch** mit einem großen Bußgebet und zwei Dichtungen, die ursprünglich wahrscheinlich hebräisch abgefaßt waren, sieht Israel im Namen von Jeremias bekanntem Gefährten im Exil und ist im erstgenannten eine erweiterte Rezension von Dan 9,4–19, während in den weiteren Motive aus Threni wie auch Dtjes. aufgenommen wurden, so daß kein neuer historischer Anlaß (wie etwa die Einstellung der Opfer für den röm. Kaiser 66 n. Chr. = »Nebukadnezar«) gefunden werden muß, um diese Schrift, die Exilisch-Nachexilisches »immer noch« aktualisiert und andererseits 2,17 irgendeinen Auferstehungsglauben (noch) nicht vorauszusetzen scheint, nach den Ps. Sal. etwa in das Ende des 1. Jh.s v. Chr. zu datieren. Das von Sir 24 abhängige und das Motiv von der verborgenen Weisheit Hi 28 aufnehmende Weisheitslied Bar 3,9–4,4 gipfelt in dem Bußruf 4,2 f. an Israel, die Weisheit als Weltordnung, die ja als Tora Israel allein mitgeteilt wurde,

22 Asarjas Gebet z. B. ist ein Volksklagelied im Plural mit einem hier nun gerade nicht zutreffenden Bekenntnis zur Gesetzesübertretung in 3,29 u. 30.

niemand fremden zu überlassen, während dieser kosmischen Bedeutung der Tora das ganze auf sie gerichtete Leben des Frommen zu entsprechen hat. Exemplarisch ist hier levitisch-rituelle Heiligkeit, da ja die ganze Welt Gottes Heiligtum (Bar 3,24) ist. Erheblich früher – vgl. zur Sache II. Makk. 2,2 – scheint auch der wiederum ursprünglich hebräische **Brief »Jeremias«** als Warnung vor und Verspottung des babylonischen Kultus durch einen noch dort lebenden Juden verfaßt und im Sinne der in dieser Zeit gattungsmäßig anschwellenden Briefliteratur im Namen des ersten Briefeschreibers an die Exilierten herausgegeben worden zu sein, während er inhaltlich die große Spottdichtung Jes 44,9–20 auf die Götterbilder voraussetzt.

Wirkliche Fortschreibungen der Biblischen Weisheitsliteratur auf je ihre Weise stellen aber die Bücher **Jesus Sirach** und **Die Weisheit Salomos** dar, wie schon oben angedeutet wurde. Das erstere gibt nicht nur Auskunft über mannigfache Weiterführungen der hebräischen Traditionen im Vorlauf der jüdischen Kanonbildung, sondern vollzieht selbst die Konfrontation zwischen jüdischem und hellenistischem Denken auf dem Hintergrund der immer spezifischer werdenden jüdischen Weisheitslehre mit, in der das Universale und Allgemeine immer stärker zugunsten von Gesetzesfrömmigkeit und ihren kultischen Ausdrucksformen zurücktritt, ohne daß man sich zugleich andrängenden Weisheitsformen und deren Erbe entziehen kann. Alttestamentliche Weisheit und wie es mit ihr weiterging – das kann jedenfalls ohne dieses Buch, dessen Texte aus der ersten Hälfte des 2. vorchristlichen Jahrhunderts und in mehrfacher Übersetzung zur Verfügung stehen, kaum sachgemäß behandelt werden. Ähnliches gilt von der aus dem Alexandria des 1. Jh.s v. Chr. wahrscheinlich stammenden »Weisheit Salomos«, deren geistige Hintergründe mindestens indirekt wohl auch Paulus gekannt hat[23] und die es unternimmt, den jüdischen Glauben mit den Mitteln hellenistischer Bildung sowohl gegen untreu gewordene Landsleute wie gegen die nichtjüdische Umgebung zu verteidigen. Ein jenseitig gestimmter Glaube, dem die Werte dieses Lebens nicht mehr alles (auch als Lohn des Wohlgefallens Gottes) sind, markiert entscheidende Veränderungen gegenüber atl. Traditionen und findet seine entsprechenden Seitenstücke etwa auch in der sog. Gemeinderegel (auch »Sektenrolle«, I QS) oder in den Lobliedern (auch »Dankliederrolle«, I QH) von Qumran.

2b) Pseudepigraphen

Und nur als eine **Auswahl** aus zahlreicherer (jüdischer) Literatur kann gelten, was im folgenden noch zu erwähnen ist. Von der großen Bedeutung des ab Ende des 2. Jh.s v. Chr. unter den alexandrinischen Juden entstandenen **Aristeas**-Briefes nicht nur für die griechische Übersetzung des Pentateuch, sondern auch für die der weiteren hebräischen (alttestamentlichen) Überlieferung ist schon mehrfach die Rede gewesen. Unbeschadet aller legendarischen Züge unter dem Namen eines älteren jüdischen Geschichtsschreibers geht es auch ihm um die immer wieder zu erweisende Überlegenheit des »Gesetzes« über alle griechische Philosophie und Bildung, wobei die Tora für Weisheit steht und bei der erzählerischen Dokumen-

23 Vgl. z. B. Sap Sal 11,22; 12,12–18 mit Röm 9,19–23; 12,8.10.11a.20a mit Röm 9,22 u. ö.

tierung der Auseinandersetzungen in diesem Rahmen auch aufgrund der Benutzung älterer Quellen durchaus historisch zuverlässige Bedingungen sichtbar werden können. Das ursprünglich hebräische, im ganzen dann erst in äthiopischer Übersetzung erhaltene Buch der **Jubiläen** bietet nach dem chronologischen System auf der Grundlage der Siebenzahl[24] einen Geschichtsaufriß von der Schöpfung bis zum Auftreten des Mose und dürfte etwa um 100 v. Chr. in der Qumrangemeinschaft jedenfalls sehr nahestehenden Kreisen entstanden sein. Die pedantische Beobachtung auch aller kultischen Tora zum Zwecke der Absonderung und Reinerhaltung Israels von allem Nichtjüdischen ist das durchgängige Thema dieser sogenannten »Kleinen Genesis«, nicht zuletzt auch im Vergleich mit der kanonischen. Wieder einen anderen, aber für jüdische Literatur der sogenannten zwischentestamentlichen Zeit charakteristischen Typ repräsentierten **Martyrium** und **Himmelfahrt Jesajas.** Der Grundbestand dieser wahrscheinlich erst zwei Schriften wird aus dem Anfang des 1. Jh.s stammen und gestaltet prophetische Überlieferung[25] weiter im Sinne jüdischer Märtyrerlegenden aus der Verfolgungszeit Mitte des 2. Jh.s zugleich mit deutlichen Anklängen wieder an Qumrantexte in der Hervorhebung des »gerechten Helden«, 3,13–4,18 ist dann christlicher Weiterwuchs mit Ausblick auf Jesus und die Kirche wahrscheinlich aus der Zeit um 100 n. Chr. Die **Psalmen Salomos** umfassen 18 sicher zuerst hebräisch-aramäische Lieder etwa zwischen 70 bis 30 aus Palästina und dokumentieren somit ein eindrucksvolles Stimmungsbild der palästinensischen Juden aus dieser Zeit, wenn auch in neuerer Exegese die hier laut werdenden Stimmen nicht mehr so eindeutig bestimmten Gruppen – z. B. Pharisäer gegen Sadduzäer – zugeschrieben werden können wie früher. Das sogenannte **IV. Makkabäerbuch** ist eigentlich ein jüdischer philosophischer Traktat in Redeform (Diatribe) in griechischer Sprache aus dem alexandrinischen Raum vielleicht erst um Christi Geburt und vertritt den stoischen Satz, daß die Vernunft über die Affekte herrsche, sucht ihn aber aus der jüdischen Geschichte und auf dem Boden des Gesetzes zu beweisen. Eine eigentümliche und in den letzten vorchristlichen Jahrhunderten jüdisch begonnene, dann später christlich weitergeführte Sammlung nach orientalischem Muster bilden die **Sibyllinischen Orakel,** deren vaticinia ex eventu als eine Art Geschichtszeugnis in Zukunftsform immer wieder und jeweils zur Stärkung des Glaubens fortgeschrieben respektive »geweissagt« wurden. Unter dem Namen **Henochs**[26] stellt sich zunächst ein großes apokalyptisches Sammelwerk dar, dessen älteste Teile in die Mitte des 2. Jh.s v. Chr. zurückreichen und an dem essenische aus Qumran, aber auch andere jüdische Gruppen beteiligt gewesen sein dürften und in das viel fremdes, chaldäisches und iranisches, ägyptisches und griechisches Material eingeflossen ist. Zwar geht es zwischen Rückblick und Zukunftsschau auch immer noch um essenische Ideale und das Los der Sünder und der Gerechten, trotzdem hat sich hier bereits quasi eine eigene Welt aus vielen Elementen verselbständigt. Darin liegt zugleich die Faszination dieser Zukunfts-Vergangenheits-Visionen, die auch die Christengemeinden teilen[27] und die zu einem weiteren christlichen Ableger wohl aufgrund älterer Seitenstücke der Henochliteratur, dem sogenannten **slavischen Henochbuch** (7. Jh. n. Chr.?), führt wie auch der Grund

24 Eine »Jahrwoche« sind 7 Jahre, 7 Jahrwochen bilden eine Jobel-Periode (49 Jahre, s. Lev 25).

25 Anknüpfend an 2 Kön 21,1–18.

26 S. Gen 5,22.24; auch Henoch 1 oder nach der vollständig erhaltenen Übersetzung (gegenüber dem hebräischen oder aramäischen Original) auch äthiopischer Henoch genannt.

27 Vgl. äthiop. Henoch 1,9 mit Jud 14 u. 15.

dafür ist, daß zunächst die Synagoge und später dann auch die christliche Kirche diesem Auswachsen je ihren Kanon verschließen. Auch die **Himmelfahrt Moses** enthält eine Apokalypse, wie man, wieder mit Motivberührungen aus Qumrantexten, etwa um Christi Geburt in Palästina den Gang der Geschichte der Juden verstehen und erwarten zu können meint, eine umfassendere Sicht der Dinge bieten aber erst wieder die sieben apokalyptischen Visionen des **IV. Esrabuches** um 100 n. Chr., auch von der Synagoge nicht akzeptiert doch zunächst christlich vielfach übersetzt. Sein Entstehungsgrund ist nach der Katastrophe von 70 n. Chr. der Problemdruck zwischen Vergeltungslehre und Gottesglauben und eine Lösung wird zunehmend erhofft, nun jenseits buchstäblich von Hiob, im Ausblick auf den kommenden Äon. Solche Ausweitung jüdischer Existenzproblematik auf Grundmenschliches findet sich auch in der etwa gleichzeitigen, im ganzen oberflächlicheren aber optimistischeren sogenannten **syrischen Baruchapokalypse,** deren Abhängigkeiten von IV. Esra aufgrund der Überlieferungs- respektive Übersetzungsverhältnisse ebenso sicher wie im einzelnen schwer bestimmbar sind. Die **griechische Baruchapokalypse** hingegen setzt die syrische voraus und wird jüdischen Ursprungs frühestens gegen Ende des 2. nachchristlichen Jahrhunderts sein, schon ganz kosmologisch orientiert, mit poetischer Ausprägung, griechischen Vorstellungen und stark gnostischem Akzent in den Reisen Baruchs durch die sieben Himmel, schließlich ist sie noch christlich überarbeitet worden[28].

Ein anderes Genre zwischentestamentlicher Literatur bilden die sogenannten **Testamente**, z. B. die der **12 Patriarchen,** die durchgängig an die Stammessegensprüche des Pentateuch (Gen 49; Dtn 33) anknüpfen, mit einem geschichtlichen Lebensrückblick Paränesen verbinden und zu Weissagungen nach dem Tod des Stammvaters fortschreiten. Der Urtext war wahrscheinlich aramäisch oder hebräisch, die Herleitung aus der Qumrangemeinschaft (durch mehrere Überarbeitungen) haben neuere Untersuchungen wahrscheinlich gemacht mithin aus dem Zeitraum zwischen 200 v. Chr. und 70 nach Chr., auch christliche Redaktion wird nicht auszuschließen sein, wiewohl die Ermahnungen zur Nächstenliebe und zur Reinheit eher als zum Zeremonialgesetz stellenweise mehr die inhaltliche Nähe eines Teiles der Qumranideen zu christlich-neutestamentlichen Vorstellungen zeigen als, wie früher angenommen, genuin christliche Eingriffe. Wie wir damit fast bereits in der großen Gruppe der Qumranschriften selbst stehen[29], so stehen sozusagen am Anfang auch dann christlicher haggadischer Erzählungsliteratur das **Leben Adams und Evas,** jüdischen Ursprungs samt dem diesem inhaltlich weithin parallel laufenden, griechischen Erzählungskreis, die Menschheitliches am Elternpaar erzählen und dabei neben Buß- und asketischen Motiven auch himmlisch-apokalyptische Vorstellungen zum Teil in hochpoetischer Form zum Tragen bringen. Vielleicht sind sie Zeugnisse der Stillen im Lande, doch auch mit essenischen Zügen und dann christlichen Einschüben, aus einem Zeitraum zwischen 20 v. Chr. (Tempelbau des Herodes) und der Zerstörung Jerusalems 70 n. Chr.

---

28 S. Kap. 4 (v15).

29 Streckenweise ganz nahe steht vor allem die sog. Damaskusschrift (CD) »der Gemeinde des neuen Bundes im Lande Damaskus«, die die Gemeinschaft mahnend in die Geschichte Israels hineinstellt und ihrerseits die strenge Auslegung des Gesetzes begründet.

Vorstehendes konnte nur als Auswahl skizziert werden, für die große und differenzierte Gruppe der Qumranschriften muß hier auf die zahlreichen Editionen und Arbeiten darüber verwiesen werden[30]. Auch für sie aber soll zum Schluß noch einmal grundsätzlich folgendes erneut ins Bewußtsein gerufen werden: Auch sie umstehen nicht einfach als zufällig zeitgleiche, nur archäologisch interessante Dokumente die Biblischen Überlieferungen. Sie sind vielmehr ebenfalls unmittelbare Zeugen in Sprache, Schrift und Gedankengut nicht eigentlich **an**, sondern präzise **auf** dem Wege der kanonischen Texte, die für eine verstehende Auslegung des zweiteiligen Kanons nicht bloß »nützlich und gut zu lesen« sind, sondern auf die eine solche Auslegung nicht mehr verzichten kann.

30 Erster Überblick über das Wichtigste jetzt bei J. Maier, Antikes Judentum, in: Grundkurs Theologie Bd. 2 (UrbanTB 422, 1989), 147 ff.

Biographie

Biographie
Nikolaus Peter Paul Becker

geb. am 18. November 1929 in Stettin
dort Besuch der Grundschule und des humanistischen Marienstifts-Gymnasiums

Im Herbst 1944 Einberufung zur damaligen Wehrmacht,
dann Flucht nach Westen
Vom April 1945 – September 1946 in britischer Gefangenschaft in Dänemark
Rückkehr nach Deutschland, Wohnsitz Bad Oldesloe

Februar 1948 Abitur am humanistischen Wilhelm-Gymnasium, Hamburg

Ab SS 1948 Studium der ev. Theologie in Mainz
1950 Lehrgang an der Christlichen-Presse-Akademie (cpa), Bad Boll
Ab SS 1951 Studium der ev. Theologie und Rechtswissenschaften in Bonn
Assistent am Institut für internationales Recht und Politik, Bonn
1951 Teilnahme als Vertreter des Instituts an der UNO-Sitzung in Paris

18. November 1952 Heirat mit Carmen Schwalenstöcher (drei Kinder, 1956, 1959, 1963)

Sommer 1955 Fakultätsexamen in ev. Theologie in Bonn

Juli 1957 Erstes Juristisches Staatsexamen in Düsseldorf
Referendariat von 1957 bis 1961

Januar 1962 Zweites Juristisches Staatsexamen (Assessor)
in Düsseldorf

Ab 15. Februar 1962 Assessor bei der Ev. Kirche im Rheinland

April 1964 Ernennung zum Landeskirchenrat

1977 Oberkirchenrat

1981 Juristischer Dirigent

September 1987 Ehrendoktor der Theologie der Kirchlichen Hochschule Budapest

Arbeitsgebiete

bis 1977 stellvertretender Vorsitzender der Schulabteilung – Mitwir-

	kung an der Gründung des Pädagogisch-Theologischen-Instituts der Evangelischen Kirche im Rheinland, Bad Godesberg –; Volksmission; Öffentlichkeitsarbeit
ab 1977	Finanzen; Ökumene, Weltmission; Entwicklungshilfe; Pfarrerfortbildung; – Umbau des Pastoralkollegs Haus Hermann von Wied, Rengsdorf; Christen und Juden, u. a.
ab 1981	Juristischer Dirigent, Geschäftsführung des Landeskirchenamts

Mitarbeit in kirchlichen Gremien

Evangelische Kirche im Rheinland:

von 1958 bis 1965	Presbyter der Evangelischen Kirchengemeinde Velbert
ab 1959 bis 1965	Mitglied der Kreissynode Niederberg
von 1964 bis 1965	Mitglied des Kreissynodalrechnungsausschusses Niederberg
ab 1964	Mitglied des Landeskirchenamts
ab 1977	Mitglied der Kirchenleitung, Mitglied verschiedener Ausschüsse der Landeskirche, Mitglied der theologischen Prüfungskommission, Referent für kirchliches Verfassungsrecht für die Ausbildung von Verwaltungsbeamten im kirchlichen Dienst
von 1978 bis 1980	Mitglied des Aufsichtsrats der Bank für Kirche und Diakonie, Duisburg (BKD)
ab 1980	Mitglied des Vorstands der BKD
ab 1985	Vorstandsvorsitzender der BKD

Evangelische Kirche der Union:

Mitglied der Synode; des Rats; des Finanzausschusses; des Kleinprojekteausschusses für die DDR

Evangelische Kirche in Deutschland:

Mitglied der Kirchenkonferenz, des Finanzbeirats, der Konferenz leitender Juristen, des Vergabeausschusses des Medienfonds der EKD beim GEP, des Projektvorstands der Medienprogrammgemeinschaft im Gemeinschaftswerk; Vorsitzender des Finanzausschusses der Arbeitsgemeinschaft Kirchlicher Entwicklungsdienst; Mitglied des Leitungsausschusses der Arbeitsgemeinschaft Kirchlichen Entwicklungsdienst, der Beratergruppe der Evangelischen Kirche Deutschlands und des Bundes Evangelischer Kirchen der DDR; Mitglied des Finanzausschusses des Evangelischen Missionswerkes im Bereich der Bundesrepublik Deutschland und Berlin-West.

Christlich-jüdisches Gespräch

1962 Mitbegründer von Nes Ammim (christliche Siedlung in Israel – zur Aussöhnung von Juden und Christen); 1965 von der israelischen Regierung als erster Botschafter für Israel vorgeschlagen

1963 Mitbegründer des deutschen Nes Ammim-Vereins, Schatzmeister des Vereins

Publizistik und Bibelgesellschaft

Mitglied des Rheinischen Presseverbandes; Verwaltungsrat von Eikon und Matthias – Film GmbH; Schatzmeister der Deutschen Bibelgesellschaft; Mitglied des Verwaltungsrats des Europäischen Produktions-Fonds der United Bible Society und des Finanzausschusses der United Bible Society

Bibliographie

Bibliographie
Nikolaus Becker

I. Kommentar

Die Kirchenordnung der Evangelischen Kirche im Rheinland mit Erläuterungen, Loseblattkommentar, Neuwied, Stand Mai 1988

II. Aufsätze und Referate

1960

Wann und warum wurde Velbert evangelisch? in: Gemeindebrief der Evangelischen Kirchengemeinde Velbert, 1. Jg. 1960, Nr. 10, S. 6f.

1976

Mitarbeiter-Presbyter-Pfarrer-Verwaltung in: »Handbuch für Küster und Hausmeister« Herausgeber: Arbeitsgemeinschaft Rheinischer Küster und Evangelischer Küstervereinigung Westfalen-Lippe, Gladbeck 1976, S. 273

Aspekte der Reform der Kirchenordnung unter besonderer Berücksichtigung der Stellung der Mitarbeiter. Vortrag auf der Mitgliederversammlung am 14. 10. 1976, herausgegeben als Sonderdruck vom Rheinischen Verband der Mitarbeiter im evangelisch-kirchlichen Verwaltungsdienst

Aspekte der Kirchenordnung. Ausschüsse-Haftung-Dienstaufwand – Stellung und Aufgaben des Kirchmeisters – Satzungen der Gemeinden, in: Protokoll der Tagung »Arbeitsweisen und Arbeitsstil im Presbyterium« am 1. und 2. Oktober 1976; Evangelische Akademie Rheinland, Haus der Begegnung, Nr. 10, S. 6f.

Der Staat und das Recht der privaten Schulen. Eine Übersicht über die Rechtslage, in: Korrespondenzblatt evangelischer Schulen und Heime 1976, Nr. 1, S. 3ff.

Kirche – Was ist das – Eine kirchenrechtliche Darstellung heute – Fundstelle: LKA-Bibliothek, V a 178

1979

Grenzen und Umfang der staatlichen Schulaufsicht gegenüber privaten Schulen in: Korrespondenzblatt evangelischer Schulen und Heime 1979, Nr. 1/2, S. 3ff.

1980

Leitungsverantwortung und Leitungsbefugnis in der Evangelischen Kirche im Rheinland und in der Evangelischen Kirche von Westfalen, in: »Kirchliche Verwaltung im Rheinland und Westfalen, 1905–1980, 75 Jahre Rückblick und Ausblick«, Hrsg. Rheinischer Verband der Mitarbeiter im evangelisch-kirchlichen Verwaltungsdienst, Duisburg, 1980, S. 12 ff.

1987

Kirchensteuer oder freiwilliger Kirchenbeitrag, Referat auf dem Forum anläßlich des 50-jährigen Jubiläums des Gesamtverbandes der Evangelischen Kirchengemeinden in Düsseldorf, 1987, LKA Nr. 17910, Az. 43 Düsseldorf (1989)

1989

Kirche und Staat in der Bundesrepublik – eine Bestandaufnahme –, 1989, LKA Nr. 17221, Az.: 11-3-6, bisher nur in ungarischer Sprache veröffentlicht

Zum Abschied aus dem Präsidentenamt oder Freude und Leid eines Kirchenjuristen, in: Festschrift für Walter Hammer, herausgegeben von Schloz, Bielefeld, 1989

1990

Die Grundlegung des evangelischen Kirchenrechts im Rheinland, demnächst in: Zeitschrift für evangelisches Kirchenrecht Bd. 35 (1990)

III. Artikel im Handbuch für Presbyterinnen und Presbyter, Neukirchen-Vluyn, 1988

Bank für Kirche und Diakonie, S. 55

Finanzausgleich, S. 102

Haushaltsplan, S. 121

Kirchenordnung, S. 141

Landeskirchenamt, S. 141

Rücklagen, S. 192

IV. Herausgeberschaft

Kirche und Staat – Rechtstexte für Studium und Praxis (Hessen, Nordrhein-Westfalen, Rheinland-Pfalz, Saarland), bearbeitet von Becker, Brauburger, Füllkrug, Schlief, 2. Auflage, Neuwied, 1988

Evangelisches Kirchenrecht im Rheinland – Die Kirchenordnung und andere Organisationsgesetze, Textsammlung in sieben Heften, Neuwied

Evangelisches Kirchenrecht im Rheinland – Dienstrecht – Textsammlung in fünf Heften, herausgegeben von Becker und Stapelfeldt, Neuwied

Staat und Kirche in Hessen, Rheinland-Pfalz und dem Saarland. Ergänzende Rechtsquellensammlung, herausgegeben von Amend, Becker, Brauburger, Füllkrug, Knudsen, Till und Weispfenning, Neuwied

Staat und Kirche in Nordrhein-Westfalen, Ergänzende Rechtsquellensammlung, herausgegeben von Becker, Knudsen, Kühn, Marré, Panzer und Schlief, Neuwied